CEILIOG DANDI II

OES EOS

Hefyd gan Daniel Davies:

Pelé, Gerson a'r Angel
Twist ar Ugain
Gwylliaid Glyndŵr
Hei-Ho!
Tair Rheol Anhrefn
Allez Les Gallois!
Yr Eumenides
Arwyr
Pedwaredd Rheol Anhrefn
Ceiliog Dandi

Ceiliog Dandi II

Oes Eos

Daniel Davies

Argraffiad cyntaf: 2021
ⓗ testun: Daniel Davies 2021

Rhif Llyfr Safonol Rhyngwladol:
978-1-84527-802-1

Cyhoeddwyd gyda chymorth Cyngor Llyfrau Cymru

Darlun y clawr a darluniau mewnol: Ruth Jên
www.ruthjen.co.uk

Dyluniad y clawr: Eleri Owen

Dyfynnir o gân Derec Williams, 'Y Ferch yn Ffair Llanidloes'
ar dudalen 64 gyda chaniatâd caredig y teulu

Cyhoeddwyd gan Wasg Carreg Gwalch,
12 Iard yr Orsaf, Llanrwst, Dyffryn Conwy, Cymru LL26 0EH.
Ffôn: 01492 642031
e-bost: llyfrau@carreg-gwalch.cymru
lle ar y we: www.carreg-gwalch.cymru

Argraffwyd a chyhoeddwyd yng Nghymru

Cyflwynaf y nofel hon i
Wini Nel

Diolchiadau

Diolch i fy mam, Nanna Davies, fy nghymar, Linda, a'm chwaer, Jennifer, am eu cefnogaeth.

Hoffwn ddiolch i Lisa, Ieuan, Gwenno, Jessica, a Mari hefyd, ac er cof am fy ffrind annwyl, Snwff.

Hefyd diolch i Wasg Carreg Gwalch am gefnogi'r syniad ac i'r golygydd, Nia Roberts, am ei charedigrwydd a'i gwaith trylwyr.

Y Datgeiniaid

I

Gadewch imi gyflwyno fy hun am yr eildro. Yr enw yw Dafydd Llwyd ap Gwilym Gam, neu Dafydd ap Gwilym i'm ffrindiau... a'm gelynion, o ran hynny. A dwi wedi gwneud digon o'r rheiny yn ystod fy ngyrfa, fel rydych ar fin ei ddarganfod, eto. Yng nghyfrol gyntaf fy hanes soniais am f'ymdrechion i godi drwy'r rhengoedd i fod yn un o feirdd gorau Ewrop, os nad y byd, pan oeddwn ym mlodau fy nyddiau.

Fodd bynnag, dim ond un peth sy'n anos na chyrraedd pen y domen, sef llwyddo i aros yno. Gobeithio na fyddaf yn amharu ar eich mwynhad o ddarllen ail ran fy hunangofiant drwy ddweud fy mod i wedi llwyddo'n ysgubol i gyflawni'r gorchwyl hwn. Ond y daith sy'n bwysig, ddarllenwr amyneddgar, nid y gyrchfan, ac rwy'n mawr obeithio y gallaf gynnig ambell air o gyngor am farddoniaeth, athroniaeth, crefydd, cariad, cyfiawnder, sut i ymladd a churo gŵydd mewn gornest a mwy, llawer mwy, wrth inni gyd-deithio dros yr oriau nesaf. Taith sy'n dechrau ar fore awyr las o wanwyn ym mis Mai 1347...

Roeddwn i, Dafydd ap Gwilym, a'm gwas ffyddlon, Wil, wedi treulio'r deuddydd cynt yn cerdded yr hanner can milltir o'r Hen Lew Du yn Aberteifi i Fyddfai ger Llanymddyfri, gyda'r bwriad o gael ein trin gan feddygon enwog yr ardal honno o Sir Gâr.

Fel rydych chi eisoes yn gwybod ar ôl darllen rhan gyntaf fy hunangofiant, yr wyf i, Dafydd ap Gwilym, yn aelod o fagad barddol enwocaf Cymru, sef y Cywyddwyr, Rhigymwyr, Awdlwyr a Phrydyddion. Roeddwn i a dau aelod arall o feirdd CRAP Cymru, sef Madog Benfras ac Iolo Goch, newydd ennill talwrn rhyngwladol cyntaf Ewrop yn enw ein gwlad, yn erbyn Lloegr, Ffrainc a'r Eidal.

Ond yn ystod y dathliadau nwydwyllt yn dilyn ein buddugoliaeth yn erbyn y Saeson, y Ffrancod a'r Eidalwyr sylwais fod gan Wil bloryn bach o dan ei gesail chwith.

'Beth yw hwnna?' gofynnais, gan bwyntio ato.

'Ro'n i ar fin gofyn am yr un sydd gen ti,' meddai Wil.

Edrychais o dan fy nghesail, ac yn wir, roedd gen innau bloryn tebyg. A dyna pryd y gwnaeth y ddau ohonom disian ar yr un pryd.

Wrth gwrs, roeddwn eisoes wedi clywed si fod haint dychrynllyd wedi dechrau ymledu o'r Dwyrain Pell. Haint lle'r oedd plorod du yn ymddangos o dan geseiliau pobl cyn i'r pla 'du' hwn eu lladd ymhen dyddiau.

I geisio osgoi marwnad cyn fy amser penderfynais fynd am y driniaeth feddygol orau ac ymweld â ffisigwyr enwocaf Cymru, sef Meddygon Myddfai.

'Os all unrhyw un achub ein bywydau, Meddygon Myddfai yw'r rheiny,' dywedais wrth Wil pan gyrhaeddon ni bentref dinod Myddfai, yn yr anialwch diwylliannol hwnnw a elwir yn Sir Gâr, drannoeth.

'Gawn ni weld,' atebodd Wil yn groch.

'O, ti o ychydig ffydd,' atebais cyn peswch yn uchel. 'Mae'r meddygon hyn wedi bod yn enwog ers i Rhiwallon Feddyg a'i feibion drin Rhys Gryg, tywysog Deheubarth, ar ôl iddo gael ei glwyfo'n arw mewn brwydr yng Nghaerfyrddin ganrif yn ôl,' esboniais, gan beswch eto. 'Ac mae eu disgynyddion yn dal i serennu ym maes meddyginiaeth.'

'Ond bu farw'r tywysog Rhys o'i glwyf. Dyw hynny ddim yn argoeli'n dda i ni,' atebodd Wil.

Cerddodd y ddau ohonom i mewn i dŷ carreg unllawr hir a gweld hanner dwsin o bobl yn eistedd ar stoliau teircoes anghyffforddus, yn tisian a pheswch yn achlysurol. O'u blaenau, y tu ôl i fwrdd, eisteddai menyw swrth yr olwg. Cerddais ati a'i chyfarch.

'Bore da, fenyw o'r wep-frid. Myfi yw'r bardd enwog Dafydd ap Gwilym, a dyma...'

'Erioed wedi clywed amdanoch,' meddai'r fenyw cyn imi gael cyfle i gyflwyno Wil.

'O! Na? Y'ch chi'n siŵr?' gofynnais, gan wenu'n siriol arni. 'Ta beth, a fyddai modd imi gael ymgynghoriad meddygol gydag un o feddygon enwog Myddfai?' ychwanegais, gan barhau i wenu'n siriol.

'Pa un o'r tri?' gofynnodd y fenyw'n swta.

'A yw Meddyg Cadwgan ar gael?' gofynnais.

'Mae e'n brysur.'

'Meddyg Gruffydd?'

'Prysur.'

'Wel, does dim ots gen i weld Meddyg Einion 'te, os oes raid,' meddwn.

'Prysur,' meddai'r fenyw eto gan wenu'n gam. 'Bydd yn rhaid ichi aros eich tro gyda phawb arall,' ychwanegodd gan godi cwilsen. 'Uchelwr neu daeog?' gofynnodd.

'Uchelwr, wrth gwrs,' atebais, gan estyn ceiniog o fy mhwrs a'i rhoi o dan ei thrwyn yn y gobaith y byddai hynny'n cyflymu'r broses. Ond ni chymerodd unrhyw sylw o'r geiniog.

'A beth yw *hwn*? Uchelwr neu daeog?' gofynnodd yn swta eto, gan bwyntio'r gwilsen yn fygythiol i gyfeiriad Wil.

'Taeog, wrth gwrs. Dyma fy macwy ffyddlon...' dechreuais, cyn i'r fenyw dorri ar fy nhraws unwaith eto.

'Eisteddwch. Mi alwaf i'ch enwau maes o law,' gorchmynnodd.

Wrth imi gamu tuag at y cleifion eraill, gafaelodd Wil yn fy mraich a sibrwd, 'Ydy hi'n ddoeth inni eistedd ymhlith pawb arall?'

'Pam lai, Wil?'

'Rhag ofn inni ddal rhyw afiechyd neu haint arall,' meddai, gan edrych yn betrusgar ar y cleifion.

Chwarddais yn uchel. 'Dwi ddim yn deall pam eich bod chi daeogion mor ofergoelus. Nid pobl sy'n lledu afiechydon, ond cyfuniad o'r *miasma* sydd yn yr awyr a'r bustl sydd yn ein cyrff. Wil bach, mae meddyliau mwya'r byd, gan gynnwys Aristoteles a Tomos o Acwin wedi cadarnhau hynny. Ac rwy'n credu eu bod nhw'n gwybod mwy na thaeog cyffredin fel tydi. Pobl yn lledu haint? Be nesaf?' Chwarddais eto, cyn mynd i eistedd yng nghanol y cleifion.

Treuliais y tair awr ganlynol yn meddwl sut i wella'r cerddi diweddaraf roeddwn wedi'u creu ar y cyd â Wil. I'r nifer prin ohonoch nad ydych wedi darllen rhan gyntaf fy hunangofiant, dylwn esbonio fod gan Wil ddawn anhygoel i farddoni. Does wybod sut y cafodd taeog fel yntau rodd o'r fath gan yr Iôr, yn enwedig o gofio bod ei fynegiant yn aflednais iawn ar adegau. Yn ffodus, penderfynodd yr Arglwydd hollalluog hefyd mai myfi, Dafydd ap Gwilym, oedd y dethol un a fyddai'n canfod dawn anghyffredin Wil. Yn fuan iawn wedi imi wneud hynny, daeth y ddau ohonom i drefniant lle byddai Wil yn creu drafft cyntaf o gerdd cyn imi ei mireinio a'i datgan yn llysoedd yr uchelwyr, gyda fy nghyd-feirdd, dros Gymru benbaladr. Roedd ein trefniant yn golygu mai myfi, Dafydd ap Gwilym, oedd yn derbyn y clod am y gwaith, ond roedd Wil ar ei ennill hefyd am ei fod yn derbyn cyflog hael am gyflawni dyletswyddau ysgafn iawn fel gwas – fy ngalw fi'n 'chi' yn hytrach na 'ti' yn gyhoeddus, a chadw'i geg ynghau am ein trefniant.

Wrth imi synfyfyrio tra oeddwn yn gwylio'r cleifion yn dylyfu gên rhwng y pesychiadau a'r tisian y prynhawn hwnnw ym Myddfai, meddyliais y byddai gosod copïau o'r detholiad diweddaraf o fy ngwaith i a Wil yn yr ystafell yn hwyluso'r cyfnod aros i'r cleifion, gan godi eu calonnau wrth iddynt ddarllen barddoniaeth o'r radd flaenaf.

Ymhen hir a hwyr clywais y fenyw yn galw fy enw.

'Dafydd ap Gwilym a'i was. Meddyg Cadwgan. Trwy'r drws yna.' Pwyntiodd ei bys at un o'r tri drws oedd y tu ôl iddi.

Eisteddai Meddyg Cadwgan y tu ôl i fwrdd derw mewn ystafell oedd yn llawn i'r ymylon o boteli a chynwysyddion yn llawn hylif, eli ac eneiniau o bob llun a lliw. Roedd yr ystafell hefyd yn gymysgedd o aroglau sur a phersawrus. Camais at y Meddyg Cadwgan, oedd wrthi'n llenwi potel gyda hylif melyn swlffwraidd ei arogl.

'Henffych, gyfaill o'r meddyg-frid! F'enw yw Dafydd ap

Gwilym o'r bardd-frid a dyma fy ngwas o'r taeog-frid, Wil,' meddwn, gan estyn fy llaw i'w gyfarch.

Cododd Meddyg Cadwgan ar ei draed. Roedd e'n ddyn tal, tenau tua oed yr addewid gyda barf hir wen yn ymestyn i lawr at ei fotwm bol. Edrychodd yn syn arnaf, a'i lygaid gwyrdd yn pefrio.

'Cadwch eich llaw ymaith. Does wybod ble mae hi wedi bod,' meddai, gan edrych arnaf yn ddirmygus o'm corun i'm sawdl. 'Be sy'n bod arnoch chi? Ry'ch chi'n edrych yn ddigon iach,' ychwanegodd, gan droi amserydd tywod a'i ben i lawr i ddynodi bod yr ymgynghoriad wedi dechrau.

'Dewch 'mla'n, dewch 'mla'n,' taranodd. 'Mae pobl sâl yn aros i'm gweld.'

Ymhen chwinciad roeddwn wedi tynnu fy nhiwnig dros fy mhen a dangos y plorod du oedd o dan fy ngheseiliau iddo.

Edrychodd Meddyg Cadwgan yn ofalus o dan fy ngheseiliau am rai eiliadau cyn edrych o dan geseiliau Wil yn yr un modd. 'Hmmm. Diddorol,' meddai, gan gosi ei ên yn feddylgar a chrychu'i dalcen.

Dyw hyn ddim yn argoeli'n dda o gwbl, meddyliais. 'Dywedwch beth sy'n bod arnaf. Ai'r pla du hwnnw sy'n ymledu o'r Dwyrain Pell yw e? Oes angen inni ymbellhau oddi wrth bawb?' gofynnais gan disian.

Camodd Cadwgan i ochr chwith yr ystafell lle'r oedd drws arall. Agorodd y drws. 'Gruffydd!' galwodd. 'Alli di ddod yma am ennyd, a gofyn i Einion ddod hefyd.'

Cyn pen dim roedd Meddygon Myddfai ill tri yn syllu ar, ac yn procio, ein ceseiliau.

'Beth sy'n bod arnyn nhw yn eich barn chi?' gofynnodd Meddyg Cadwgan i'w frodyr, gan gnoi ei wefus.

'Beth yw eu galwedigaeth?' gofynnodd Meddyg Gruffydd, oedd hefyd yn oedrannus, gyda barf hir wen yn ymestyn i lawr at ei fotwm bol.

'Bardd a'i was,' atebodd Cadwgan, gan barhau i gnoi ei wefus bron fel petai'n ceisio'i atal ei hun rhag chwerthin.

'Dim ond un peth all wella'r cyflwr truenus hwn,' atebodd Meddyg Gruffydd, gan ddechrau cnoi ei wefus yntau a throi at Feddyg Einion. Ef, yn amlwg, oedd yr ieuengaf o'r tri brawd am nad oedd ei farf wen wedi cyrraedd yn is na'i frest.

'Cer i nôl yr hylif priodol, Einion,' meddai Gruffydd gan wincio ar ei frawd. Camodd hwnnw trwy'r drws a dychwelyd maes o law gyda photel wydr yn llawn hylif.

'Beth yw hwn?' gofynnais yn betrusgar.

'Hylif fydd yn gwella eich cyflwr,' meddai Meddyg Cadwgan.

'Ry'n ni wedi allforio tipyn ohono ar gyfer y *jongleurs* a'r *troubadours* yn Ffrainc. Y rhai sy'n cyfateb i chi feirdd yng Nghymru,' eglurodd Meddyg Gruffydd.

'Mae wedi bod yn effeithiol iawn ac wedi gwella o leiaf naw allan o ddeg ohonynt. Maen nhw'n ei alw'n "*c'est bon*",' meddai Meddyg Einion.

'Sebon!' ebychodd Wil.

'Mae eich cyflwr yn un sy'n gyffredin iawn ymysg beirdd,' meddai Meddyg Cadwgan gan anwybyddu ebychiad Wil.

'Ond beth yw'r plorod? Beth yw'r cyflwr? Sut fydd yr hylif yn fy ngwella?' gofynnais.

'Budreddi,' meddai Meddyg Cadwgan gan ateb fy nghwestiwn cyntaf.

'Diffyg ymolchi. Cyflwr cyffredin ymysg beirdd,' meddai Meddyg Gruffydd gan ateb yr ail gwestiwn.

'Rhowch yr hylif *c'est bon* hwn o dan eich ceseiliau a'u golchi ddwywaith y dydd ac mi fydd y plorod yn diflannu ymhen tridiau,' meddai Meddyg Einion gan ateb fy nghwestiwn olaf.

Cymerodd Wil y botel, ei hagor a'i harogli. 'Mae'n arogli fel cymysgedd o lwch y goeden onnen, gwêr a dŵr i mi. Yr union hylif roedden ni'n arfer ei ddefnyddio i olchi'n dwylo pan o'n i'n gogydd yn y fyddin, yn y rhyfel creulon yn erbyn Ffrainc...' dechreuodd Wil.

Pesychodd y tri meddyg yn anghyffforddus.

'Na, na, na. Mae hwn yn hylif arbennig iawn,' eglurodd Meddyg Cadwgan.

'Dim ond Meddygon Myddfai all baratoi'r hylif hwn,' ychwanegodd Meddyg Gruffydd.

'Dau swllt os gwelwch chi'n dda,' meddai Meddyg Einion.

'Dau swllt! Mae hynny'n grocbris, ac mae'n gyflog mis i fy ngwas,' ebychais. 'Ond beth am y tisian a'r peswch?'

'Annwyd,' meddai Meddygon Myddfai'n unfryd.

'Annwyd?' gofynnais i a Wil yn unfryd.

'Cymerwch y garlleg hwn ar ei gyfer. Garlleg arbennig iawn a gafodd ei dyfu yng ngardd lysiau arbennig Meddygon Myddfai,' meddai Meddyg Cadwgan.

'Rhowch un ewin yn eich sanau am dridiau ac mi fyddwch chi'n holliach ymhen dim,' gorchmynnodd Meddyg Gruffydd.

'A dewch yn ôl ymhen deuddeg wythnos i gael yr ail ddogn o'r garlleg fydd yn sicrhau na fyddwch chi'n cael annwyd byth eto,' meddai Meddyg Cadwgan.

'Dau swllt os gwelwch chi'n dda,' meddai Meddyg Einion.

'Dau swllt! Eto?' ebychais, gan dynnu'r arian o fy mhwrs a'i estyn i'r meddygon o'r barus-frid cyn troi at Wil.

'Dere 'mla'n. Tala'r meddygon, Wil. Dyw talu am dy les meddygol ddim yn rhan o'n trefniant ni,' meddwn.

'Does dim rhaid i'r taeog dalu,' meddai Meddyg Cadwgan.

'Dyna pam y mae Meddygon Myddfai'n gofyn i bawb a ydyn nhw'n uchelwyr neu'n daeogion cyn eu trin,' eglurodd Meddyg Gruffydd.

'Mae Meddygon Myddfai'n credu y dylai'r tlotaf yn ein mysg gael yr un cyfle â'r cyfoethog i gael trin eu clefydau,' meddai Meddyg Einion.

Yn fy marn i, roedd y drefn o roi triniaeth yn rhad ac am ddim i'r tlodion a gadael i'r rhai mwyaf llewyrchus mewn cymdeithas dalu drostyn nhw'u hunain yn un hollol wallgof na fyddai byth yn cydio. Serch hynny, roeddwn yn llawn rhyddhad nad oedd fy salwch yn un angheuol wrth imi deithio'n ôl i Aberteifi gyda Wil, i baratoi ar gyfer ein taith farddol i ddathlu ein llwyddiant fel pencampwyr Ewrop.

II

Yn wir, gwellodd fy hwyliau ymhellach pan gyrhaeddais bencadlys ein bagad barddol, sef yr Hen Lew Du ar gyrion Aberteifi, ddeuddydd yn ddiweddarach. Roedd beirdd Cymdeithas y Cywyddwyr, Rhigymwyr, Awdlwyr a Phrydyddion wedi trefnu i ymgynnull yno i drafod ein taith glera nesaf.

Fel rwyf eisoes wedi egluro yn rhan gyntaf fy hunangofiant, hen ddyn bach moel yn ei bedwardegau o'r enw y Bwa Bach, a'i wraig ifanc, sef y fenyw brydferthaf erioed, Morfudd, sy'n trefnu a gweinyddu perfformiadau'r bagad barddol rwy'n rhan ohono, sy'n teithio o Fôn i Fynwy. Yn ôl pob sôn, dechreuodd y Bwa Bach ar y fenter wedi iddo ymddeol o fod yn adeiladwr a saer maen. Symudodd o dde Cymru i ardal Aberystwyth a phriodi Morfudd, sydd wastad wedi ymddiddori mewn barddoniaeth, a beirdd yn enwedig.

Dechreuais gwrso Morfudd flynyddoedd yn ôl, pan welais i hi ymysg merched eraill Llanbadarn yn yr eglwys. Gwnes fy ngorau glas i ennill ei chalon, gan hyd yn oed greu lloches o goed a dail er mwyn inni allu cwrdd â'n gilydd. Yr enwog ddeildy. Roedd fy nwylo hyfryd yn ddolurus a llawn creithiau am wythnosau. Mis o waith cwbl ofer – bu fy ymdrechion carwriaethol yn fethiant llwyr, er imi awgrymu'n wahanol yn rhai o fy ngherddi.

Yn waeth na hynny, mi ddewisodd hi briodi'r cnaf cefnog, y Bwa Bach. Ond ni allwn beidio â charu'r ferch hudolus hon gyda'i gwallt melyn a'i haeliau du. Ac er i Morfudd fod yn anffyddlon i'r Bwa Bach droeon heb i'r hen gwcwallt sylweddoli, dydw i ddim ymysg y llu o ddynion ffodus hynny. Ei hesgus, yn ei geiriau ei hun, yw, 'Mae ein perthynas ni, Dafydd, yn wahanol i unrhyw berthynas arall yn fy mywyd am ei bod yn un ysbrydol. Dyna pam nad ydw i wedi ei sarnu drwy ymgodymu'n gnawdol â thi. Ac rwy'n mawr obeithio y gallwn barhau i fod yn ddau enaid cytûn.'

Ond roedd hynny cyn perfformiad ysgubol y bardd Dafydd

ap Gwilym yn rownd derfynol pencampwriaeth farddol Ewrop yn erbyn yr Eidalwyr wythnos yn ôl. Sylweddolais fod ei hagwedd tuag ataf wedi newid cryn dipyn pan gyrhaeddais i a Wil yr Hen Lew Du ar ôl ein taith i Fyddfai.

'Mae'n rhaid imi gyfaddef imi gael fy siomi ar yr ochr orau. Roedd dy berfformiad yn un gwefreiddiol yn y rownd derfynol,' meddai Morfudd wrthyf y tu allan i'r dafarn, pan oeddem yn aros i weddill y beirdd gyrraedd i drafod ein taith ddathlu ar draws Cymru. Roedd hi wedi bachu ar y cyfle am sgwrs tra oedd y Bwa Bach yn talu'r landledi, Dyddgu, ymlaen llaw am eu hystafell am yr wythnos i ddod, pan fyddem yn trafod ein cerddi newydd ac yn ymarfer ar gyfer y daith.

'Mi roddodd dy gerddi serch di fy holl gorff ar dân,' ychwanegodd, gan ddod mor agos nes y gallwn deimlo'i hanadl boeth ar fy ngwefusau. 'Rwy'n ysu i dy weld yn dinoethi dy hun yn gyfan gwbl imi, Dafydd,' meddai, gan edrych i fyw fy llygaid.

Methais ag yngan gair am ennyd, cyn cael syniad gwych.

'Mi gei di fy ngweld yn dinoethi fy hun yn gyfan gwbl, Morfudd. Wir Dduw! Cer at afon Teifi, lle mae'n rhedeg trwy'r goedlan ger dolydd Mynafon, bore fory toc wedi *Prime*, ac aros amdana i o dan yr ywen. Mi ddangosaf iti bryd hynny beth dwi'n feddwl ohonot ti. Mi weli di rywbeth fydd yn dy blesio'n fawr!' dywedais, gan amneidio at y goedlan drwchus nid nepell o'r dafarn.

'Hmmm. *Al fresco*... ac mor gynnar yn y bore hefyd... bachgen drwg. Alla i ddim aros,' meddai Morfudd, gan roi ei llaw dde dros fy llaw dde i. Neidiodd fy nghalon – roedd hyn, yn ôl rheolau sifalri, yn dangos ei bod newydd gymryd llw ei bod yn fy ngharu. Safodd y ddau ohonom yno'n dal dwylo am ychydig cyn imi glywed y Bwa Bach yn gweiddi.

'Morfudd! Morfudd? Ble wyt ti?'

Tynnodd Morfudd ei llaw ymaith a chymryd cam yn ôl wrth i'r hen foelyn ddod allan o'r dafarn i chwilio amdani.

'Tan bore fore felly,' meddai, cyn ymuno â'i gŵr.

Rhuthrais innau i chwilio am Wil i drafod y trefniadau ar gyfer y bore.

Bu'n rhaid i Wil a minnau weithio fel taeogion i greu'r gerdd 'Llw Morfudd' dros yr oriau canlynol. Swyddogaeth Wil oedd creu drafft cyntaf y cywydd. Gweithiodd drwy'r nos tra bûm i'n cyflawni fy swyddogaeth innau, sef cynilo fy egni drwy gysgu'n dawel drwy'r nos. Yna, ar ôl codi a gwisgo, dechreuais ar ran bwysicaf y broses greadigol, sef copïo'r gerdd yn fy llawysgrifen orau ar ddarn o felwm.

Mae'n rhaid imi ddweud ein bod ni wedi creu deunydd o'r safon uchaf ar gyfer llygaid Morfudd, oedd yn cyfleu fy nghariad tuag ati. Nid yn unig 'Da fyddai Forfudd â'i dyn O'r diwedd, hoen eiry dywyn,' ond hefyd, 'Rhy wnaeth bun â llun ei llaw Rhoi dyrnaid, a rhad arnaw'. Deunydd gwych. Deunydd heb ei ail.

Serch hynny, roedd gan Wil amheuon am fy nghynllun wrth imi osod fy llofnod ar waelod y gerdd, chwythu ar y memrwn i sychu'r inc a'i roi yn ei law.

'Wyt ti'n hollol siŵr ei bod hi wedi gofyn am gerdd pan soniodd hi am ddinoethi?' gofynnodd, gan gymryd y memrwn a'i osod y tu mewn i'w diwnig.

'At beth arall fyddai hi'n cyfeirio, Wil bach?'

'Wel, efallai ei bod hi am fustachu 'da ti.'

'Bustachu?'

'Ie. Bustachu, cyplu, cnychu, rhigo, shelffo, cael tamed...'

'Ych a fi! Dyna ddigon o'r iaith aflednais yna, Wil. Rwyt ti'n hollol anghywir,' dywedais, gan siglo fy mhen a gwenu ar anwybodaeth fy ngwas o'r taeog-frid. 'Mae rheolau sifalri yn datgan yn glir mai'r cam cyntaf ar ôl i'r ferch dyngu llw ei bod yn caru'r bardd yw bod y bardd hwnnw'n anfon nifer o gerddi ati sy'n dangos ei gariad yntau, gan ddinoethi ei enaid, gyda'r nod o ennill ei chalon yn gyfan gwbl, cyn i'r ddau selio'r llw yn gnawdol,' esboniais.

'Rwy'n deall. Ei thwymo hi lan yn araf bach rhag iddi ferwi'n rhy glou cyn ichi fustachu, cyplu, cnychu, rhigo, shelffo, cael tamed ac yn y blaen,' awgrymodd Wil gan wincio arnaf. 'Ond a yw Morfudd yn deall hynny?'

'Wil, Wil, Wil. Pwylla am ennyd. Pwy yn ei iawn bwyll fyddai am ymgodymu yn yr awyr agored ben bore o dan ywen pan allen nhw gyflawni'r weithred ym moethusrwydd gwely cyfforddus dan do? Na. Mae Morfudd yn fenyw sy'n deall y trioedd. Y drefn, heb os nac oni bai, yw hyn. Un: cymryd llw. Dau: anfon nifer o gerddi ati. Ac yna tri: y cyplu. Nawr, ymaith â thi a chofia adael y gerdd mewn lle amlwg o dan yr ywen,' meddwn, wrth i Wil adael i gyflawni ei orchwyl.

Synfyfyriais yn hir y bore hwnnw, gan ddychmygu Morfudd yn cerdded yn gyfrin i gyfeiriad yr ywen, ei thraed perffaith yn prancio'n noeth drwy wlith y bore. Yna, ochenaid wrth iddi anadlu'r tarth melys o afon Teifi, nesáu at yr ywen, gweld y memrwn, a darllen y gerdd fyddai'n dinoethi fy holl deimladau. Dychmygais sut y byddai'n codi ei phen, gyda deigryn ym mhob llygad wrth iddi wasgu'r memrwn at ei bronnau meddal, sylweddol.

Ochneidiais innau hefyd, oherwydd byddwn wedi talu pridwerth brenin i weld ei hwyneb prydferth wrth iddi ddarllen fy nghampwaith carwriaethol.

Ond nid felly y bu, gyfeillion.

Toc cyn *Prime*, rhoddodd Wil y memrwn yn ddestlus o dan yr ywen yng nghanol y goedlan ger afon Teifi, gan wneud yn siŵr na chafodd ei weld yn gwneud hynny, cyn dychwelyd i'r Hen Lew Du i gael ei frecwast.

Ond gwae fi, roedd rhywun wedi'i weld yn cyflawni'i orchwyl. Neb llai – na mwy – na'r beirdd Madog Benfras ac Iolo Goch. Yn ôl Iolo, pan adroddodd yr hanes wrtha i ar ddiwedd yr haf yn Ffair Llanidloes, roedd y ddau wedi codi'n gynnar i chwilio am fadarch yn y goedlan. Roeddent yn casglu cymysgedd o gaws calan Mai, caws ceffyl ac ambarelau bwgan ar gyfer eu brecwast pan glywson nhw frigau'n crensian a sylweddoli bod rhywun yn cerdded drwy'r goedlan. Cuddiodd y ddau tu ôl i onnen tua hanner canllath i ffwrdd a gweld Wil yn cerdded at yr ywen, yn gosod rhywbeth oddi tani, ac yna'n camu ymaith yn llechwraidd.

'Anws Aneirin! Beth mae Wil wedi'i adael o dan yr ywen 'na, Madog?' gofynnodd Iolo Goch, bardd a gafodd ei enw nid am ei wallt a'i farf goch yn unig, ond am fod ganddo feddwl a thafod mochaidd.

'Hmmm. Gad inni gael cipolwg,' atebodd Madog, gan aros i Wil ddiflannu o'r golwg cyn rhuthro at yr ywen nerth ei goesau byr. Gwelodd y memrwn wrth droed yr ywen, ei godi, a darllen y gerdd cyn i Iolo gyrraedd.

'Beth yw e?' gofynnodd Iolo gan geisio darllen y gerdd dros ysgwydd Madog.

Chwarddodd Madog yn isel a throi at Iolo. 'Tyrd â darn o femrwn, inc a chwilsen imi, Iolo,' meddai.

Mae Iolo'n cario deunydd ysgrifennu mewn ysgrepan ble bynnag mae'n mynd rhag ofn, yn ôl Iolo, 'i'r awen daro'. Tynnodd y deunyddiau allan o'i ysgrepan a'u rhoi i'w gyfaill, ac eisteddodd Madog ar y llawr a dechrau copïo fy ngherdd yn gyflym ar ei ddarn e o femrwn.

'Beth wyt ti'n wneud, Madog?' gofynnodd Iolo.

'Hist,' oedd unig ymateb Madog wrth iddo gopïo'r gerdd a rhoi ei ddarn o femrwn yn ddestlus wrth droed y goeden cyn cuddio'r gerdd wreiddiol y tu mewn i'w diwnig.

'Tyrd, cyn iddi gyrraedd,' sibrydodd, a rhedodd y ddau yn ôl i'w cuddfan wreiddiol.

'Hi? Pwy yw hi? Ceilliau Cynddylan! Beth sy'n digwydd, Madog?'

Eisteddodd Madog o dan yr onnen am ennyd i gael ei wynt ato cyn troi at Iolo.

'Morfudd yw "hi". Mae ap Gwilym wedi ysgrifennu cerdd i Morfudd sy'n datgan ei bod hi wedi tyngu llw ei bod mewn cariad ag e,' meddai, gan chwerthin yn afreolus.

'Ond sut wyt ti'n gwybod mai Dafydd a ysgrifennodd y gerdd?'

Syllodd Madog yn ddilornus ar ei gyfaill. 'Am mai ei was e

roddodd y gerdd o dan yr ywen. Hefyd, rwy'n adnabod ysgrifen traed brain ap Gwilym, ac yn olaf, mae'r ffŵl wedi arwyddo'r gerdd,' meddai, gan barhau i chwerthin yn isel.

'Ond pam wnest ti gopïo'r gerdd a chadw'r un wreiddiol?'

'Tystiolaeth, Iolo. Tystiolaeth. Yn ffodus i ni, mi enillais i wobrau di-ri am gopïo llawysgrifau yn fy llencyndod pan oeddwn i, Madog Benfras, yn ddisgybl disgleiriaf Cadeirlan Llanelwy. Fydd Morfudd ddim yn sylwi nad ysgrifen Dafydd mae hi'n ei darllen. Ond yn bwysicach na hynny, edrycha ar y cynnwys,' meddai Madog, gan dynnu'r memrwn allan o'i diwnig a'i roi i Iolo.

'Brych Bendigeidfran! Dyw Dafydd ddim wedi dal yn ôl, nag yw e?' meddai Iolo ar ôl iddo ddarllen fy ngherdd a'i rhoi yn ôl i Madog, a'i gosododd yn ei diwnig.

' "Yn yr oerddwfr yr urddwyd Y llw a roes Morfudd Llwyd." Mae'r diawl hyd yn oed yn meddwl ei bod hi'n mynd i gymryd ei enw. Mi aiff y Bwa Bach yn benwan,' meddai Madog.

Mi ddylwn i esbonio fod Madog Benfras, neu Madog Benfras ap Gruffudd ab Iorwerth Arglwydd Sonlli ab Einion Goch ab Ieuaf ap Llywarch ab Ieuaf ap Ninaw ap Cynfrig ap Rhiwallawn, fel mae'n mynnu cael ei adnabod, yn fardd llond ei groen sydd wastad wedi bod yn genfigennus ohonof, yn enwedig yn dilyn fy nghampau arwrol i sicrhau buddugoliaeth beirdd Cymru yn y talwrn rhyngwladol diweddar. Golygai hyn, wrth gwrs, fy mod wedi'i ddisodli fel pencerdd ein bagad barddol. Gwyddwn y gwnâi bopeth o fewn ei allu i adennill ei le ar frig y domen farddol. Ac roedd y cyfle hwn yn fêl ar ei fysedd.

'Pidlen Pelegius, Madog! Mi fydd y Bwa Bach yn siŵr o ddiarddel Dafydd o'n bagad barddol pan ddaw'r gerdd hon i'w sylw,' meddai Iolo.

'Yn hollol, Iolo. Yn hollol. Ond nid *os* yw'r gair priodol... na *pan* chwaith... ond *pryd*. Bydd yn rhaid inni aros ein cyfle, pan fydd ap Gwilym ar ei wannaf, cyn inni dorri crib y Ceiliog Dandi unwaith ac am byth, er mwyn i mi adennill fy safle fel prif fardd ein bagad barddol unwaith eto.'

'Ein safle *ni* fel prif feirdd rwyt ti'n ei olygu, yntê, Madog?'

'Wrth gwrs, Iolo. Wrth gwrs,' atebodd Madog yn gyflym, wrth i glychau Priordy Aberteifi ganu i ddynodi ei bod hi'n amser *Prime*.

Ar hynny, gwelodd y ddau fod rhywun yn cerdded yn gyflym tuag at yr ywen. Morfudd. Cyrcydodd y ddau, a gwylio Morfudd yn cyrraedd y goeden, gweld y memrwn, ei godi a'i ddarllen. Yna clywsant hi'n gweiddi, 'Y rhech wlyb ag e!' cyn rhoi'r llythyr y tu mewn i'w thiwnig a cherdded yn ôl i gyfeiriad yr Hen Lew Du.

'Doedd hi ddim yn edrych yn hapus iawn gyda'r gerdd, Madog,' meddai Iolo.

'Mi fydd hi'n llai hapus fyth pan welith y Bwa Bach y gerdd!' atebodd Madog gan anwesu'r memrwn yn ei diwnig.

IV

Toc wedi *Terce* y bore hwnnw roeddwn yn eistedd ger bwrdd crwn yng nghanol tafarn yr Hen Lew Du yn Aberteifi gyda Morfudd, y Bwa Bach, Madog Benfras ac Iolo Goch.

Roedd y landledi, Dyddgu, a fy ngwas, Wil, wedi bod wrthi'n rhuthro yn ôl ac ymlaen rhwng y byrddau a'r gegin yn cario platiau o fwyd i'r gloddestwyr. Ond erbyn hyn roedd pawb ar fin gorffen eu brecwast. Roedd Morfudd wedi f'anwybyddu'n llwyr yn ystod y pryd bwyd. Gwyddwn, wrth gwrs, ei bod hi'n gwneud hynny fel na fyddai'r Bwa Bach yn dechrau amau fod y ddau ohonom yn caru'n gilydd. Ond roedd ei gŵr, fel yr oedd bob amser, yn poeni mwy am ei fol na dim arall.

'Does dim byd fel brecwast traddodiadol Cymreig, oes e, bois? Twlpyn mawr o gig oen, llond bola o fresych, madarch, a maip, a photelaid o win yr un. Mi fydda i'n iawn nawr tan amser cinio,' meddai, gan wthio'i blât ymaith a phecial yn uchel i ddangos ei werthfawrogiad o'r wledd.

Gyda hynny, hedfanodd aderyn i mewn drwy ffenest agored y dafarn a glanio ar ysgwydd y Bwa Bach.

'Gwych. Mae'r llatai wedi cyrraedd,' meddai, gan gymryd darn o femrwn oddi ar goes y fronfraith a darllen y neges oedd arno. 'Damio. Mae gan Gruffudd Gryg wddf tost ac mae'n anfon ei ymddiheuriadau am fethu â mynychu'r cyfarfod. Ond mae'n obeithiol y bydd e'n holliach erbyn inni ddechrau ar ein taith ar draws Cymru.'

Roedd Gruffudd Gryg yn un o hoelion wyth Cymdeithas y Cywyddwyr, Rhigymwyr, Awdlwyr a Phrydyddion. Serch hynny roedd anhwylderau'r bardd o Fôn yn aml yn ei atal rhag mynychu'n perfformiadau, gan gynnwys y rownd derfynol yn nhalwrn barddol cyntaf Ewrop, a roddodd gyfle i mi ddisgleirio yn erbyn yr Eidalwyr.

Chafodd y gystadleuaeth honno 'mo'i chofnodi yn unrhyw lyfr nac ysgrif am fod y Brenin Edward y Trydydd o Loegr, y Brenin Philip y Chweched o Ffrainc a Louis, Ymerawdwr yr Ymerodraeth Lân Rufeinig, mor ddig fod Cymru wedi ennill nes iddyn nhw benderfynu dileu hanes y gystadleuaeth yn gyfan gwbl o bob cofnod. Fodd bynnag, roedd pawb yng Nghymru'n gwybod am ein buddugoliaeth oherwydd y rhwydwaith eang o grïwyr tref ar hyd a lled ein gwlad. Ac nawr roeddem wedi ymgynnull i drefnu taith i ddathlu'n llwyddiant.

'Reit 'te, bois. Well inni ddechrau'r cyfarfod,' meddai'r Bwa Bach wrth i Wil a Dyddgu gasglu'r platiau gwag oddi ar y bwrdd. 'Mae gan Morfudd restr o wahoddiadau ry'n ni wedi'u derbyn ers inni ennill pencampwriaeth Ewrop,' ychwanegodd, gan edrych ar ei wraig.

'Diolch, Bwa Bach. Rydym wedi derbyn dros hanner cant o wahoddiadau i berfformio gerbron uchelwyr a noddwyr gwahanol. Felly, bydd yn rhaid inni ddewis a dethol pa rai fyddwn ni'n ymweld â nhw ar ein taith. Rwy'n argymell taith tri mis, yn ymweld ag o leiaf deugain o leoliadau,' meddai Morfudd.

Ar hynny, tynnodd Madog ac Iolo ddarn o femrwn yr un allan o'u tiwnigau.

'Mae ein cytundeb gyda beirdd CRAP Cymru'n dweud yn blwmp ac yn blaen mai deg perfformiad ar y mwyaf y gallwn eu mynychu ar unrhyw daith, ac na ddylai unrhyw daith bara mwy na phythefnos, i ddiogelu'n lleisiau,' meddai Madog, gan chwifio'i gytundeb o'i flaen.

'Hollol gywir, Madog, gyda seibiant o bythefnos o leiaf cyn y daith nesaf,' cytunodd Iolo gan chwifio'i gytundeb yntau yn yr un modd.

Gwelais Morfudd yn rholio'i llygaid am ennyd. 'O'r gorau,' meddai, 'bydd yn rhaid inni chwynnu'r rhestr a dewis deg lleoliad. Yn gyntaf, rydym wedi derbyn gwahoddiad gan Ieuan Fychan o'r Morfa Bychan ger Aberystwyth.'

'O na, Morfudd. Wnaiff hwnnw 'mo'r tro o gwbl,' twt-twtiodd Madog. 'Dyw ei win ddim o'r safon uchaf.'

'... sur ar y naw,' cytunodd Iolo.

Cododd Morfudd ddarn arall o femrwn. 'Mae Rhydderch ab Ieuan Llwyd o Lyn Aeron wedi cynnig...' dechreuodd, cyn i Madog dorri ar ei thraws.

'Na, Morfudd. Dwi ddim yn aros yn Llys Aeron eto. Mae'r gwelyau'n rhy galed.'

'Chwarae'r diawl gyda'r cefn,' cytunodd Iolo gan wingo.

Ysgyrnygodd Morfudd a chodi darn arall o femrwn. 'Mae Ifor ap Llywelyn o Fasaleg, sef Ifor Hael, wedi cynnig...' dechreuodd, cyn i Madog ymyrryd unwaith eto.

'Ifor Hael! Pa! Beth sy'n hael am gynnig pâr o fenig am berfformio yng Ngwernyclepa?' gofynnodd yn chwyrn.

'Cytuno'n llwyr, Madog. Wyth ffrwcsyn perfformiad. Wyth ffrwcsyn pâr o fenig. Mae'n ffrwcsyn warthus!' cytunodd Iolo.

Ochneidiodd Morfudd. Roedd hi'n amlwg bod ein llwyddiant yn y twrnamaint barddol rhyngwladol wedi mynd i bennau Madog ac Iolo. Doedd unman yn ddigon da i'r beirdd ymffrostgar bellach.

Pesychodd y Bwa Bach. 'Wrth gwrs, yn sgil ein llwyddiant yn ddiweddar mae Morfudd a minnau wedi penderfynu codi'r ffioedd am fynychu'r llysoedd,' meddai.

'Ydych chi? Faint?' gofynnodd Madog.

'Am ein bod ni bellach yn bencampwyr Ewrop, ry'n ni wedi penderfynu treblu'r ffioedd...' dechreuodd y Bwa Bach cyn gwingo wrth iddo gael cic yn ei goes o dan y bwrdd.

'Dyblu, Bwa Bach... dyblu,' hisiodd Morfudd.

'Ie, mae'n flin gen i... ry'n ni wedi penderfynu dyblu'r ffioedd am berfformio yn llysoedd yr uchelwyr.'

'Do fe wir?' meddai Madog yn araf, gan grafu ei ên. 'Felly, rwy'n cymryd y bydd ein taliadau ni'n dyblu hefyd.'

'Wrth gwrs,' atebodd y Bwa Bach, cyn i Morfudd ychwanegu'n gyflym,

'Heblaw am ostyngiad bach i ad-dalu'r ddau ohonom ni am gostau trefnu'r daith.'

'Hmmm,' meddai Madog. 'Bydd dyblu'r ffioedd yn golygu y gallaf fforddio mynd â fy ngwin fy hun i'r Morfa Bychan. Hefyd, gallaf fforddio yfed cymaint o win yn Llys Aeron fel na fyddaf yn sylwi bod y gwely'n galed, ac mae'n rhaid cyfaddef, all dyn byth gael gormod o fenig.'

'Ti'n llygad dy le, Madog,' cytunodd Iolo.

Ymhen hir a hwyr penderfynwyd ar leoliadau'r daith. Yna, arwyddodd pawb eu cytundebau newydd, a olygai y byddwn i a'r beirdd eraill yn derbyn cyflog hael am ein gwaith.

'Dyddgu, tair potelaid o dy win gorau os gweli di'n dda,' gwaeddodd y Bwa Bach.

'Beth ydych chi'n ddathlu?' gofynnodd Dyddgu pan gyrhaeddodd Wil a hithau'r bwrdd gyda'r gwin.

'Rydyn ni newydd ddewis y deg llys y byddwn ni'n perfformio ynddynt ar ein taith i ddathlu'n buddugoliaeth ym mhencampwriaeth farddol Ewrop,' meddai'r Bwa Bach, wrth i Dyddgu ddechrau arllwys y gwin.

'Gyda llaw, Morfudd, cofia ddweud wrth yr uchelwyr ein bod ni wedi tre- ... sori, *dyblu*'r ffioedd am ein perfformiadau,' ychwanegodd.

'Ydych chi'n siŵr fod hynny'n beth doeth?' gofynnodd Dyddgu wrth iddi bwyso drosof i lenwi fy nhancard.

'Beth wyt ti'n awgrymu, Dyddgu?' gofynnodd y Bwa Bach.

'Mi ddylech chi fod yn ofalus nad ydych chi'n gofyn gormod. Rwy'n clywed fod pethau'n dynn iawn ar yr uchelwyr y dyddiau yma.'

'Rwyt ti'n iawn, Dyddgu,' cytunodd Wil, gan lenwi tancard Madog. 'Mae'r Brenin Edward newydd godi'r trethi unwaith eto i dalu am y rhyfel creulon yn erbyn Ffrainc.'

'Pwy ofynnodd i chi'ch dau, ta beth?' gofynnodd Morfudd yn chwyrn. 'Does yr un ohonoch chi'ch dau'n aelodau o'r bagad barddol hwn. Pa hawl sydd gan landledi tafarn a thaeog i gynnig barn ar ein trefniadau?'

Mi ddylwn i esbonio yn y fan hyn nad yw Morfudd a Dyddgu'n ffrindiau mynwesol. *Au contraire*, fel y byddai'r trwbadwriaid yn ei ddweud.

Mae Dyddgu'n ferch i dirfeddiannwr cyfoethog yn ardal Aberteifi, sef Ieuan ap Gruffudd ap Llywelyn. Am ei bod yn ferch i uchelwr roedd disgwyl iddi briodi uchelwr arall, wrth gwrs. Ond syrthiodd mewn cariad â dyn cyhyrog o'r enw Gwgon, a oedd newydd gymryd awenau tafarn yr Hen Lew Du yn Aberteifi yn dilyn marwolaeth ei dad. Bu iddynt gyfarfod pan fu Gwgon yn gweini gwin a chwrw mewn gwledd yn llys tad Dyddgu yn Nhywyn ger Aberteifi. Penderfynodd Dyddgu roi'r gorau i'w bywyd bonheddig, priodi Gwgon a rhedeg y dafarn gyda'i gŵr. A dyna a wnaeth y ddau nes i Gwgon benderfynu ymuno â byddin Edward y Trydydd i ymladd yn Ffrainc a chael ei ladd ar faes y gad. Ar ôl iddo farw, addunedodd Dyddgu na fyddai'n edrych ar unrhyw ddyn arall byth eto, oedd yn anffodus i Wil o gofio'i fod wedi syrthio dros ei ben a'i glustiau mewn cariad â hi.

Ond cyfaddefodd Morfudd imi ryw bythefnos yn ôl, yn ystod pencampwriaeth farddol gyntaf Ewrop, ei bod wedi mwynhau perthynas gnawdol gyda Gwgon nes i Dyddgu eu dal un diwrnod yn seler yr Hen Lew Du. A dyna pam yr aeth Gwgon i'r rhyfel yn erbyn Ffrainc.

Doedd Dyddgu ddim wedi sôn wrth neb am berthynas

Gwgon a Morfudd am nad oedd hi am i'r Bwa Bach ddioddef yr un loes â hi. Serch hynny roedd yr euogrwydd, a gorfod dioddef agwedd hunangyfiawn Dyddgu tuag ati, wedi corddi Morfudd byth ers hynny. Dyna pam roedd hi mor ddilornus o landledi'r Hen Lew Du.

'Dim ond ceisio helpu ydw i,' meddai Dyddgu.

'A fi,' ychwanegodd Wil.

'Does arnon ni ddim angen eich cyngor. Mi fydd yr uchelwyr yn barod iawn i dalu mwy am weld beirdd gorau Ewrop yn y cnawd,' meddai Madog.

'Cytuno. Syniad gwych. Beth all fynd o'i le?' cytunodd Iolo Goch.

V

Wythnos yn ddiweddarach roeddwn, unwaith eto, yn eistedd o gwmpas y bwrdd crwn yng nghanol yr Hen Lew Du gyda Morfudd, y Bwa Bach, Madog Benfras ac Iolo Goch. Roedd Dyddgu a Wil wrthi'n clirio'n platiau, ac arnynt weddillion y bara sych a'r caws caled a gawsom i frecwast.

Eisteddai Morfudd a'r Bwa Bach ochr yn ochr gyda phentwr o femrwn o'u blaenau. Pesychodd y Bwa Bach.

'Mae gan Gruffudd Gryg wddf tost o hyd ac mae'n anfon ei ymddiheuriadau am fethu â mynychu'r cyfarfod y bore 'ma. Y pwnc nesaf dan sylw yw'r trefniadau ar gyfer taith ddiweddaraf Cymdeithas y Cywyddwyr, Rhigymwyr, Awdlwyr a Phrydyddion,' meddai, cyn troi at Morfudd.

'Diolch, Bwa Bach. Rwyf wedi derbyn ymatebion gan y deg llys a ddewiswyd ar gyfer ein taith,' meddai Morfudd, gan edrych yn gyhuddgar ar Madog Benfras. 'Yn anffodus, does dim un ohonynt am inni berfformio yn eu llysoedd.' Ymledodd gwên fach ar wynebau Dyddgu a Wil wrth iddynt godi'r platiau a'u cario i'r gegin.

'Dyna siom,' meddai Madog yn dawel.

'Twll eu ffrwcsyn tinau nhw! Anfona lythyron at y llysoedd eraill 'te,' meddai Iolo Goch.

'Dwi eisoes wedi gwneud hynny, Iolo, a'r un oedd eu hatebion hwythau,' meddai Morfudd gan symud yn anghyfforddus yn ei chadair.

'Wyt ti'n dweud nad oes unrhyw uchelwr yng Nghymru am ein gwasanaeth?' gofynnodd Madog.

Amneidiodd Morfudd â'i phen i gadarnhau hynny.

'Ond pam?' gofynnais, wrth i Dyddgu a Wil ddychwelyd o'r gegin.

'Maen nhw'n honni na allan nhw fforddio ein ffioedd oherwydd trethi uchel newydd y Brenin,' meddai Morfudd. Trodd Dyddgu a Wil ar eu sodlau a rhuthro yn ôl i'r gegin, lle clywais y ddau'n chwerthin yn isel.

'Does dim dewis felly. Bydd yn rhaid iti ddweud wrthyn nhw ein bod ni'n fodlon perfformio am ein ffi wreiddiol,' meddai Madog.

'Cytuno'n llwyr, Madog,' adleisiodd Iolo.

Ochneidiodd Morfudd. 'Dwi wedi gwneud hynny...'

'Da iawn, Morfudd,' meddai Madog.

'I'r dim,' cytunodd Iolo.

'Yn anffodus, maen nhw wedi gwrthod y cynnig hwnnw hefyd,' ychwanegodd Morfudd yn benisel.

'Faint o ffi maen nhw'n fodlon dalu?' gofynnais.

'Dim byd,' meddai'r Bwa Bach yn dawel.

'Dim byd? Dim byd!' gwaeddodd Madog ac Iolo ar y cyd.

'Ond pam?' gofynnais.

'Am eu bod wedi cyflogi'r Datgeiniaid,' atebodd Morfudd a'r Bwa Bach ar y cyd.

Gadewch imi esbonio ychydig am y Datgeiniaid. Hwy yw'r beirdd o'r ail neu'r drydedd radd sy'n datgan cerddi beirdd o'r radd flaenaf, fel nyni feirdd CRAP Cymru. Mae disgwyl iddynt fynychu cwrs clera a bod yn hyddysg mewn gramadeg, sillafu, cyfansoddi englyn a gwybod y gwahaniaeth rhwng cywydd ac awdl (mae'r gallu hwnnw'n llai cyffredin nag y byddech chi'n feddwl) a medru eu datgan drwy ganu telyn neu grwth. Yn y bôn, y Datgeiniaid sy'n lledaenu cerddi ar ein rhan ni'r beirdd gorau ymhlith y taeogion a'r *hoi polloi*, ac yn perfformio mewn llysoedd pan nad yw'r beirdd o'r radd flaenaf a'r gael.

'Y Datgeiniaid!' poerodd Madog Benfras. 'Oes hawl ganddyn nhw i wneud hynny?'

'Hollol anghyffrwcsynfreithiol,' gwaeddodd Iolo Goch.

Pesychodd y Bwa Bach. 'Mae'n wir nad yw'r Datgeiniaid, yn draddodiadol, ond yn cymryd yr awenau pan nad yw'r beirdd gorau ar gael. Ond does dim byd ym Meibl y Beirdd, sef Llyfr Cerddwriaeth Einion Offeiriad, yn eu rhwystro rhag gwneud yr hyn maen nhw'n ei wneud nawr.'

'Yn gyffredinol, rwyf o blaid gwaith y Datgeiniaid,' dywedais. 'Os yw pobl yn lledaenu ein barddoniaeth mae hynny'n beth da. Diben barddoniaeth yw rhannu syniadau a lleddfu eneidiau clwyfus.'

'Paid â bod mor dwp, y llipryn llipa,' meddai Madog Benfras. 'Gwaith y Datgeiniaid yw codi ymwybyddiaeth o'n gwaith ni, nid cymryd y bwyd allan o'n cegau.'

'Heb sôn am y gwin a'r cwrw,' ategodd Iolo Goch.

'Does bosib nad oes hawl ganddynt i ddatgan ein cerddi heb ein caniatâd?' gofynnodd Madog yn wyllt, gan dynnu ei gytundeb o'i diwnig a'i chwifio o'i flaen.

Pwysodd y Bwa Bach ymlaen yn ei sedd. 'Rwyf i a Morfudd wedi cysylltu â chyfreithwyr a hyd yn oed wedi ymweld ag Einion Offeiriad ei hun. Mae'n debyg nad oes unrhyw gyfraith yn atal y Datgeiniaid rhag adrodd eich cerddi.'

'Felly, does dim allwn ni ei wneud am y peth,' ategodd Morfudd.

'Rwy'n credu bod angen diod gadarn ar bawb,' meddai'r Bwa Bach, gan alw ar Dyddgu i ddod â dwy botelaid o win cyffredin draw.

'Ond mae'n rhaid inni geisio dod i ryw fath o gytundeb â nhw. Mae'n hollol annheg eu bod nhw'n gallu defnyddio ein gwaith ni'n ddi-dâl,' erfyniodd Madog.

'Ti yn llygad dy le, Madog,' cytunodd Iolo.

'Rwy'n siŵr mai penderfyniad mympwyol gan yr uchelwyr yw hwn. Chwiw yw e, gyfeillion. Mi fydd pobl wastad am glywed y beirdd a greodd y gwaith gwreiddiol,' rhesymais, gan edrych i fyw llygaid Morfudd i'w hatgoffa am y cerddi a adewais o dan yr ywen yn y goedlan ger afon Teifi. Roeddwn yn siomedig nad oedd Morfudd wedi rhoi unrhyw arwydd ei bod wedi'i phlesio ganddynt.

'Rwy'n cytuno mai gweld y bardd yn perfformio yn y cnawd sydd orau... yn hytrach na dim ond darllen ei waith...' meddai Morfudd, gan edrych i fyw fy llygaid innau. Cododd fy nghalon. Hwn oedd y tro cyntaf i Morfudd gyfeirio at ein llw ers imi adael y gerdd gyntaf o dan yr ywen wythnos ynghynt. Ers hynny roedd Wil wedi gadael pedair cerdd arall yno ar ôl hysbysu Morfudd pryd y bydden nhw'n ymddangos yno. Gwyddwn fod y dydd pan fyddwn i'n gallu ymgodymu'n gnawdol, yn ogystal ag yn ysbrydol, gyda Morfudd yn prysur nesáu. '... ond os bydd y duedd hon i bobl gefnogi'r Datgeiniaid yn parhau, mi fydd hi ar ben arnom,' gorffennodd Morfudd, gan syllu arna i. Sylweddolais mewn amrantiad y byddai Morfudd yn ddiolchgar dros ben i mi pe gallwn greu cynllun fyddai'n achub ein cymdeithas farddol.

'Ond ys gwn i pam fod y Datgeiniaid mor boblogaidd?' synfyfyriais, wrth i Dyddgu a Wil ddod draw o gyfeiriad y gegin yn cludo poteliad o win yr un.

'Allwch chi weld drosoch eich hun heno,' meddai Dyddgu, gan ddechrau arllwys y gwin i dancard Morfudd.

'Paid â dweud dy fod ti wedi gofyn iddyn nhw berfformio yma... yn yr Hen Lew Du, pencadlys Cymdeithas y Cywyddwyr, Rhigymwyr, Awdlwyr a Phrydyddion?' gofynnodd y Bwa Bach.

'Pam lai? Maen nhw'n codi ffi resymol iawn... yn wahanol i rai,' meddai Dyddgu gan godi ei hael chwith ddu a gwenu'n gam ar Morfudd. 'Maen nhw'n boblogaidd iawn ymysg y werin bannas, ac mi fydden i'n ffŵl i beidio â bachu ar y cyfle i'w denu i Aberteifi. O leiaf gewch chi gyfle i wylio'r gystadleuaeth,' ychwanegodd.

'Pam na ddylai taeogion fwynhau barddoniaeth, neu hyd yn oed ei hysgrifennu?' sibrydodd Wil yn fy nghlust wrth iddo arllwys gwin i'm tancard. Ar ôl iddo fynd, sylwais fod y tancard yn hanner gwag.

VI

Treuliais i a Wil y prynhawn hwnnw'n casglu afalau pwdr o goedlan nid nepell o'r Hen Lew Du er mwyn eu dosbarthu i'r taeogion wrth iddynt gyrraedd y dafarn. Y bwriad oedd eu hannog i daflu'r afalau at y Datgeiniaid pan fyddai'r bagad barddol o'r is-frid yn dechrau diflasu'r gynulleidfa daeogaidd.

Ond gwae ac och! Nid dyna a ddigwyddodd y noson honno. Sefais yng nghefn y dafarn gyda Madog, Iolo, Morfudd a'r Bwa Bach, y tu ôl i gynulleidfa o tua chant o drigolion Aberteifi, tra bod Dyddgu a Wil yn brysur yn gweini bwyd a diodydd iddynt.

Pan ddaeth y Datgeiniad cyntaf o gefn y dafarn i berfformio'i gerddi, neu yn hytrach, i berfformio'n cerddi *ni*, sylwais ar unwaith ei fod yn edrych yn hynod o debyg i un o feirdd enwocaf Cymru.

Y gerdd gyntaf a berfformiwyd gan y Datgeiniad blonegog oedd 'Yr Halaenwr', un o ymdrechion mwyaf llwyddiannus Madog Benfras. Yn wir, roedd hyd yn oed llais y dyn boliog hwn yn debyg i lais Madog. Ond roedd ei berfformiad yn fwy rhwysgfawr na rhai Madog hyd yn oed. 'Cefais o hoywdrais hydraul, Cofl hallt er mwyn cyfliw haul,' llefarodd yn angerddol.

Clywais Madog yn ysgyrnygu wrth fy ochr cyn iddo gwyno'n uchel, 'Mae hyn yn anfaddeuol. Mae e'n ynganu'r gerdd yn hollol anghywir!'

Daeth ambell 'shwsh!' o blith y gynulleidfa.

'Ond mae'n rhaid iti gyfaddef ei fod yn edrych yn debyg i ti,' meddai Iolo.

Trodd wyneb Madog yn biws. 'Beth? Mae hwn deirgwaith

yn dewach na fi. Morfil o foi,' bloeddiodd, cyn i sawl aelod o'r gynulleidfa droi a dweud wrtho am dawelu.

Parhaodd y Datgeiniad i adrodd y gerdd.

'Cyfnewid lud, drud drafael, Cyflwr yr halaenwr hael,' traddododd, cyn troi ei ben-ôl at y gynulleidfa a tharo rhech anferth.

'Mae hyn yn gwbl wawdlyd,' taranodd Madog. Unwaith eto, trodd rhai o aelodau'r gynulleidfa i'w geryddu.

Aeth y Datgeiniad yn ei flaen. 'Pa ryw ansawdd, pair rwnsag, Pa sôn wrth y gweision gwag?' adroddodd, cyn taro rhech anferth arall.

'Digon yw digon! Mae'n rhaid i hyn ddod i ben!' gwaeddodd Madog. Dechreuodd gamu at y Datgeiniad, cyn i nifer o'r taeogion droi a thaflu afalau ato nes y bu'n rhaid iddo gilio o'r dafarn a gadael i'r Datgeiniad orffen ei berfformiad a derbyn cymeradwyaeth wresog y dorf.

Y Datgeiniad nesaf i ddod o'r cefn oedd dyn ifanc, tenau gyda ffrwd o wallt coch oedd yn amlwg yn hollol feddw.

'Pwy mae'r ffrwcsyn hwn yn feddwl yw e?' gofynnodd Iolo Goch.

'Ti,' atebais, wrth i'r Datgeiniad ddechrau adrodd ei gerdd, 'Y Llafurwr'.

'Pan ffrwcsyn ddangoso, rhyw ffrwcsyn dro rhydd, Pobl y ffrwcsyn byd, peibl lu ffrwcsyn bedydd,' dechreuodd y Datgeiniad, wrth i wyneb Iolo droi yr un lliw â'i wallt a'i farf.

Clywais e'n ysgyrnygu wrth fy ochr cyn iddo ddweud yn uchel, 'Mae hyn yn anfaddeuol. Mae e'n ynganu'r gerdd yn hollol ffrwcsyn anghywir. Dwi byth yn ffrwcsyn rhegi yng nghanol ffrwcsyn cerdd.'

Daeth ambell 'shwsh!' o gyfeiriad y gynulleidfa.

'Ond mae'n rhaid iti gyfaddef ei fod yn edrych yn debyg i ti,' meddwn i.

Trodd wyneb Iolo'n biws. 'Pa! Mae hwn deirgwaith yn fwy meddw na fi pan dwi'n perfformio,' bloeddiodd, cyn i sawl aelod o'r gynulleidfa droi a dweud wrtho am dawelu.

Aeth y Datgeiniad yn ei flaen. 'Ar ben ffrwcsyn Mynydd, lle bydd ffrwcsyn barn... rhywbeth... rhywbeth... rhywbeth... beth yw'r ffrwcsyn gair nesaf?' traddododd, wrth i'r gynulleidfa chwerthin yn afreolus. Wedi'r cyfan, roedd Iolo'n enwog am anghofio geiriau ei gerddi pan oedd wedi'i gor-wneud hi gyda'r ddiod gadarn.

'I gyd Olifer gadarn,' gwaeddodd un o'r gynulleidfa.

'Ie... 'na ni... i ffrwcsyn gyd, Olifer ffrwcsyn gadarn,' adroddodd y Datgeiniad.

'Mae hyn yn gwbl wawdlyd,' taranodd Iolo. Unwaith eto, trodd rhai o aelodau'r gynulleidfa i'w geryddu.

Aeth y Datgeiniad yn ei flaen eto. 'Ffrwcsyn llawen fydd, chwedl ffrwcsyn diledlaes?'

'Digon yw digon! Mae'n rhaid i hyn ddod i ben!' gwaeddodd Iolo. Dechreuodd gamu at y Datgeiniad, cyn i nifer o'r taeogion droi a thaflu afalau ato nes bu'n rhaid iddo yntau hefyd gilio o'r dafarn a gadael i'r Datgeiniad orffen ei berfformiad.

Y Datgeiniad nesaf i ddod o'r cefn oedd dyn ifanc, eiddil gyda llond pen o wallt du a ymdebygai i'r bardd Gruffudd Gryg, a oedd wedi methu ymuno â ni oherwydd annwyd trwm. Cliriodd ei wddf a dweud yn groch, ' "I'r Lleuad". Lleuad...' dechreuodd, cyn pesychu deirgwaith. 'Ebrill...' ychwanegodd, cyn tisian yn uchel. 'Lliw...' meddai'n groch cyn pesychu deirgwaith eto. 'Dybryd...' sibrydodd cyn dechrau peswch yn afreolus a rhedeg oddi ar y llwyfan i ymateb bonllefus y gynulleidfa.

Dyn ifanc gwelw ei wedd gyda gên fel hanner lleuad, trwyn hir a llond pen o wallt melyn heblaw ei fod yn dechrau moeli ar ei gorun oedd y Datgeiniad nesaf i berfformio.

Pwy yw hwn tybed? meddyliais.

Dechreuodd lefaru mewn llais main, afrosgo. 'Y Llwynog.' Testun roeddwn innau wedi'i daclo yn fy nyddiau cynnar fel bardd cyn imi ddechrau gweithio ar y cyd â Wil.

' "Y Llwynog"... O, lwynog. Rwyt ti mor goch â llwynog. O, lwynog. Rwyt ti mor gyfrwys â llwynog.'

Ysgyrnygais cyn bloeddio, 'Mae hyn yn anfaddeuol! Mae e'n adrodd un o'm cerddi cynnar i.'

Daeth ambell 'shwsh!' o gyfeiriad y gynulleidfa.

'Ond mae'n rhaid iti gyfaddef ei fod yn edrych yn debyg i ti,' meddai'r Bwa Bach.

Teimlais fy wyneb yn cochi. 'Dyw e ddim yn edrych fel fi o gwbl,' bloeddiais. Trodd rhai o aelodau'r gynulleifa i ddweud wrthyf am dawelu.

Aeth y Datgeiniad yn ei flaen. 'O, lwynog. Rwyt ti mor ffyrnig â llwynog. O lwynog, rwyt ti mor chwim â llwynog,' llefarodd, cyn troi at y gynulleidfa, tynnu gwydr bychan o'i boced ac astudio'i hun ynddo, gan chwarae â'i wallt, cyn cusanu'r gwydr a derbyn cymeradwyaeth wresog y gynulleidfa.

'Mae hyn yn gwbl wawdlyd,' taranais.

Cefais fy ngheryddu gan fwy o aelodau'r gynulleidfa y tro hwn wrth i'r Datgeiniad barhau, 'O, lwynog. Rwyt ti mor ddewr â llwynog. O, lwynog. Rwyt ti mor llwynogaidd â llwynog.'

'Digon yw digon! Mae'n rhaid i hyn ddod i ben!' gwaeddais, cyn i nifer o'r taeogion droi a thaflu afalau ataf nes y bu'n rhaid i minnau hefyd gilio o'r dafarn ac ymuno â Madog ac Iolo y tu allan. Clywais y Datgeiniad yn gorffen ei berfformiad a phawb yn codi ar eu traed i'w gymeradwyo.

* * * *

'Pam fod pobl yn eu hoffi? Dy'n nhw ddim yn edrych yn debyg i ni o gwbl. Ac yn waeth na hynny, maen nhw'n gwneud traed moch o'n cerddi,' cwynodd Madog Benfras wrth y Bwa Bach a Morfudd ar ôl i'r perfformiadau ddod i ben.

'Cytuno'n llwyr, Madog,' meddai Iolo Goch.

'Clywch, clywch!' cytunais innau.

Safai'r pump ohonom a'n pennau yn ein plu gyda Wil a Dyddgu yng nghegin yr Hen Lew Du toc cyn *Vigil* y noson honno. Roedd Wil a Dyddgu eisoes wedi golchi olion yr afalau pydredig oddi ar ein hwynebau a'n dillad.

'Does dim dewis gyda ni, gyfeillion. Mae'n rhaid inni ddod i gytundeb â'r Datgeiniaid,' meddai'r Bwa Bach.

'Dyma'n cyfle ni nawr. Dyma drefnydd y Datgeiniaid, Iwan ap Dafydd ap Robert,' meddai Morfudd, wrth i hen ddyn byr, llond ei groen yn ei bedwardegau gyda bochau coch, ffrwd o wallt du a gwep – yn ôl Iolo – fel petai ar fin cachu'r siolen fwyaf erioed, gerdded i mewn i'r gegin.

Camodd Dyddgu tuag ato a rhoi cwdyn o arian yn ei law.

'Pleser gwneud busnes â thi, Dyddgu,' meddai Iwan ap Dafydd ap Robert gan roi'r arian ym mhoced ei gôt yn gyflym. 'Perfformiad gwych arall gan fy mechgyn, Bwa Bach. Dyna'r ffordd i blesio cynulleidfa. Gobeithio bod dy fechgyn di wedi dysgu rhywbeth heno,' ychwanegodd.

'Pa!' meddai Madog, oedd yn rhy ddig i yngan gair.

'Y ffrwcsyn...' dechreuodd Iolo Goch, gan gymryd cam tuag at Iwan ap Dafydd ap Robert i roi bonclust iddo cyn i Wil a minnau ei ddal yn ôl.

'Gofynna iddo am y cytundeb,' sibrydodd Morfudd yng nghlust ei gŵr.

'Roedd e'n bendant yn agoriad llygad,' meddai'r Bwa Bach gan glosio at Iwan ap Dafydd ap Robert. 'Mae rhaid imi eich llongyfarch, Iwan ap Dafydd ap Robert. Perfformiad clodwiw iawn o gerddi fy mechgyn i,' ychwanegodd.

'Diolch,' atebodd Iwan ap Dafydd ap Robert gyda gwên hunanfoddhaus.

'Ond mi ddylai'r beirdd hyn, fel aelodau o Gymdeithas y Cywyddwyr, Rhigymwyr, Awdlwyr a Phrydyddion, gael eu talu am y defnydd o'u cerddi. Efallai y gallem ddod i ryw fath o gytundeb?' awgrymodd y Bwa Bach.

'Hmmm,' meddai arweinydd y Datgeiniaid ar ôl meddwl am ychydig. 'Wrth gwrs, sai'n credu fod unrhyw ddeddfwriaeth yn atal y Datgeiniaid rhag defnyddio gwaith beirdd CRAP Cymru yn rhad ac am ddim.'

'Ond beth am yr agwedd foesol?' erfyniodd Madog Benfras, oedd erbyn hyn wedi dod at ei goed.

'Cytuno'n llwyr,' meddai Iolo Goch.

'Yn hollol,' adleisiais innau.

'Hmmm,' meddai Iwan ap Dafydd ap Robert eto.

'Mi ddylech chi roi ystyriaeth i'r ffaith fod y Datgeiniaid yn dibynnu ar ddeunydd ein beirdd ni i gynnal eu perfformiadau,' meddai Morfudd.

'Digon teg. Mi ddweda i beth alla i gynnig. Rwy'n fodlon talu swllt am bob cerdd sy'n cael ei defnyddio yn ein perfformiadau. Dim mwy. Dim llai. Sai'n meddwl fod hynny'n annheg. Mae gennych chi tan i gloch yr abaty ganu *Vigil*, pan fyddwn ni'n dechrau ar ein taith dros nos i Abergwaun, i wneud eich penderfyniad. Mae gennon ni berfformiad *matinée*, fel mae'r trwbadwriaid yn ei ddweud, brynhawn fory, cyn inni deithio i Dyddewi, Aberdaugleddau a Phenfro dros yr wythnos nesaf. Mae'n waith caled bod yn ddatgeiniaid gwaith pencampwyr beirdd Ewrop. Dros ddeugain o berfformiadau yn ystod y mis nesaf yn unig,' meddai Iwan ap Dafydd ap Robert, gyda gwên gam gawslyd. Trodd ar ei sodlau a gadael y gegin.

'Beth y'ch chi'n feddwl 'te, bois?' gofynnodd y Bwa Bach gan droi atom.

'Mae'n wrthun gen i orfod cydsynio i'm cerddi gwych gael eu hadrodd gan y Datgeiniaid,' meddai Madog Benfras.

'Cytuno'n llwyr, Madog. Ond bydd derbyn swllt am bob un o ddeugain perfformiad y Datgeiniaid yn ddwy bunt o dâl dros y mis nesaf yn unig,' meddai Iolo.

'Ac mi fyddan nhw'n perfformio mewn degau o lefydd eraill dros y misoedd nesaf,' adleisiais innau. 'Mi fyddwn ni'n cael ein talu bron gymaint â phetaem yn adrodd y cerddi ein hunain.'

Pesychodd y Bwa Bach. 'Wrth gwrs, yn sgil y gwaith gweinyddu, bydd yn rhaid i Morfudd a minnau dderbyn chwarter pob swllt...' dechreuodd, cyn i Morfudd ymyrryd.

'... traean o bob swllt, Bwa Bach.'

'... mae'n flin gen i, traean o bob swllt.'

'Pedair ceiniog o bob swllt i ni ac wyth ceiniog i chi,' esboniodd Morfudd.

'Dim ond os ydyn ni'n rhannu'r tâl am bob cerdd rhyngom,' meddai Madog, gan wybod y byddai'r Datgeiniaid yn defnyddio llawer mwy o fy ngherddi i yn sgil f'enwogrwydd fel arwr pencampwriaeth Ewrop.

'O'r gorau,' meddwn, ac amneidiodd Iolo â'i ben i selio'r cytundeb rhyngom.

Maes o law dychwelodd Iwan ap Dafydd ap Robert i'r gegin gydag ysgrepan ar ei gefn. 'Felly, gyfeillion. Beth yw eich penderfyniad?' gofynnodd.

'Ry'n ni'n fodlon derbyn eich cynnig hael o swllt bob tro y bydd cerddi'n beirdd ni'n cael eu defnyddio yn eich perfformiadau,' meddai'r Bwa Bach.

Cymylodd wyneb Iwan ap Dafydd ap Robert. 'Mae'n flin gen i. Sai'n credu eich bod chi wedi deall y sefyllfa, gyfeillion. Y cynnig oedd swllt am bob cerdd, sef un taliad am ddefnydd hollgynhwysol o'r gerdd,' meddai.

'Pa!' meddai Madog, oedd yn rhy ddig i yngan gair.

'Y ffrwcsyn...' dechreuodd Iolo Goch, gan gymryd cam tuag at Iwan ap Dafydd ap Robert i roi bonclust iddo, cyn i Wil a minnau ei ddal yn ôl unwaith eto.

'Rwy'n credu eich bod chi wedi cael eich ateb a sai'n credu taw "ie" yw'r ateb hwnnw,' meddai'r Bwa Bach, wrth i Iwan ap Dafydd ap Robert godi ei ysgwyddau a diflannu i'r nos gyda'r Datgeiniaid.

VII

Fore trannoeth roeddwn yn eistedd wrth y bwrdd crwn yng nghanol yr Hen Lew Du gyda Morfudd, y Bwa Bach, Madog Benfras ac Iolo Goch. Roedd Dyddgu a Wil wrthi'n clirio'r platiau o fara sych (heb gaws y tro hwn) a gawsom i frecwast.

Pwrpas ein cyfarfod oedd meddwl am ffyrdd o oresgyn y Datgeiniaid a sicrhau na fyddai bagad barddol y Cywyddwyr,

Rhigymwyr, Awdlwyr a Phrydyddion yn mynd i'r gwellt.

Cafwyd sbel hir o wrando ar Madog Benfras yn dilorni'r Datgeiniaid, Iolo Goch yn rhegi'n ddi-baid, a'r Bwa Bach yn lladd ar Iwan ap Dafydd ap Robert gan siglo'i ben mewn anghrediniaeth a dweud, 'Rwy'n ei gofio'n llanc ifanc yn mynd o dre i dre gyda'i liwt yn canu caneuon am Lywelyn, annibyniaeth a rhyddid. Sai'n gwybod beth sydd wedi digwydd iddo.'

'Mae e'n bendant yn dipyn o Dic Siôn Dafydd erbyn hyn,' meddai Madog.

'... gan hepgor y Siôn Dafydd,' meddai Iolo.

Gyda hynny trawodd Morfudd y bwrdd â'i dwylo. 'Does dim diben inni gwyno. Mae'n rhaid inni feddwl am gynllun i achub y sefyllfa echrydus hon.'

'Mae Morfudd yn iawn. Sut yn y byd allwn ni guro'r diawl Iwan ap Dafydd ap Robert a'i Ddatgeiniaid?' gofynnodd y Bwa Bach.

Eisteddodd pawb yn fud am gyfnod hir nes i Iolo Goch weiddi, 'Tethau Taliesin! Dwi wedi cael yr ateb.'

Gwrandawodd pawb yn astud wrth i Iolo esbonio'i gynllun.

'Mae'r Datgeiniaid yn hollol ddibynnol arnom ni am eu deunydd. Cywir?' gofynnodd, gan edrych yn eiddgar o un i un.

'Cywir,' atebodd Madog Benfras.

'Ac ry'n ni i gyd yn gwybod fod pobl yn cael digon ar glywed yr un deunydd ar ôl cyfnod. Cywir?' gofynnodd Iolo.

'Cywir,' atebodd Morfudd.

'I ryw raddau... mae'n dibynnu ar safon y bardd a'i gerddi,' meddai Madog, gan edrych arnaf i.

Anwybyddodd Iolo'r sylw. 'Felly, os na fydd y Datgeiniaid yn derbyn deunydd newydd o safon, mi fydd pawb yn colli diddordeb ynddyn nhw. Cywir?'

'Cywir,' atebodd y Bwa Bach.

'Felly, fy nghynllun i yw ein bod ni'n pwyso ar rwyfau ein coryglau, heb ysgrifennu na pherfformio o gwbl, am ba gyfnod bynnag sydd ei angen.'

Gwenodd Iolo'n hunanfodlon nes i'r gweddill ohonom riddfan.

'Beth sy'n bod? Mae'n gynllun gwych.'

'A sut ydyn ni i fod i gynnal ein hunain dros y... chwe mis? Blwyddyn? Tair blynedd nesaf?' gofynnodd Madog yn chwyrn.

'Wel... dwi ddim wedi meddwl am y rhan honno o'r cynllun eto...'

Ochneidiodd pawb, ond doedd Iolo ddim wedi gorffen.

'O'r gorau. Beth am ysgrifennu cerddi uffernol o wael yn fwriadol, 'te? Bydd pawb yn siŵr o gael llond bol o'r Datgeiniaid yn gyflym iawn.'

Chwarddodd Madog yn isel gan siglo'i ben yn anghrediniol. 'Iolo bach. Mi fyddai'n amhosib i mi greu cerdd wael hyd yn oed petawn i'n ceisio gwneud hynny am ganrif,' meddai, cyn troi ataf i. 'Wrth gwrs, mi allai Dafydd roi cynnig arni.'

'Na. Fydd hynny ddim yn gweithio chwaith, Madog. Mi ddefnyddiodd y Datgeiniaid un o gerddi uffernol... mae'n flin gen i, *llai llwyddiannus* Dafydd neithiwr ac roedd y gynulleidfa wrth eu boddau,' meddai'r Bwa Bach.

Pwysais ymlaen yn fy sedd. 'Rwy'n credu mai ein hunig obaith o gadw'r blaidd o'r drws yw sicrhau ein bod ni'n ceisio ennill unrhyw gyflog allwn ni drwy farddoni,' dywedais.

'Ond sut yn y byd allwn ni wneud hynny?' gofynnodd y Bwa Bach.

'Bydd yn rhaid inni fod yn ddatgeiniaid ein gwaith ein hunain. Does dim deddfwriaeth yn atal y Datgeiniaid rhag defnyddio'n gwaith ni, felly does dim deddfwriaeth yn ein hatal ni rhag datgan ein gwaith ein hunain, ond am ffioedd is na rhai'r Datgeiniaid. Mae Dyddgu wedi dweud wrthyf faint maen nhw'n ei godi am berfformiad, felly bydd yn rhaid inni godi llai i fod yn Ddatgeiniaid i'r Datgeiniaid.'

'Dwyt ti ddim yn awgrymu... o gwae ac och,' dechreuodd Madog, gan gau ei lygaid. 'Nid yr Hen Lew Du yn Aberystwyth eto? Does bosib?'

'Cywir, Madog. Mi fydd yn rhaid inni berfformio o flaen

taeogion mewn tafarndai,' atebais. Rhoddodd Madog ei ben yn ei ddwylo.

'Cwrw yn lle gwin! Dyma'r diwedd,' meddai Iolo Goch.

'Mae'n syniad gwarthus, Dafydd. Ond dyma'r unig syniad sydd gennym. O leiaf mi fyddwn ni'n ennill rhyw fath o gyflog nes inni feddwl am syniad gwell. Mi ddechreuaf i a'r Bwa Bach wneud y trefniadau,' meddai Morfudd gan wenu'n siriol arnaf. Gwyddwn fod y wên honno am ei bod wedi derbyn fy ngherdd ddiweddaraf wrth fôn yr ywen ar lannau afon Teifi y bore hwnnw.

VIII

Wythnos yn ddiweddarach, roeddwn yn eistedd wrth y bwrdd crwn yng nghanol yr Hen Lew Du gyda Morfudd, y Bwa Bach, Madog Benfras ac Iolo Goch. Roedd Dyddgu a Wil wrthi'n clirio'r un plât ac arno grwstyn o fara sych a'r tancard o ddŵr roeddem wedi'i rannu rhyngom i frecwast.

Roedd stumogau pawb yn cwyno'n uchel. Yn anffodus, nid oedd fy syniad o adrodd cerddi'r Dagtgeiniaid wedi bod yn gwbl lwyddiannus, a dweud y lleiaf.

Ar fyr rybudd, llwyddodd Morfudd a'r Bwa Bach i drefnu perfformiadau nid nepell o Aberteifi, yng Nghilgerran, Boncath a Chenarth, yn ystod yr wythnos. Ond yn anffodus, roedd y Datgeiniaid eisoes wedi perfformio yno ryw wythnos ynghynt. O ganlyniad roedd ymateb y gynulleidfa i'n perfformiadau ni, sef y beirdd o'r iawn ryw, yn llai nag adeiladol.

'Ble mae'r rhech? Tara rech! Pam nad wyt ti'n cnecu, y diawl?' bloeddiodd y dorf ar Madog Benfras wrth iddo geisio datgan ei gerdd 'Yr Halaenwr' ac osgoi'r afalau oedd yn cael eu taflu ato gan y dorf.

'Pam nad wyt ti'n rhegi, y ffrwcsyn? A pham wyt ti'n cofio dy ffrwcsyn eiriau?' gwaeddodd yr *hoi polloi* wrth i Iolo Goch orfod gadael y llwyfan. Roedd wedi methu â gorffen 'Y Llafurwr' am fod y dorf wrthi'n taflu gweddill yr afalau ato.

Wna i ddim disgrifio ymateb y gynulleidfa i fy mherfformiad i yng Nghilgerran, Boncath, ac yn enwedig Cenarth, heblaw am ddweud iddi gymryd tridiau i Wil gael gwared â'r dom da oddi ar fy nghôt fermiliwn ysblennydd ar ôl y perfformiad olaf.

'Wel, dyna beth oedd cyflafan,' meddai Morfudd, wrth i Dyddgu wenu'n sur arni.

'Ac i wneud pethau'n waeth, mi ddywedodd y tafarnwyr y bydden nhw'n lledaenu'r neges am ein perfformiadau gwael, felly fyddwn ni byth yn gweithio yng Nghymru eto,' ychwanegodd y Bwa Bach yn benisel.

Ochneidiais, gan gofio ein bod, lai na deufis ynghynt, wedi curo beirdd gorau Ewrop, gan gynnwys y Brodyr Boccaccio, Guillaume de Machaut a William Langland, i gyrraedd brig y domen farddol. Ond nawr roedd pethau'n edrych yn ddu iawn ar Gymdeithas y Cywyddwyr, Rhigymwyr, Awdlwyr a Phrydyddion. Yn ddu fel y fagddu.

'Ro'n i'n gwybod na ddylen ni fod wedi gwrando ar Dafydd,' meddai Madog.

'Cytuno'n llwyr, Madog. Syniad uffernol,' meddai Iolo Goch.

Pwysodd Madog draw at Iolo. 'Rwy'n credu taw nawr yw'r amser delfrydol i dorri crib y Ceiliog Dandi unwaith ac am byth,' sibrydodd. Amneidiodd Iolo yn gadarnhaol, a phwysodd Madog yn ôl yn ei gadair. 'Iolo, alli di fynd i'n hystafell i nôl memrwn, inc ac ysgrifbin, os gweli di'n dda,' gofynnodd. Rhuthrodd Iolo o'r ystafell a dychwelyd gyda'r deunydd ysgrifennu. 'Diolch, Iolo,' meddai Madog, gan osod y memrwn o'i flaen a rhoi'r ysgrifbin yn yr inc.

'Beth wyt ti'n ei ysgrifennu?' gofynnodd Morfudd.

'Mae'r awen wedi taro. Mae cerdd am ein sefyllfa gythryblus yn cyniwair yn fy mhen,' atebodd Madog, cyn rhegi dan ei wynt. 'Dario. Mae'r ysgrifbin wedi torri.'

'O diar, Madog. A hwnna oedd yr un olaf,' meddai Iolo, fel petai wedi dysgu'r geiriau ar ei gof.

'Mae gen i un yn fy ystafell,' meddwn, gan godi ar fy nhraed a galw ar Wil, oedd wrthi'n golchi llawr cegin y dafarn. 'Cer i nôl ysgrifbin o'm hystafell, Wil!'

Ond cyn i hwnnw gael cyfle i droi, galwodd Madog, 'Na, Dafydd. Dwi ddim yn defnyddio'r un math o ysgrifbin â thi. Rwy'n defnyddio un mwy miniog, yn debyg i'r un mae'r Bwa Bach yn ei ddefnyddio...'

'Gad i mi fynd i nôl un iddo, Bwa Bach,' cynigiodd Morfudd, gan godi ar ei thraed. 'Dwi angen cribo fy ngwallt, a...'

'Na,' gwaeddodd Madog, gan afael yn ei braich. 'Dwi angen trafod un neu ddau o bethau ynglŷn â'r gerdd a dim ond menyw chwaethus fel tydi all fy nghynorthwyo.'

Gafaelodd Iolo ym mraich arall Morfudd a'i thywys yn ôl i'w chadair.

'Paid â phoeni, f'anwylyd. Mi af i,' meddai'r Bwa Bach gan godi ar ei draed a cherdded tuag at y grisiau.

'Mae'r ddau yna'n ymddwyn yn od iawn,' sibrydodd Wil yn fy nghlust wrth i Madog ac Iolo wincio ar ei gilydd.

Ymhen ychydig daeth y Bwa Bach yn ôl i lawr y grisiau. Roedd mor welw â'r peth gwelwaf erioed. Camodd yn araf tuag atom gan ddal nifer o ddarnau o femrwn yn ei ddwylo.

'Beth sydd gen ti fanna, Bwa Bach?' gofynnodd Madog Benfras, gan wenu'n gam arna i. Neidiodd fy nghalon i'm gwddf pan sylweddolais mai'r cerddi yr oeddwn wedi'u hanfon at Morfudd oedd yn nwylo ei gŵr. Clywais Wil yn griddfan yn isel.

'Cerddi. Dim ond cerddi,' meddai'r Bwa Bach gan syllu'n hir arnynt. 'Roedden nhw ar y gwely yn ein hystafell,' ychwanegodd. Trodd a hoelio'i lygaid arnaf. 'Dwi ddim yn deall, Dafydd. Pam fyddet ti'n gwneud hyn i mi? Ar ôl popeth rwyf i wedi'i wneud i ti. Mi roddais i gyfle iti ymuno â ni fel bardd ysbas, a dy hyfforddi'n ddisgybl cyn iti ddod yn bencerdd ein bagad barddol,' meddai, gan osod y cerddi yn bentwr ar y bwrdd.

'Deall beth?' gofynnodd Morfudd gan godi'r darn uchaf o femrwn o'r pentwr a'i ddarllen. 'Ond roeddwn i wedi llosgi'r rhain. Sut yn y byd...?' dechreuodd, cyn i'w hwyneb droi yr un mor welw ag un ei gŵr.

'Beth?' gofynnodd y Bwa Bach.

'Mae'n flin gen i, ro'n i wedi *bwriadu* llosgi'r rhain, dyna o'n i'n meddwl ei ddweud. Mae'r cerddi 'ma'n warthus ac ro'n i wedi'u gosod ar y gwely gyda'r bwriad o'u dangos iti ar ôl brecwast,' ychwanegodd yn ffrwcslyd.

Mae pobl yn credu beth maen nhw am ei gredu, a doedd y Bwa Bach yn ddim gwahanol i unrhyw un arall, gwaetha'r modd.

'Dwi ddim yn dy feio di, Morfudd, f'anwylyd,' meddai, gan afael yn ei llaw. 'Rwy'n deall fod menyw mor brydferth â thi'n mynd i gael sylw gan ddynion eraill. Ond doeddwn i ddim yn disgwyl i un o aelodau blaenllaw Cymdeithas y Cywyddwyr, Rhigymwyr, Awdlwyr a Phrydyddion fy mradychu fel hyn,' ychwanegodd, gan siglo'i ben mewn anghrediniaeth.

'Beth ydyn nhw, Bwa Bach?' gofynnodd Madog yn ddiniwed. Roedd yn gwybod yn iawn, wrth gwrs, fel y dywedodd Iolo wrthyf yn Ffair Llanidloes ar ddiwedd yr haf hwnnw. Roedd Madog ac yntau wedi cadw llygad barcud ar Wil dros yr wythnosau blaenorol a'i ddilyn i'r goedlan bob tro y byddai'n mynd yno i adael cerdd o dan yr ywen. Yna, byddai Madog yn gwneud copi o'r gerdd ac yn cadw'r gwreiddiol cyn i Morfudd gyrraedd.

'Cerddi caru gan Dafydd a anfonwyd at fy ngwraig... ac yn waeth na hynny, cerddi sy'n pardduo fy enw i ac yn fy ngwneud i'n gyff gwawd ac yn gocyn hitio,' esboniodd y Bwa Bach gan droi ataf â dagrau yn ei lygaid.

'Oes gen ti ryw fath o esboniad am y rhain, Dafydd?' gofynnodd mewn llais croch. Cododd y cerddi fesul un. 'Beth am y gerdd hon? "Gwallt Morfudd",' meddai, gan godi'r memrwn a dechrau darllen. '... dyn blin llwyd a brith, creadur afluniaidd crachennog ei wegil, moel yw ei gorun lle mae'n iach, lled-amddifad, anghenus, cardotyn chwantus, cern pothell chwerw ei chwys. Annhebyg oedd ei wallt moel ef, y gŵr eiddig cydnabyddedig, gwirion a gwyllt.'

'Wel... dwi ddim... wel...,' atebais yn benisel, gan regi dan fy ngwynt fod Wil wedi gor-wneud ei bortread o'r Bwa Bach yn y gerdd honno.

'A beth am y gerdd hon, "Amau ar Gam"? "Paid ag aros gyda dy ŵr weddill dy ddyddiau. Paid â pheri i Eiddig ddig, anfad, o linach hwyaden, lawenhau"?'

'Wel... mae'n anodd esbonio, Bwa Bach... dwi ddim yn siŵr a ydw i wedi dy enwi'n uniongyrchol...' dywedais yn dawel, gan edrych yn gas ar Wil, oedd yn astudio'i esgidiau'n fanwl.

'Beth am y gerdd "Ddoe"?' ychwanegodd Madog Benfras, oedd erbyn hyn wedi codi darn arall o femrwn. '... Fe'i henillais hi eisoes, Aha! gwraig y Bwa Bach!' darllenodd yn uchel gan siglo'i ben. 'O diar, diar, Dafydd. Sut allet ti?'

'A beth am y gerdd "Serch Dirgel"... "Ni fedr Eiddig anfadwr Ar y nyth hwn, arwnoeth ŵr"?' darllenodd Iolo Goch yn uchel, gan atgyfnerthu'r dystiolaeth yr oedd ef ei hun wedi'i gosod yn ystafell y Bwa Bach. Doedd dim amdani. Mi fyddai'n rhaid i'r bardd isel iawn ei barch, Dafydd ap Gwilym, ymddiswyddo o'r gymdeithas yn y fan a'r lle.

Ond cyn imi agor fy ngheg, clywais besychiad y tu ôl imi. Daeth Wil i sefyll o fy mlaen.

'Os caf i esbonio ar ran y meistr, ac yn wir, Morfudd, Bwa Bach,' meddai.

'Rwy'n ysu i glywed hyn,' meddai Madog.

'Ysu'n eiddgar, Madog,' cytunodd Iolo.

'Wel, "Amau ar Gam" yw'r geiriau perthnasol,' dechreuodd Wil, gan gamu at y Bwa Bach. 'Mae'r cerddi hyn yn rhan o gynllun fy meistr i oroesi'r Datgeiniaid a sicrhau dyfodol beirdd CRAP Cymru.'

'Pa gynllun?' gofynnodd y Bwa Bach.

'Pa gynllun?' gofynnodd Madog.

'Ie, pa gynllun?' gofynnodd Iolo.

'Syniad y meistr oedd gwneud mwy o sioe o'r cerddi mewn ymgais i ddiddanu cynulleidfaoedd,' meddai Wil, gan godi un o'r cerddi. 'Bwriad y meistr oedd cael Morfudd i sefyll y tu ôl iddo pan fyddai'n adrodd y cerddi ffug-gariadus hyn, ac iddi ymateb drwy berlewygu – ceisio ennyn ymateb emosiynol gan y gynulleidfa drwy wneud... sioe... o'r gerdd. Yn ogystal mi fyddech chi, Bwa Bach, yn ymateb drwy ysgwyd eich dwrn y tu ôl i'r meistr pan fyddai hwnnw'n esgus eich pardduo, gan ddod â'r cerddi'n fyw i'r gynulleidfa, gan eto greu... sioe... o'r gerdd,' meddai Wil, gan edrych yn daer ar Morfudd.

'Rwy'n cael ar ddeall fod y meistr wedi bod yn trafod y cerddi yn gyfrin gyda Morfudd gan fwriadu dweud wrthoch chi maes o law, Bwa Bach, ar ôl iddo ysgrifennu digon o gerddi i gynnal noson gyfan o adloniant,' ychwanegodd, gan barhau i hoelio'i sylw ar Morfudd.

'Ydy hyn yn wir, Morfudd? Ai dyna oedd nod Dafydd? Creu... *sioe*?'

'... "Sioe gerdd", rwy'n credu, yw'r term a fathodd y meistr ar gyfer y syniad,' esboniodd Wil.

'... *sioe gerdd*?' gofynnodd y Bwa Bach.

Wrth gwrs, mae pobl yn credu beth maen nhw am ei gredu a doedd y Bwa Bach yn ddim gwahanol i unrhyw un arall, diolch byth.

'Ie. Sioe gerdd, Bwa Bach,' atebodd Morfudd gan gyffwrdd â braich ei gŵr. 'Ond ro'n i am fod yn hollol siŵr y byddai'r cynllun yn gweithio cyn dweud wrthot ti,' meddai Morfudd yn gelwyddog... diolch byth.

'Felly, syniad Dafydd yw dy fod ti'n cynrychioli pob menyw anffyddlon a minnau'n cynrychioli pob gŵr eiddigeddus yn y perfformiadau?' gofynnodd y Bwa Bach, cyn imi fachu ar y cyfle i ymyrryd.

'Cywir, Bwa Bach,' dywedais. 'Wrth gwrs, mi fyddai pawb yn deall mai perfformiad fyddai hwn, yn enwedig am fod y ddau ohonoch, yn amlwg, mor ffyddlon i'ch gilydd,' ychwanegais, gan obeithio y byddai'r Iôr yn maddau imi am raffu'r fath gelwyddau.

'Anhygoel,' hisiodd Madog drwy ei ddannedd.

'Hollol anhygoel,' cytunodd Iolo'n dawel.

'Mae'n rhaid imi gyfaddef fy mod i wastad wedi bod yn awyddus i gyfrannu at berfformiadau'r beirdd,' meddai'r Bwa Bach. Pesychodd, cyn codi ar ei draed, sythu'i gefn, lledu ei goesau a siglo'i ddwrn yn yr awyr gan floeddio mewn llais Stentoraidd, 'Gwae chi, Dafydd ap Gwilym!'

'Da iawn, cariad. Ysbrydoledig,' canmolodd Morfudd. 'Ac eto, cariad!'

'Gwae chi, Dafydd ap Gwilym!'

'Ac eto, cariad.'

'Gwae chi, Dafydd ap Gwilym!'

'Wrth gwrs, mi fyddai defnyddio'ch enwau chi, Morfudd a'r Bwa Bach, yn sicrhau na fyddai Cymdeithas y Cywyddwyr, Rhigymwyr, Awdlwyr a Phrydyddion yn wynebu achosion cyfreithiol gan y gwŷr a'r gwragedd mae'r meistr yn ysgrifennu amdanynt go iawn yn ei gerddi,' meddai Wil, cyn sythu fel delw a chrafu ei ên am ennyd hir iawn.

'Wyt ti'n iawn, Wil?' gofynnais, wrth iddo barhau i sefyll yno'n llonydd. Yn sydyn, ymledodd gwên lydan ar draws ei wyneb.

'Mae'r meistr wedi cael syniad arall,' meddai.

'Ydw i?'

'Mae'r meistr yn credu y dylech chi, Bwa Bach a Morfudd, ysgrifennu llythyr at arweinydd y Datgeiniaid, sef Iwan ap Dafydd ap Robert,' atebodd Wil, cyn troi ataf i.

'Llongyfarchiadau, syr. Rwy'n credu eich bod chi wedi datrys ein holl broblemau.'

'Ydw i?'

'Ydych, syr,'

'Wrth gwrs. Dwi'n cael syniadau o'r fath o bryd i'w gilydd. Dawn naturiol, dybiwn i,' meddwn, gan eistedd yn ôl yn fy nghadair yn ofalus, i osgoi crychu fy nghôt borffor ysblennydd.

IX

Wythnos yn ddiweddarach, roeddwn yn sefyll ger bar yr Hen Lew Du gyda Madog, Iolo, Morfudd a'r Bwa Bach, y tu ôl i gynulleidfa o oddeutu cant o drigolion Aberteifi, tra oedd Dyddgu a Wil yn brysur yn gweini bwyd a diodydd iddynt.

Roedd y gynulleidfa wedi ymgynnull yno i weld ail ymddangosiad y Datgeiniaid yn dilyn eu taith lwyddiannus o amgylch de Cymru dros yr wythnosau cynt. Roedd y perfformiad ar fin dechrau pan gerddodd trefnwr y Datgeiniaid, Iwan ap Dafydd ap Robert, tuag atom gan gyfarch y Bwa Bach.

'Henffych, Bwa Bach,' meddai, gan daro'r Bwa Bach ar ei gefn yn gyfeillgar. 'Diolch yn fawr ichi am anfon y cerddi newydd ar gyfer ein perfformiadau. Maen nhw'n wirioneddol wych,' ychwanegodd, gan estyn ei law chwith i boced ei ddiwnig, tynnu cwdyn bach o arian allan a'i roi i'r Bwa Bach. 'Deuddeg swllt am ddwsin o gerddi. Ro'n i'n gwybod y byddech chi'n gweld y golau yn y pen draw.'

'Ydyn wir, yn wych iawn,' meddai'r Bwa Bach, gan daro Iwan ap Dafydd ap Robert ar ei gefn yn gyfeillgar wrth i'r Datgeiniad cyntaf gamu o flaen y gynulleidfa. Gwyliodd Madog, Iolo a minnau'r Datgeiniaid – oedd yn edrych yn hynod o debyg i Madog Benfras, Iolo Goch, a Gruffudd Gryg – yn perfformio, heb geisio ymyrryd y tro hwn. Serch hynny, clywais Madog ac Iolo yn rhegi dan eu gwynt wrth i'r Datgeiniaid ailddefnyddio'r un ystumiau gwawdlyd wrth adrodd y cerddi.

Yna camodd y dyn ifanc gwelw ei wedd, gyda gên fel hanner lleuad, trwyn hir a llond pen o wallt melyn oedd yn dechrau moeli ar ei gorun, a oedd, yn ôl pob sôn, yn debyg i mi, y bardd uchel ei frid, Dafydd ap Gwilym, o flaen y gynulleidfa. ' "Gwallt Morfudd",' meddai mewn llais main, afrosgo, cyn dechrau adrodd un o'r cerddi newydd roeddem wedi'u rhoi i'r Datgeiniaid, a oedd, wrth gwrs, yn cynnwys disgrifiad o'r Bwa Bach fel 'dyn blin llwyd a brith, creadur afluniaidd crachennog ei wegil' ac yn y blaen.

Aeth y Datgeiniad ymlaen i berfformio 'Ddoe', 'Siom', 'Amau ar Gam' a mwy o gerddi oedd yn pardduo enw'r Bwa Bach, gan orffen gyda'r gerdd 'Y Gwynt' a'r geiriau 'Nac ofna er Bwa Bach, Cyhuddgwyn wenwyn weini. Caeth yw'r wlad a'i maeth i mi'.

Ond cyn i'r Datgeiniad orffen y gerdd, camodd Madog Benfras o'i flaen a chyfarch y gynulleidfa, gan chwifio darn o femrwn o'i flaen, yn ôl ei arfer.

'Mae'n flin gen i ymyrryd, gyfeillion, ond mae'n rhaid imi eich hysbysu eich bod oll yn dystion i nifer o droseddau a gyflawnwyd yma yn yr Hen Lew Du heno.'

Bu distawrwydd llethol yn y dafarn wrth i'r gynulleidfa wrando'n astud i gael gwybod mwy am y troseddau honedig, cyn i'r Datgeiniaid eraill, ac Iwan ap Dafydd ap Robert ei hun, ruthro at Madog.

'Beth sy'n mynd ymlaen fan hyn? Pa droseddau?' ysgyrnygodd Iwan ap Dafydd ap Robert.

'Difenwi.'

'Difenwi pwy?'

'Y Bwa Bach,' meddai Madog, gan bwyntio at drefnydd ein bagad barddol a safai ger y bar a'i ben yn ei ddwylo, gyda Morfudd yn ei ddal yn dynn.

'Mae difenwi, sef adrodd geiriau yn gyhoeddus sy'n pardduo cymeriad rhywun, yn drosedd ddifrifol iawn. Yn ôl Gosodiadau Clarendon yn 1164 gellir esgymuno unrhyw un sy'n cyflawni trosedd o'r fath, neu gellir eu cosbi drwy eu gosod mewn carchar cyffion am wythnos,' ychwanegodd Madog, cyn mynd ati i ddyfynnu'r holl ddarnau o'r cerddi oedd yn pardduo'r Bwa Bach.

'Ond... sai'n deall... sai'n credu... sai'n...' meddai Iwan ap Dafydd ap Robert, wrth i aelodau o'r gynulleidfa ddechrau gweiddi, 'Rhowch nhw yn y carchar cyffion!' a 'Na... rhowch nhw yn y carchar gwddf!' Dechreuodd y dorf daflu'r afalau pwdr roeddwn i a Wil wedi'u casglu ar eu cyfer y prynhawn hwnnw.

Enciliodd y Datgeiniaid i gegin y dafarn lle ymunodd ein

bagad barddol â nhw maes o law. Roedd fy nghynllun wedi gweithio i'r dim.

'Y diawled. Mi wnaethoch chi anfon y cerddi atom yn fwriadol fel ein bod yn torri'r gyfraith,' meddai Iwan ap Dafydd ap Robert.

'Sai'n ddyn gwenwynllyd, Iwan ap Dafydd ap Robert,' meddai'r Bwa Bach, gan gymryd darn o femrwn oddi ar Madog Benfras. 'Dwi'n hollol hapus i roi'r gorau i'r achos o ddifenwi yn erbyn y Datgeiniaid os arwyddwch chi'r cytundeb hwn,' ychwanegodd, gan roi'r memrwn yn llaw Iwan ap Dafydd ap Robert. Darllenodd hwnnw'r cytundeb yn gyflym gan regi dan ei wynt.

'Ond mae hwn yn mynnu mai chwychwi, feirdd CRAP Cymru, fydd yn trefnu perfformiadau'r Datgeiniaid o hyn ymlaen... a'ch bod yn cael hanner y tâl am bob perfformiad,' meddai.

'Cywir... a bod y drefn newydd hon yn cael ei gweinyddu drwy'r Eos,' meddai'r Bwa Bach.

'Yr Eos?'

'Eos Dyfed, sef y bardd o'r uchaf frid, Dafydd ap Gwilym, fydd yn gweinyddu'r fenter am mai ef a gafodd y syniad,' meddai Madog Benfras.

'Felly, beth yw eich penderfyniad? Arwyddo'r cytundeb neu wynebu cael eich esgymuno a threulio cyfnod yn y carchar cyffion neu'r carchar gwddf am ddwyn anfri ar y Bwa Bach?' gofynnodd Iolo Goch, gan ddal ei ysgrifbin o dan drwyn Iwan ap Dafydd ap Robert.

'Sai'n meddwl fod llawer o ddewis gennych, Iwan ap Dafydd ap Robert,' meddwn innau.

A dyna sut y goroesodd fy magad barddol annwyl y Datgeiniaid, a sicrhau bod Iwan ap Dafydd ap Robert a'i fath yn parhau i fod yn yr ail reng o feirdd, a'u hatal rhag dwyn arian o bocedi pobl greadigol Cymru.

Byddai'r gwaith o weinyddu'r fenter yn fy nghadw'n brysur ac yn rhoi esgus imi osgoi Morfudd, am y dyfodol agos, beth bynnag. Roedd ymateb y Bwa Bach pan welodd y cerddi wedi cael cryn effaith arnaf. Penderfynais felly roi'r gorau i geisio ymgodymu â Morfudd eto.

Cefais gyfle i drafod y mater gyda Morfudd y tu allan i'r Hen Lew Du fore trannoeth. Roedd hi'n mofyn dŵr i olchi traed y Bwa Bach ar y pryd. Cyn imi gael cyfle i ddweud wrthi y dylen ni roi'r gorau i'n perthynas, mi ddywedodd ei bod wedi penderfynu bod yn driw i'r Bwa Bach o hyn ymlaen, wedi iddi weld ei ymateb i'r cerddi roedd Wil wedi'u hysgrifennu amdano.

'Bydd yn rhaid iti roi'r gorau i anfon cerddi ataf, Dafydd,' meddai. 'Wrth gwrs, mae ein perthynas ni'n wahanol i unrhyw berthynas arall yn fy mywyd am ei bod yn un ysbrydol. Dyna pam nad ydw i wedi sarnu'n perthynas drwy ymgodymu'n gnawdol â thi. Ac rwy'n mawr obeithio y gallwn barhau i fod yn ddau enaid cytûn,' ychwanegodd.

'Wrth gwrs,' atebais. 'I gadarnhau, felly, ni fydd unrhyw ymgodymu cnawdol yn digwydd rhyngom?'

'Na.'

'Dim o gwbl?'

'Na'

'Byth?'

'Na.'

'Dim hyd yn oed ychydig o...'

'Na, Dafydd. Dim o gwbl.'

'I'r dim. Fel yna roeddwn i wedi'i deall hi hefyd,' meddwn, gan gamu yn ôl i'r dafarn. Gwyddwn y byddai'n anodd anghofio am Morfudd, yn enwedig a minnau'n dal i'w gweld yn rheolaidd. Ond gwenais wrth feddwl fod Eos Dyfed yn awr yn rhydd i roi sylw i fenywod eraill. Pwy fyddai'r ferch ffodus nesaf? meddyliais. Daeth yr ateb yn nhref Llanidloes ar ddiwrnod Gŵyl Mabsant Sant Idloes, ar y chweched o Fedi'r flwyddyn honno.

I

Yn dilyn ein buddugoliaeth yn erbyn y Datgeiniaid ddechrau Awst 1347, trefnodd Morfudd a'r Bwa Bach daith fer o amgylch y canolbarth ar gyfer dechrau Medi. Cawsom dderbyniad gwresog ymysg uchelwyr ardal Rhaeadr Gwy a brodyr Sistersaidd Abaty Cwm-hir. Fodd bynnag, bu'n anoddach asesu ymateb y Brodyr Gwynion Trapaidd. Dim siw na miw. Ond roedd digon o wenu, amneidio a chodi aeliau yn ystod y noson i'n darbwyllo bod ein perfformiad yn llwyddiant ysgubol. Drannoeth, teithiodd y bagad i Lanidloes i berfformio o flaen trigain neu fwy o fwrdeisiaid y dref ar noswyl Gŵyl Mabsant, sef Sant Idloes, ar y chweched o Fedi.

Gadewais Abaty Cwm-hir toc cyn *Prime* y bore hwnnw gan deithio ar droed gyda Madog, Iolo, Wil, y Bwa Bach a Morfudd, a oedd yn marchogaeth palffri. Roedd y daith drwy Bant-y-dŵr, Tylwch a'r coedlannau a'u hamgylchynai'n un hamddenol. Cyrhaeddon ni Lanidloes, y dref brydferth honno ar lannau afon Hafren yng nghantref Arwystli, Powys Wenwynwyn, toc wedi *Sext* y prynhawn hwnnw.

Roedd Morfudd a'r Bwa Bach wedi trefnu ein bod ni'n aros mewn tafarn yng nghanol y dref, nid nepell o'r castell mwnt a beili lle byddem yn perfformio'r noson honno. Erbyn *Nones* roedd Madog Benfras ac Iolo Goch eisoes wedi dechrau paratoi ar gyfer y perfformiad drwy iro'u gyddfau yn nhafarn y Llew Gwyn. Roedd Morfudd a'r Bwa Bach yn siarad gydag ostler y dafarn, am fod un o bedolau'r palffri wedi dod yn rhydd, felly bachais ar y cyfle i fynd am dro gyda Wil. Roedd y dref yn llawn bwrlwm wrth i'r trigolion baratoi ar gyfer dathliadau'r ŵyl ddiwedd haf fyddai'n cael ei chynnal drannoeth.

Yn ogystal â'r stondinwyr arferol roedd nifer o bedleriaid crwydrol, a deithiai o amgylch Cymru i fod yn rhan o ddathliadau Gŵyl Mabsant dros yr haf, wedi cyrraedd y dref. Yn eu plith roedd bloteion, sef hen fenywod oedd yn gwerthu blawd, a phobl oedd yn gwerthu gwahanol fathau o gaws.

'Lle nid hysbys, dyrys dir, Blotai neu gawsai goesir,' meddai Wil gan syllu ar y stondinwyr wrth inni grwydro'n hamddenol trwy'r dref.

'Rwy'n gobeithio cael gŵyl bleserus yn Llanidloes,' meddwn wrth Wil, gan amneidio ar ferch ifanc oedd yn cerdded heibio ar y pryd. 'Nawr fy mod wedi'r rhoi'r gorau i gwrso Morfudd mae'n hen bryd i'r meistr ifanc chwilio am awen yn rhywle arall.'

'Finnau hefyd,' meddai Wil wrth inni nesáu at efail gof ar lannau afon Hafren.

'Tydi, Wil?' ebychais. 'Onid yw dy galon yn berchen i Dyddgu? Er nad yw hi wedi dangos llawer o ddiddordeb hyd yma?'

'Cytuno'n llwyr. Dyddgu yw'r fenyw ddelfrydol i mi. Ond maen nhw'n dweud bod y llygoden yn magu chwant pan mae'r gath bant,' atebodd Wil. Gyda hynny, gwelodd fenyw ifanc yn straffaglu i gario bwcedaid o ddŵr i gyfeiriad yr efail. 'Esgusoda fi am ennyd,' meddai, cyn brasgamu tuag at y ferch.

Nid oedd Dyddgu wedi teithio gyda ni i'r canolbarth am ei bod yn awyddus i roi syniad newydd ar waith i godi arian ar gyfer tafarn yr Hen Lew Du. Yn sgil ein llwyddiant yn goresgyn y Datgeiniaid roedd Dyddgu wedi penderfynu cyflogi'r Datgeiniaid fesul un i adrodd ein cerddi yn y dafarn. Byddai pobl yn talu ffyrling i glywed Datgeiniad yn adrodd un gerdd a ddewiswyd gan y cwsmer, neu dair cerdd am hanner ceiniog, neu bum cerdd am geiniog. Cynllun gwych, yn fy marn i. Roedd y Datgeiniaid yn derbyn cyfran o'r tâl, roedd Dyddgu'n derbyn cyfran o'r tâl, ac roedden ni'r beirdd yn derbyn cyfran o'r tâl. Dyddiau dedwydd. Dyddiau da. Roedd cynllun yr Eos yn gweithio i'r dim.

Dychwelodd Wil ymhen hir a hwyr gan wincio'n gyfrin arnaf. 'Rwyf wedi trefnu i gwrdd â Hawys yn ddiweddarach heno os ydy hynny'n dderbyniol, syr.'

'Hawys, ife?' meddwn, gan godi fy ael dde. Rhoddais fy nghaniatâd i'r trefniant gan na fyddai angen fy macwy ffyddlon arnaf ar gyfer perfformiad y Cywyddwyr, Rhigymwyr, Awdlwyr a Phrydyddion yng nghastell Llanidloes y noson honno.

'Rwy'n synnu nad yw menyw mor brydferth â hi'n briod,' meddwn, gan syllu ar y ferch bryd tywyll yn cerdded yn ôl at yr afon gyda phwced wag.

'Mae hi *yn* briod... i'r gof... sydd wedi mynd i'r dafarn i edrych ar geffyl sydd angen ei bedoli,' atebodd Wil gan chwerthin. 'Mae'n debyg bod y gof yn treulio pob noswyl Gŵyl Mabsant Sant Idloes yn y dafarn, gan adael Hawys druan ar ei phen ei hun nes iddo ddychwelyd adref yn feddw dwll yn ystod oriau mân y bore. Fel gŵr bonheddig, cynigiais gadw cwmni iddi heno,' ychwanegodd.

'Wrth gwrs. Hael iawn,' atebais, gan godi fy ael chwith.

'Felly, os bydd y gof yn mynd i'r dafarn heno mae Hawys wedi addo anfon neges ataf yn y castell,' meddai Wil, wrth inni gerdded yn ôl i ganol y dref. Yno, ger y pilori cyhoeddus, roedd hanner dwsin o ddynion yn straffaglu i godi coeden fedwen, fyddai'n cael ei defnyddio fel pawl diwedd haf drannoeth.

'Y fedwen las anfadwallt, Hir yr wyd ar herw o'r allt,' adroddais, gan wylio'r dynion yn llwyddo o'r diwedd i godi'r goeden.

'Da iawn. Mae'r cwpled yna'n un eithaf da,' meddai Wil.

'Efallai dy fod yn fardd heb dy ail, Wil, ond mae dy anwybodaeth o waith beirdd eraill yn druenus,' meddwn, gan siglo fy mhen.

'Pwy ysgrifennodd e, 'te?'

'Bellach serch nis ymbwylly, Byddar y trig dy frig fry. I'th gorffolaeth yr aethost O'r parc ir, er peri cost,' llefarais, gan ymgolli'n llwyr ym mhrydferthwch y gerdd am ennyd. 'Dwi newydd ddyfynnu o un o gerddi gorau un o drigolion enwocaf y plwyf hwn, Wil, sef Gruffudd ab Adda, y bardd a'r cerddor sy'n berchen ar ddeurudd gloyw a gwallt hir melyn. Mi fydd e'n perfformio gyda ni fel gwestai arbennig heno ac mae'n siŵr o adrodd ei gywydd ysblennydd 'Y Fedwen yn Bawl Haf', lle mae'n canu am ei dristwch o weld y fedwen yn cael ei symud o'i chynefin naturiol yn y goedwig a'i chodi'n bawl haf yng nghanol hylldra'r dref,' meddwn, cyn mynd ymlaen i ddyfynnu ymhellach. 'Ie, "Cyd bo da dy wyddfa dawn, Tref Idloes, tyrfa oedlawn". Dyna iti ddawn dweud sydd gan Eos Idloes, yntê, Wil?'

'Dwi wedi clywed llawer gwaeth,' atebodd Wil gan edrych i fyw fy llygaid. 'Gyda llaw, roeddwn am gael gair gyda thi am gerdd newydd dwi wedi'i hysgrifennu ar gyfer yr ŵyl,' ychwanegodd. 'Mae honno'n sôn am y fedwen hefyd. Mi allet ti ei defnyddio heno?' awgrymodd.

'Bwr gered,' atebais, ac adroddodd Wil fy ngherdd enwog 'Yr Het Fedw' am y tro cyntaf, oedd yn cynnwys y geiriau godidog 'Gwrygiant serch eurferch erfai'. Roeddem wedi llwyddo unwaith eto.

Serch hynny, doedd gen i ddim awydd gwisgo het fedw o unrhyw fath drannoeth. Mi fyddaf i, y meistr ifanc Dafydd ap Gwilym, bob amser yn osgoi dathliadau megis y Ffair Haf, y Ffair Aeaf, Gŵyl Calan, Gŵyl Mabsant a phob gŵyl arall. Mae'n gas gen i ddigwyddiadau o'r fath am ein bod ni'r uchelwyr yn gyff gwawd i'r taeogion am ddiwrnod cyfan.

Gadewch imi esbonio.

Mae pob gŵyl yn ein gorfodi ni'r uchelwyr a'r taeogion i gyfnewid lle am ddiwrnod cyfan, gan roi cyfle i'r taeog-frid reoli'r dref a thanseilio awdurdod yr uchelwyr. Mae'r uchelwyr yn gwisgo fel taeogion, a'r taeogion yn gwneud eu gorau glas i wisgo fel uchelwyr. Mae'r diwrnod hwn o rialtwch penchwiban felly'n rhoi un diwrnod o rym i'r taeogion. Y bwriad yw bodloni'r werin bannas a'u hatal rhag gwrthryfela yn ei herbyn ni, y meistri. A hir oes i hynny ddwedaf i.

Nid oes gan yr uchelwr hwn o fardd unrhyw awydd i wisgo cyrn a meddwi'n dwll, gan esgus bod yn daeog a chael ei ddilorni gan daeogion sy'n esgus bod yn uchelwyr. 'Mwy no phei rhoid mewn ffair haf Barf a chyrn byrfwch arnaf.' Na. Rwy'n gwneud fy ngorau glas i dreulio pob diwrnod gŵyl ymhell o'r dref a'r *hoi polloi* a'u giamocs penchwiban. Fodd bynnag, penderfynais ymatal rhag dweud hynny wrth Wil tan fore trannoeth, gan wybod y byddai'r taeog yn cael siom o beidio â chymryd rhan yn y miri a'r rhialtwch anfad.

Wedi i Wil a minnau grwydro'r dref am ychydig, aeth y ddau ohonom yn ôl i dafarn y Llew Gwyn. Y tu allan i'r dafarn roedd Morfudd a'r Bwa Bach a'r ostler yng nghwmni dyn garw ei olwg, oedd yn sefyll gerllaw'r palffri.

'Bydd yn rhaid imi fynd â'r ceffyl i'r efail, ond mi fydd e'n barod ar eich cyfer brynhawn fory,' meddai'r dyn, gan lygadu Morfudd o'i chorun i'w sawdl.

'Mi ddaw un ohonom draw erbyn *Sext* i nôl y palffri o'r efail,' meddai Morfudd, wrth iddi hithau yn ei thro lygadu'r gof o'i gorun i'w sawdl.

Cerddais i mewn i'r dafarn a gweld bod Madog ac Iolo wedi gwneud y mwyaf o'u prynhawn rhydd. Roedd y ddiod gadarn wedi dechrau cael effaith ar Iolo, yn enwedig.

'Powys, wlad ffraethlwys ffrwythlawn, Pêr heilgyrn pefr defyrn dawn,' meddai â thafod dew, gan ddyfynnu o un fy ngherddi i a Wil i ganu clodydd y ddiod gadarn. Doedd hi ddim yn argoeli'n dda ar gyfer ein perfformiad y noson honno. Ac felly y bu.

II

Penderfynais wisgo fy nghôt goch ysblennydd yn hytrach na fy nghôt borffor ysblennydd ar gyfer perfformiad ein bagad barddol yng nghastell Llanidloes. Roedd hi'n noson fwyn o Fedi a chynhaliwyd y noson o glera yn yr awyr agored ym meili'r castell, gerbron uchelwyr lleol a bwrdeisiaid y dref.

Bu'r perfformiad yn un cymharol lwyddiannus. Cafodd y bardd lleol, Gruffudd ab Adda, dderbyniad gwresog i'w gerddi, ond uchafbwynt y noson, wrth gwrs, oedd fy ngherddi newydd i, yn cynnwys 'Yr Het Fedw' ac ambell hen ffefryn fel 'Mis Mai a Mis Tachwedd'. Yna, pan oeddwn wrthi'n adrodd y geiriau 'Dofais ferch a'm anerchai, Dyn gwiwryw mwyn dan gôr Mai' gwelais Wil, a oedd yn sefyll yng nghefn y gynulleidfa ger mynedfa'r beili, yn derbyn neges gan fachgen o'r taeog-frid, ei ddarllen yn gyflym a rhuthro allan o'r castell.

Wedi imi gael cymeradwyaeth fwyaf y noson ar ddiwedd fy natganiad, cafwyd perfformiadau digon safonol gan Madog Benfras, cyn i Iolo Goch gael y cyfle prin i gloi perfformiadau ein bagad barddol. Yn anffodus, roedd Iolo erbyn hyn yn feddw gaib yn dilyn ei brynhawn o yfed yn y Llew Gwyn ac anghofiodd nifer fawr o'i linellau. Yn ffodus, am fod y rhan fwyaf o'r cerddi'n rhai newydd, ni sylwodd y gynulleidfa ar nifer helaeth o'i gamgymeriadau. Ond roedd ei berfformiad gwael wedi codi gwrychyn rhai o aelodau Cymdeithas y Cywyddwyr, Rhigymwyr, Awdlwyr a Phrydyddion.

'Mae'n rhaid iti roi'r gorau i yfed cyn adrodd dy gerddi, Iolo,' taranodd Morfudd, wrth i'r bagad barddol eistedd o amgylch bwrdd yn nhafarn y Llew Gwyn ar ôl y perfformiad.

'Fachgen, fachgen, mi anghofiaist ti ddarnau di-ri o dy gerddi,' cytunodd y Bwa Bach.

'Nid eu hanghofio nhw wnes i, ond penderfynu hepgor ambell linell am nad oedd y deunydd yn ddigon da,' meddai Iolo'n floesg.

'Ai dyna pam fod dy gywydd naw deg dwy o linellau i Herstin Hogl yn englyn erbyn hyn?' gofynnodd Madog gan rolio'i lygaid.

'Mae'n rhaid i fardd fod yn feirniadol iawn o'i waith ei hun, Madog. Efallai y dylet ti wneud yr un peth,' atebodd Iolo'n heriol. Cododd Madog ar ei draed a sefyll o flaen Iolo a'i ddwylo ar ei gluniau.

'Dwi wedi clywed digon o dy esgusodion pitw di, Iolo. Rwyt ti wedi dwyn anfri arnom. Rwy'n mynd i glwydo,' meddai'n chwyrn, cyn cerdded i gyfeiriad grisiau'r dafarn.

Cododd Morfudd a'r Bwa Bach ar eu traed hefyd.

'Mae gen i ddiwrnod prysur yfory. Dwi angen noson dda o

gwsg,' meddai Morfudd. 'Paid â gadael i hyn ddigwydd eto, Iolo,' ychwanegodd, wrth iddi hi a'r Bwa Bach fynd i gyfeiriad eu hystafell welly. 'Mi af i i dalu'r gof am bedoli'r palffri yfory, Bwa Bach. Rwyt ti'n gweithio mor galed. Mwynha dy hun am unwaith. Cer di i'r ffair.'

'Rwyt ti bob amser yn meddwl am bawb heblaw tydi dy hun, f'anwylyd,' meddai'r Bwa Bach.

Penderfynais gael diod arall yng nghwmni Iolo. Aeth y ddiod honno'n bump neu chwech ac erbyn hynny roedd Iolo'n llac iawn ei dafod.

'Mae'n rhaid imi ddweud popeth wrthot ti, Dafydd. Mae fy nghydwybod i wedi bod yn fy mhoeni ers misoedd,' meddai, cyn mynd ati i ddisgrifio cynllun Madog Benfras i ddinistrio fy ngyrfa drwy sicrhau fod y Bwa Bach yn gweld y cerddi a anfonais at Morfudd yn Aberteifi.

Nid ydw i, y bardd uchel ei barch, Dafydd ap Gwilym, yn ddyn dialgar. Dywedais wrth Iolo felly fy mod i'n maddau iddo am ei gamweddau am ei fod yn dilyn cyfarwyddiadau Madog Benfras ar y pryd.

'Diolch, Dafydd. Ti yw fy ffrind gorau,' meddai'n floesg, gan geisio rhoi coflaid feddw i mi. Yn anffodus, achosodd hynny i'r ddau ohonom gwympo ac mi rwygais fy nghôt goch ysblennydd ar gornel y bwrdd.

'Wps,' meddai Iolo, gan roi help llaw imi godi ar fy nhraed. 'Bai Madog yw hyn i gyd. Mae'n hen bryd iddo gael dos o'i feddyginiaeth ei hun,' ychwanegodd, cyn cerdded yn igam-ogam i'w ystafell wely a'm gadael i'n syllu ar fy nghôt, oedd yn rhacs ar hyd y cefn. Diolch byth fy mod wedi dod â fy nghôt borffor ysblennydd gyda mi, meddyliais, wrth i minnau hefyd gerdded yn igam-ogam i'r gwely.

III

Roeddwn newydd ddihuno drannoeth pan glywais Wil yn dod i mewn i'r ystafell wely. Rwy'n greadur sy'n dilyn arferion cyson – rwy'n codi bob bore toc wedi *Prime* yn yr haf ac yn mynnu bod Wil yn gosod powlen o ddŵr a chlwt gwlanen wrth fy ymyl. Byddaf yn ymolchi'n drwyadl ar ôl codi bob dydd, a chan ddilyn cyfarwyddyd Meddygon Myddfai, yn ymolchi o dan fy ngheseiliau yn ogystal â rhannau eraill anghysbell o fy nghorff. Yna, rwy'n ymgymryd â brecwast cynnil o fara a gwydraid, neu ddau neu dri, o win.

Ond penderfynais beidio ag ymgymryd â'r ddiod feddwol y bore hwnnw am fod gennyf dipyn o ben tost ar ôl diota gydag Iolo Goch y noson cynt. Wrth imi wisgo, dywedodd Wil wrthyf ei fod newydd weld Iolo Goch yng nghwrt y dafarn yn arllwys dŵr drosto'i hun, a bod golwg druenus arno.

'Dwi'n synnu dim,' atebais, gan ailadrodd fy sgwrs â Iolo y noson cynt.

Ychwanegodd Wil fod Iolo ar y pryd yn sgwrsio gyda'r bardd lleol, Gruffudd ab Adda.

'A beth oedd gan y bardd uchel ei barch hwnnw i'w ddweud?' gofynnais, gan astudio fy nghôt goch ysblennydd racs a dechrau chwilio am fy nghôt borffor ysblennydd.

'Mi glywais i Gruffudd ab Adda'n dweud ei fod wedi codi'n gynnar am ei fod yn gadael Llanidloes am y diwrnod,' meddai Wil.

'Mae'n siŵr nad yw Gruffudd am weld y fedwen yn cael ei defnyddio fel pawl haf am fod hynny'n torri ei galon, fel mae'n dweud yn ei gerdd enwog,' dywedais, gan ddal ati i chwilio yn fy ysgrepan am fy nghôt borffor ysblennydd.

'Gyda llaw, mi glywais i Gruffudd ab Adda'n dweud rhywbeth arall hefyd...' dechreuodd Wil.

Ond cyn iddo gael cyfle i ddweud mwy gwelais lawes fy nghôt borffor ysblennydd o dan wely Wil. Tynnais y gôt allan o'r gwellt a'i hastudio.

'Wyt ti wedi gweld y gôt yma? Mae'n ysglyfaethus o fudr,' dywedais yn chwyrn, gan ei chodi i Wil gael ei gweld. 'Dyw'r ffaith ein bod ni'n cydysgrifennu ddim yn golygu y galli di esgeuluso dy waith fel gwas, Wil. Mi gefaist ti gyfarwyddiadau clir i olchi fy nillad cyn inni adael Aberteifi,' taranais, wrth i fy macwy sefyll o fy mlaen yn syllu ar ei draed.

'Efallai y dylet ti dreulio dy nosweithiau'n golchi a brwsio fy nillad yn lle rhedeg ar ôl merched,' ychwanegais, gan gofio ei fod wedi gadael y noson o glera'n gynnar y noson cynt.

'Efallai y dylwn i wneud hynny,' mwmialodd Wil, gan barhau i syllu ar ei esgidiau.

'Pam? Beth ddigwyddodd?'

'Daeth gŵr Hawys adref yn gynnar o'r dafarn. Llwyddais i ddianc rhag y gof gerfydd croen fy nhin.'

Sylweddolais fod hwn yn gyfle euraid imi osgoi Gŵyl Sant Idloes drwy gosbi Wil am esgeuluso'i ddyletswyddau fel gwas. Pesychais cyn dechrau godro'r sefyllfa.

'Gyda llaw, paid â meddwl dy fod ti'n mynd i gael benthyg fy nillad i er mwyn gwisgo fel uchelwr yn y ffair heddiw,' meddwn.

'Ond, syr, mae cyfnewid dillad yn hen draddodiad ar ddiwrnodau ffair ac mae'n gymaint o hwyl.'

'Hwyl? I bwy? Na, Wil. Dwi ddim yn bwriadu mynd yn agos i'r ffair. Mae'n achlysur ffiaidd gyda'r drefn gymdeithasol yn cael ei throi ben i waered. Mae'n warthus gweld uchelwyr yn gwisgo fel taeogion, a thaeogion yn ei lordio hi'n gwisgo het fedw a dillad lliwgar yr uchelwyr.'

'Ond, syr...'

'Rwy'n hen gyfarwydd â gweld beth sy'n digwydd i bobl yn ystod ffeiriau a gwyliau o'r fath. Mae'r uchelwyr yn cael eu hisraddio'n ofnadwy...'

'... fel mae'r taeogion yn cael eu hisraddio weddill y flwyddyn,' meddai Wil dan ei wynt, ond anwybyddais ei sylw sarhaus.

Mae'n rhaid imi gyfaddef fy mod i wastad wedi osgoi

diwrnodau ffair a gwyliau mabsant am fy mod i'n ofni y byddwn i'n gwylio'r haul yn machlud ar derfyn dydd yn hollol noeth yn y pilori gyda phluen gŵydd yn hongian o'm pen-ôl.

'Rwy'n gwybod dy fod ti'n awyddus i fynd i'r ffair, Wil. Ond dilyn esiampl Gruffudd ab Adda a'i hosgoi fyddai orau i bawb,' meddwn yn awdurdodol, cyn cofio bod Gruffudd wedi dweud rhywbeth arall wrth Wil y bore hwnnw. 'Gyda llaw, beth arall oedd gan Gruffudd ab Adda i'w ddweud?' gofynnais, gan deimlo fy llid yn dechrau lleddfu.

Culhaodd llygaid Wil am ennyd. 'Alla i ddim cofio nawr,' meddai, gan wenu'n gam.

'Dwi'n amau ei fod yn gadael Llanidloes am ei fod yn ofni beth ddigwyddith iddo os bydd y taeogion yn cael gafael arno, ac yntau'n uchelwr,' meddwn.

Pesychodd Wil cyn ymddiheuro am beidio â golchi fy nghôt. 'A gaf i wneud awgrym, syr?' gofynnodd.

Amneidiais â fy mhen. 'Bwr gered,' atebais, yn llawn diddordeb mewn clywed ymdrech bitw fy ngwas i droi'r sefyllfa i'w fantais ei hun.

'Efallai y gallet ti fynychu'r ŵyl a chyfareddu merched prydferth Llanidloes, syr.'

'Sut?' gofynnais, gan gofio fy mwriad gwreiddiol i fwynhau fy hun yng nghwmni o leiaf un o ferched hardd yr ardal yn ystod yr ŵyl.

'Does dim rhaid iti wisgo fel taeog, syr.'

'Ymhelaetha, Wil.'

'Y drefn arferol mewn ffeiriau yw bod uchelwyr yn gwisgo fel taeogion a thaeogion yn gwisgo fel uchelwyr. Cywir?'

'Cywir.'

'Felly, heddiw, y taeogion wedi'u gwisgo fel uchelwyr sy'n rheoli tref Llanidloes, gyda'r hawl i ddarostwng, iselhau, a hyd yn oed waradwyddo'r uchelwyr sydd wedi'u gwisgo fel taeogion.'

'Ti yn llygad dy le hyd yn hyn, Wil.'

'Ond dydy taeogion yr ardal hon ddim yn dy nabod di, syr.

Felly fydd neb yn gwybod ai uchelwr neu daeog wyt ti.'

'Diddorol, Wil. Esbonia fwy.'

'Petaet ti'n gwisgo fel uchelwr, sef gwisgo dy ddillad dy hun, fyddai neb yn dy israddio oherwydd bydd pob taeog yn meddwl dy fod yn daeog sydd wedi dod i'r ffair gan esgus bod yn uchelwr. Ac am dy fod di'n gwisgo dy ddillad ysblennydd dy hun, sy'n fwy deniadol nag unrhyw ddillad taeog, mi fyddi'n siŵr o droi pennau merched deniadol Llanidloes.'

'Mae hynny'n wir, Wil,' meddwn, gan ystyried y syniad.

Roedd Wil yn llygad ei le. Byddai'n gyfle euraid i'r olaf o'r ap Gwilymiaid ledaenu ei had, gan ledaenu ei ddawn farddonol ar yr un pryd yn niffeithwch diwylliannol Maldwyn. Ac yn well fyth, doedd dim perygl y byddwn i'n gwylio'r haul yn machlud ar derfyn y dydd yn hollol noeth yn y pilori, gyda phluen gŵydd yn sownd yn fy mhen-ôl.

'Ond beth wyt *ti*'n mynd i'w wisgo,Wil? Mi fydd yn rhaid iti ddioddef artaith a phenyd y taeogion fydd yn gwisgo fel uchelwyr ar ôl imi rwygo fy nghôt goch ysblennydd neithiwr,' meddwn.

'Rwy'n hollol barod i wisgo fel taeog ac esgus bod yn uchelwr wedi'i wisgo fel taeog, gyda'r posibilrwydd o gael fy mychanu, fy narostwng a hyd yn oed fy ngwaradwyddo gan y taeogion lleol fydd wedi'u gwisgo fel uchelwyr, a gorffen y dydd yn hollol noeth yn y pilori gyda phluen yn sownd yn fy mhen-ôl,' meddai Wil. 'Mi fydd hefyd yn gyfle gwych imi gasglu deunydd ar gyfer ein... mae'n flin gen i... *dy* gerddi newydd.'

'Mae hyn yn ffiwdalaidd iawn ar dy ran di, Wil. Syniad da. Felly, y syniad yw fy mod i'n osgoi'r uchelwyr sydd wedi'u gwisgo fel taeogion rhag ofn eu bod wedi fy ngweld yn y castell neithiwr. Byddaf yn treulio'r dydd ymysg y taeogion fydd wedi'u gwisgo fel uchelwyr, a fydd yn golygu fy mod i'n daeog sydd wedi'i wisgo fel uchelwr. Yn y cyfamser mi fyddaf i, Dafydd ap Gwilym, yn swyno merched Llanidloes, boed yn ferched o'r uchel-frid neu'r taeog-frid.'

'Cywir, syr.'

'Rwy'n barod i roi dy gynllun gwych ar waith, Wil. Mi fyddaf i'n gwisgo fel uchelwr gan esgus bod yn tydi, ac mi gei di barhau i wisgo dy ddillad dy hun gan esgus bod yn fi,' meddwn, gan roi'r gôt borffor ysblennydd amdanaf a gofyn i Wil ei brwsio. 'Dwi ddim yn deall sut mae'r gôt ysblennydd hon mor frwnt. Mae'n edrych fel petai wedi treulio noson mewn tas wair,' dywedais.

'Wyt ti'n meddwl y dylet ti wisgo'r gôt hon heddiw, syr? Mae'n ddiwrnod poeth,' awgrymodd Wil.

'Na, Wil. Mae'n hollbwysig fod merched Llanidloes yn gweld y Ceiliog Dandi yn ei holl ogoniant,' meddwn. 'Brwsia bant, Wil. Brwsia bant!'

IV

Felly, toc wedi *Terce*, disgynnais i a Wil o'r llofft ac ymuno â'r Bwa Bach, Madog Benfras ac Iolo Goch ar lawr gwaelod y Llew Gwyn, lle'r oeddent newydd orffen eu brecwast.

'Ble mae Morfudd?' gofynnais, wrth i Madog ac Iolo godi ar eu traed a gadael y bwrdd.

'Mi gododd hi'n blygeiniol i wneud yn siŵr fod y gof yn gwneud ei waith yn iawn,' atebodd y Bwa Bach. 'Mae hi'n meddwl y byd o'r ceffyl 'na. Weithiau dwi'n meddwl ei bod hi'n meddwl mwy ohono na fi,' chwarddodd.

Rholiodd Madog Benfras ei lygaid.

Sylwais bryd hynny fod Madog, Iolo a'r Bwa Bach wedi gwisgo fel taeogion. Syllais ar yr esgidiau lledr unffurf hyll, y trowsusau pen-glin gwlanog, y mentyll brown a'r hetiau gwlân. Crynais, gan ddiolch i'r Iôr nad oedd yn rhaid imi wisgo dillad o'r fath.

'Pam nad wyt ti, Dafydd, wedi gwisgo fel taeog?' gofynnodd Madog.

'Rwyt ti'n gwybod yn iawn beth yw'r drefn yn ystod gwyliau o'r fath,' ychwanegodd y Bwa Bach.

'Dyw'r bardd o'r uchel-frid, Dafydd ap Gwilym, ddim yn bwriadu gwisgo fel taeog a chael ei israddio heddiw, gyfeillion,' meddwn, gan dorchi llewys fy nghôt borffor ysblennydd. 'Rwyf wedi meddwl am gynllun gwych. Does dim un taeog yn ein hadnabod yn Llanidloes. Felly, mi fyddaf yn osgoi cael fy nillad wedi'u rhwygo a thriciau ac ystumiau'r taeogion oherwydd mi fyddaf i, fel hwynt-hwy, wedi gwisgo fel uchelwr ac yn rhan o'r miri taeogaidd.'

Griddfanodd Iolo. 'Ond dwi'n siŵr i Gruffudd ab Adda ddweud yn wahanol pan welais ef y bore 'ma.'

'Beth ddywedodd e?' gofynnodd Madog yn swta.

Safodd Iolo yn ei unfan heb ymateb am ennyd fel petai'n ceisio cofio rhywbeth. Yna cododd ei ben a gwenu ar Madog.

'Alla i ddim cofio,' meddai, â golwg ddiniwed ar ei wyneb.

'Dyna beth od. Doedd Wil ddim yn medru cofio chwaith,' meddwn, gan weld Iolo a Wil yn edrych ar ei gilydd.

'Pa! Iolo! Methu cofio! Yn union fel y methaist ti gofio dy gerddi neithiwr,' meddai Madog yn ffroenuchel.

'Cytuno'n llwyr, Madog. Ond doedd e ddim yn bwysig, mwy na thebyg,' atebodd Iolo gan wincio'n slei ar Wil.

'Rwy'n meddwl bod syniad Dafydd yn un gwych,' meddai Madog Benfras. 'Mi fyddaf i'n ymuno ag ef drwy wisgo fy nillad arferol. Wedi'r cyfan, mae bod yn un o feirdd yr uchelwyr bron yn gyfystyr â bod yn uchelwr.'

'Ac mi wisgaf innau fy nillad gorau hefyd,' meddai'r Bwa Bach, oedd yn un o'r taeog-frid yn wreiddiol ond a oedd wedi llwyddo i ddianc o grafangau'r garfan anffodus honno drwy ei waith fel saer maen a threfnydd teithiau barddol.

Pesychodd Iolo gan edrych ar Wil. 'Dwi'n teimlo ei bod hi'n anfoesol gwneud hynny ac mi fyddaf i, y bardd Iolo Goch, yn gwisgo fel taeog heddiw,' meddai'n hunangyfiawn.

'Does dim byd newydd yn hynny,' meddai Madog. 'Taeog wyt ti beth bynnag yn y bôn ar ôl i dy deulu golli'r holl dir 'na yn Sir Ddinbych,' chwarddodd, cyn iddo yntau a'r Bwa Bach fynd i'w hystafelloedd gwely i newid eu dillad.

Troais at Wil. 'Wyt ti wedi cofio erbyn hyn beth ddywedodd Gruffudd ab Adda wrthot ti ac Iolo'r bore 'ma?' gofynnais, gan edrych yn daer arno.

'Ddim eto, syr,' atebodd, gan edrych ar ei esgidiau unwaith eto.

V

Aeth Wil ati i ddathlu diwrnod Gŵyl Mabsant Sant Idloes drwy aros yn y dafarn i ddiota gydag Iolo. Penderfynodd y Bwa Bach ymuno â Madog, oedd yn awyddus i brofi'r cawsiau di-ri oedd ar werth ar y stondinau a amgylchynai'r pawl haf gosgeiddig yng nghanol y dref.

Cerddais innau ar fy mhen fy hun felly i ganol y ffair, gyda cherdd yn cronni yn fy mhen ac, yn wir, yn fy nghalon. Maddeuwch imi am y diffyg cynganeddu:

'Pan oeddwn i'n gryn ddeunaw oed, a 'mryd ar deithio yn ddi-oed, rhyw fore braf ar frys mi es i lawr i Ffair Llanidloes. Roedd sôn am hon drwy'r wlad i gyd, fel un o ffeiriau gore'r byd. A buan iawn roedd rhaid i mi ymuno yn y sbri.'

Syllais ar y merched â'u basgedi llawn a'r plant ifanc yn dawnsio o gwmpas y pawl haf. Clywais y stondinwyr yn gweiddi'n groch i geisio denu cwsmeriaid, ac aroglais y cig baedd oedd yn cael ei droi dros fêr wrth imi gamu at y pilori cyhoeddus.

Yno, roedd nifer o gystadlaethau'n cael eu cynnal, gan gynnwys crimogi, cystadleuaeth boenus iawn yr olwg gyda phobl yn cicio crimogau'i gilydd. Hefyd tynnu barfau. Eto, poenus iawn. A gornestau ymgodymu oedd yn cynnwys cystadleuaeth ymgodymu â bysedd y traed. Poenus dros ben.

Erbyn hyn, roeddwn wedi sylwi ar nifer o ferched deniadol ymhlith y dorf. Pa un, meddyliais, fyddai'n ddigon ffodus i glywed barddoniaeth wych y bardd uchel ei barch, Dafydd ap

Gwilym, yn cael ei sibrwd yn ei chlust cyn diwedd y dydd? Ai'r ferch bryd golau oedd yn dawnsio ger y pawl haf? Neu'r ferch bryd tywyll oedd wrthi'n bwyta lamprai'n awchus? Neu'r ferch gyda'r ffrwd o wallt coch a oedd newydd gerdded heibio imi a wincio'n awgrymog?

Erbyn hyn roeddwn yn teimlo braidd yn llwglyd. Penderfynais brynu pastai neu ddwy i dorri fy chwant a rhoddais fy nwylo ym mhocedi fy nghôt borffor ysblennydd. Roeddwn fel arfer yn cadw ceiniog neu ddwy yno i'm harbed rhag tynnu fy nghwdyn arian allan o'i guddfan diogel yn fy nhrôns bob tro. Ond pan roddais fy llaw chwith yn fy mhoced, teimlais rywbeth anghyfarwydd yno. Tynnais ef allan. Darn bach o femrwn wedi'i blygu yn ei hanner. Agorais ef a gweld bod rhywun wedi tynnu llun o ysgubor wair gyda chroes ar y gwaelod.

Hei-ho! meddyliais, gan edrych o'm cwmpas. Roedd hi'n amlwg bod rhyw ferch wedi fy ngweld yn perfformio'r noson cynt. Roedd hi wedi sylwi arnaf eto yn y ffair heddiw, ac wedi manteisio ar y cyfle i gwrdd â'r bardd yn y cnawd, fel petai. Roedd wedi llwyddo i roi'r neges yn fy mhoced wrth iddi gerdded heibio, mae'n siŵr. A phwy allai ei beio am wneud hynny, gyfeillion? Cofiais imi weld ysgubor wair wrth imi gerdded gyda Wil ar gyrion y dref y diwrnod cynt. Anelais am y gyrchfan nid nepell o'r efail ger afon Hafren heb oedi.

VI

Sefais o dan fargod yr ysgubor wair yn aros am y ferch anhysbys am amser hir. Erbyn hyn roedd yr haul ar ei anterth, felly tynnais fy nghôt borffor ysblennydd a'i rhoi ar fachyn ger drws yr ysgubor. Fel y canodd Wil a minnau ar ôl cyflafan Ffair Llanidloes, 'Amwyll a'm peris yma. Amod â mi a wneddwyd, Yma ydd wyf, a mae 'dd wyd?' Yn fyr, ar gyfer y taeogion yn eich plith, ble'r oedd y ferch benchwiban? Yna, meddyliais efallai fod y ferch yn aros amdanaf y tu mewn i'r ysgubor. Camais i mewn a chlywed sŵn chwerthin. Suddodd fy nghalon. A oedd hon yn un o'r brid o ferched a hoffai ymgodymu yn y modd a elwir yn *ménage à trois* gan y trwbadwriaid yn Ffrainc? Roeddwn wedi rhoi cynnig arni unwaith gyda Llywelyn Goch a'i gariad Lleucu Llwyd. Byth eto. Ac roedd un peth yn sicr, doedd Lleucu Llwyd ddim yn angel!

Camais yn bellach i mewn i'r ysgubor dywyll gan alw, 'Helô! Dafydd ap Gwilym, y bardd o'r uchel-frid uchel ei barch sydd yma.' Yn sydyn gwelais ddau ben yn codi o'r gwellt o'm blaen. Roedd un ohonynt yn berchen i'r gof oedd wedi addo pedoli palffri Morfudd y diwrnod cynt. Ac roedd y llall yn wyneb cyfarwydd iawn. 'Morfudd!' ebychais.

'Dafydd!' ebychodd honno, gan estyn am ei dillad oedd yn gorwedd wrth ei hymyl ar y gwellt.

Roeddwn yn benwan. Doedd gan Morfudd ddim bwriad, mae'n amlwg, o gadw at ei haddewid i fod yn ffyddlon i'r Bwa Bach. Ac yn waeth na hynny, roedd hi'n godinebu gyda thaeog!

Mi wnaeth ei gorau glas, fel arfer, i roi esboniad ffug.

'Mi orffennodd y gof bedoli'r palffri'n gynnar, ac am fod ei wraig wedi mynd i'r ffair mi ofynnodd i mi ymarfer ymgodymu bysedd y traed gydag e,' meddai. Estynnodd y ddau eu traed noeth allan o'r gwellt.

'Ond a yw'r rheolau'n gofyn eich bod yn ymarfer yn hollol noeth?' gofynnais, gan siglo fy mhen yn anghrediniol. 'Mae rheolau sifalri yn fy atal rhag dweud gair am hyn wrth y Bwa Bach, ond mae'n rhaid imi ddweud fy mod i'n siomedig iawn ynot ti, Morfudd,' ychwanegais.

Troais a chamu'n ôl yn frysiog at ddrws yr ysgubor a rhoi fy nghôt borffor ysblennydd amdanaf gyda'r bwriad o adael ar unwaith. Ond sylwais fod y gof wedi codi o'r gwellt, gwisgo'i drôns yn frysiog, a chamu tuag ataf.

'Rwy'n adnabod y gôt 'na,' meddai.

'Go brin, ymgodymwr o'r bysedd y traed-frid,' atebais.

'Mae'r gôt hon yn hollol unigryw a dyma'r tro cyntaf imi ei gwisgo yng nghyffiniau Powys Wenwynwyn.'

'Mi welais y gôt yna neithiwr. Pan ddes i adref yn gynnar o'r dafarn, clywais fy ngwraig yn chwerthin yn yr ysgubor. Agorais y drws a galw ei henw. Gwelais rywun yn straffaglu at gefn yr ysgubor. Welais i 'mo'i wyneb am fod y cachgi wedi llwyddo i adael cyn imi gael gafael arno, ond mi welais i'r gôt borffor yna wrth iddo ddianc – mi fydden i'n adnabod honna yn unrhyw le. Chi oedd yma!' taranodd, gan orffen gwisgo'i ddillad yn frysiog.

Clywais Morfudd yn chwerthin wrth iddi hithau ddechrau gwisgo hefyd. 'Dafydd ap Gwilym. Twt twt! Rhag dy gywilydd yn cwrso menywod eraill a thithau'n esgus dy fod yn fy addoli i,' meddai'n rhagrithiol.

'Na... nid myfi oedd yma... mae'n amhosib... dwi ddim yn deall...' meddwn, cyn i'r gwir fy nharo fel mellten. Suddodd fy nghalon wrth imi sylweddoli fod Wil wedi gwisgo fy nghôt borffor ysblennydd y noson cynt. Dyna pam fod gwellt arni y bore 'ma. Roedd wedi bod yn godinebu gyda Hawys, gan esgus mai ef oedd y bardd uchel ei barch Dafydd ap Gwilym. Suddodd fy nghalon ymhellach wrth imi sylweddoli mai'r neges roedd gwraig y gof wedi ei hanfon at Wil y noson cynt roeddwn wedi dod o hyd iddi ym mhoced fy nghôt.

'Dwi'n addo ichi... dwi ddim wedi bod yn agos at Hawys...' erfyniais ar y gof, a oedd erbyn hyn yn rhoi ei esgidiau am ei draed.

'Os felly, sut ydych chi'n gwybod ei henw?' bloeddiodd hwnnw'n ddig.

Dyna pryd y penderfynais roi fy nywediad enwog 'iach yw croen pob cachgi' ar waith. Rhedais nerth fy nhraed allan o'r ysgubor ac ar hyd glannau afon Hafren, gyda'r gof yn dynn ar fy sodlau.

VII

Un o rinweddau niferus yr olaf o'r ap Gwilymiaid yw ei ddawn i redeg fel y gwynt – dawn sydd wedi achub ei groen sawl tro dros y blynyddoedd. Llwyddais, felly, i ddianc rhag y gof blin. Er ei fod yn ddyn cyhyrog, roedd yn cario cryn dipyn yn fwy o bwysau na'r meistr ifanc. 'Gwynt teg ar dy ôl!' gwaeddais, gan chwerthin yn iach wrth i sŵn rhegfeydd y gof dawelu yn y pellter wrth imi redeg ffwl-pelt ar hyd glannau'r afon.

Ond, gwae ac och! Ymhen llai na milltir, daeth y llwybr ar hyd yr afon i ben ac roedd creigiau serth o'm blaen. Doeddwn i ddim yn awyddus i neidio i mewn i'r afon, yn bennaf am nad oeddwn yn gallu nofio. Roedd y tir i'r dde i mi yn wastad a diffaith, heblaw am dyddyn bach gyda chwt o'i flaen. Rhedais at y cwt, a oedd, yn ffodus, yn un o faint sylweddol.

'Anelais am ystafell, cell wag, a lloches ydoedd...'

Rhuthrais i mewn iddo a chau'r drws yn glep ar fy ôl. A hynny dim ond mewn pryd oherwydd gwelais, drwy dwll yn nhrawst y cwt, fod y gof yn rhedeg nerth ei draed at y fan lle deuai'r llwybr i ben. Edrychodd o'i gwmpas, gan geisio dyfalu lle'r oeddwn wedi mynd. Edrychodd i'r chwith ar yr afon, cyn troi a syllu ar y tyddyn a dechrau camu'n araf tuag at y cwt.

Dyna pryd y clywais sŵn y tu ôl imi. Troais a gweld pâr o lygaid gleision yn syllu arnaf, cyn i'r pig oren oedd o flaen y llygaid hynny fy nharo ar fy nhrwyn. Gwae ac och! Cwt gwyddau oedd hwn. Gwingais mewn poen, a daeth dagrau i'm llygaid. Rhoddais fy nwylo dros big yr ŵydd i'w hatal rhag ymosod arnaf eto, ac yn bwysicach fyth, i'w hatal rhag denu'r gof i'r cwt gyda'i chlochdar.

Gweithiodd fy nghynllun. Cerddodd y gof heibio i'r cwt, gan gamu at ddrws y tyddyn. Curodd ar y drws ond doedd neb gartref, mae'n amlwg. Trodd, a chrafu ei ben am ychydig cyn rhedeg yn ôl i gyfeiriad yr ysgubor. Llwyddais i ddal pig yr ŵydd nes i'r gof ddiflannu o'r golwg.

Ond unwaith imi ollwng fy ngafael ar big yr ŵydd

dechreuodd honno ymosod arnaf eto. Sylweddolais pam ei bod mor ddig pan welais haid o wyddau bach yn cuddio y tu ôl iddi. Dyna oedd brwydr, gyfeillion, brwydr y bu i mi a Wil ei hanfarwoli yn fy ngherdd enwog 'Y Cwt Gwyddau', fel y gwyddoch chi, ddarllenwyr doeth.

Llwyddodd yr ŵydd i rwygo fy nghôt borffor ysblennydd heb sôn am fy sanau melyn llachar wrth inni ymgodymu am gyfnod hir. Yna, symudodd yr ŵydd gam yn ôl, yn barod i roi pigiad ffyrnig i'r meistr ifanc. Ond roedd hyn, wrth gwrs, yn gamgymeriad erchyll oherwydd rhoddodd gyfle imi ryddhau fy nwylo a thynnu fy mraich dde yn ôl.

Un arall o rinweddau'r olaf o'r ap Gwilymiaid, gyfeillion, yw ei fod yn berchen ar dipyn o fôn braich. Edrychais i fyw llygaid yr ŵydd a'i bwrw'n galed. Y gyfrinach yw anelu at gefn y pen, ac mae'n amlwg imi fwrw'r nod y tro hwn oherwydd syrthiodd fy ngwrthwynebydd i'r llawr yn anymwybodol.

Cymerais bluen o'i hadain i gofio'r fuddugoliaeth a'i gosod yn fy het fedw odidog. Roedd yr ŵydd druan yn dechrau dod ati'i hun wrth imi gamu allan o'r cwt a chau'r drws ar fy ôl.

Gwyddwn fod y gof wedi dychwelyd i gyfeiriad yr efail, felly penderfynais innau fynd i gyfeiriad gwahanol, gan fwriadu cuddio yng nghanol y dyrfa yn Ffair Llanidloes.

Roeddwn hefyd yn awyddus iawn i ddod o hyd i Wil i roi pryd o dafod iddo, a'i gael i gyfaddef mai ef, ac nid y meistr ifanc, a fu'n godinebu gyda Hawys, gwraig y gof. Byddai hynny'n gymorth mawr petawn i'n dod wyneb yn wyneb â'r gŵr blin hwnnw eto.

Ochneidiais yn hir. Roedd y meistr ifanc wedi goroesi unwaith eto. Ond nid dyna ddiwedd ar ei helbulon y diwrnod hwnnw.

VIII

Roedd canol tref Llanidloes lai na milltir o'r tyddyn. Cyrhaeddais yno a gweld bod torf enfawr wedi ymgynnull o amgylch y pawl haf. Am ba reswm, tybed? Gwthiais drwy'r dyrfa gan geisio dod o hyd i Wil. Ymhen hir a hwyr cyrhaeddais reng flaen y dorf, lle'r oedd y Bwa Bach a Madog Benfras yn sefyll yn eu gwisgoedd ysblennydd a'u hetiau plu gosgeiddig.

'Dy'n ni ddim wedi gweld Iolo na Wil trwy'r dydd,' meddai'r Bwa Bach pan ofynnais iddo a oedd wedi gweld fy ngwas.

'Mwy na thebyg ei fod yn potian yn y dafarn gydag Iolo,' ychwanegodd Madog yn swrth.

'A ble mae Morfudd?' gofynnais i'r Bwa Bach.

'Mae hi wedi mynd i'r gwely. Roedd hi wedi blino'n lân ar ôl casglu'r palffri o'r efail,' atebodd.

Gyda hynny camodd dyn o flaen y pawl haf a chyfarch y dorf.

'Ac yn awr, uchafbwynt dathliad Gŵyl Sant Idloes a ffair diwedd haf Llanidloes, sef cystadleuaeth dyrnu'r Ceiliog,' bloeddiodd.

Daeth bonllef o gymeradwyaeth o gyfeiriad y dorf.

'Ac yn ôl yr arfer, mae angen tri "uchelwr" arnom i gymryd rhan yn y gystadleuaeth,' ychwanegodd y dyn, a oedd wedi'i wisgo fel taeog. Sibrydodd y Bwa Bach yn fy nghlust mai hwn oedd Cwnstabl y dref, Robat ap Henri.

'Dwi ddim yn cofio cael fy nghyflwyno iddo ymysg y pwysigion eraill yn ystod ein perfformiad neithiwr,' meddwn.

'Doedd e ddim yno. Bu'n rhaid iddo ddelio ag achos o ddwyn buwch yn Llangurig, mae'n debyg,' atebodd y Bwa Bach.

'A pham mai fe, sy'n uchelwr, sy'n llywio'r gystadleuaeth hon os mai'r taeogion sy'n rheoli popeth heddiw?' gofynnais.

'Mwy na thebyg am mai'r gystadleuaeth hon yw'r un sy'n coroni taeog cryfaf y dref a bod angen uchelwr i'w goroni,' cynigiodd y Bwa Bach.

Wn i ddim ai'r cynnwrf o osgoi'r gof neu'r hunanhyder a

fegais drwy lorio'r ŵydd yn gynharach yn y dydd a wnaeth imi ystyried cynnig fy hun fel cystadleuydd. Ond gan fy mod wedi llwyddo i fwrw gŵydd yn anymwybodol, roeddwn o'r farn mai mater bach fyddai cyflawni'r un gamp gyda cheiliog. Roedd y meistr ifanc yn hyderus y gallai greu argraff ffafriol ar ferched Llanidloes drwy ennill cystadleuaeth o'r fath.

Troais at y Bwa Bach a Madog Benfras. 'Beth amdani? Dyma gyfle euraid inni ddangos fod beirdd Cymru'n giamsters corfforol yn ogystal â meddyliol,' awgrymais.

Mae'n amlwg bod y Bwa Bach a Madog wedi bod wrthi'n potian yn ystod y dydd hefyd, oherwydd roedden nhw'n ddigon hyderus i roi cynnig arni. Felly camodd y tri ohonom ymlaen a chynnig ein hunain fel cystadleuwyr ar gyfer y gystadleuaeth.

'Da iawn. Mae gennym dri gwirfoddolwr,' meddai ap Henri mewn syndod. 'Fel arfer mae'n rhaid gorfodi pobl i gymryd rhan. Rhowch gymeradwyaeth i'r dynion dewr hyn, sydd wedi gwisgo fel Ceiliogod Dandi, fel mae'n digwydd,' ychwanegodd y Cwnstabl. Erbyn hyn roedd y dorf yn chwerthin yn afreolus.

'Ble mae'r Ceiliogod?' gofynnais i Robat ap Henri, gan dorchi llewys fy nghôt yn barod i ymladd.

Chwarddodd hwnnw. 'Na, na, ry'ch chi wedi camddeall. Chi yw'r Ceiliogod. A'r un sy'n colli'r ddwy rownd gyntaf fydd yn cael ei ddyrnu,' meddai. Dechreuodd nifer o'r dynion oedd wedi'u gwisgo fel taeogion afael yn y tri ohonom a'n clymu'n ddiseremoni i'r pawl haf.

'Ond rwy'n uchelwr go iawn...' cwynais.

'Os felly, pam ydych chi wedi gwisgo fel uchelwr ar ddiwrnod Gŵyl Mabsant Sant Idloes?'

'Am nad oeddwn am wisgo fel taeog a chael fy israddio,' atebais.

'Nid dyna'r drefn yn Ffair Gŵyl Mabsant Sant Idloes, gyfaill,' meddai ap Henri. 'Rydyn ni'n hoffi troi'r sefyllfa ben i waered eto. Y taeogion sydd wedi gwisgo fel uchelwyr sy'n cael eu hisraddio yn y dref hon heddiw. Dyna anffodus i chi nad oeddech chi'n gwybod hynny,' ychwanegodd gan wenu, cyn troi i annerch y dorf. 'Foneddigion a boneddigesau! Y rownd gyntaf. Pluo'r Ceiliog. Rydych chi'n gwybod y drefn. Bydd y rownd yn dechrau pan roddaf i'r arwydd,' meddai, cyn peswch a gweiddi, 'Coc-a-dwdl-dwwwww!'

Gyda hynny rhuthrodd yr holl dorf tuag atom fel un. Caeais fy llygaid a theimlo fy nillad yn cael eu rhwygo oddi ar fy nghorff gan ddwylo garw, a chlywed sŵn gwatwar a chwerthin. Dyna'r Ceiliog wedi'i bluo felly.

Agorais fy llygaid yn araf. Edrychais i'r chwith a gweld y Bwa Bach yn sefyll yno'n hollol noeth gyda phluen yn sownd yn ei ben-ôl. Edrychais i'r dde a gweld bod Madog wedi dioddef yr un anffawd. Griddfanais, gan sylweddoli fy mod innau hefyd yn yr un cwch pan deimlais rhywbeth yn cosi fy mhen-ôl.

Camodd ap Henri o'n blaenau. 'Dyma ganlyniad y rownd gyntaf. Y cyntaf i gael ei bluo oedd yr hen foelyn,' gwaeddodd, gan bwyntio at y Bwa Bach ac ychwanegu, 'Rhyddhewch y Ceiliog!'

Rhyddhawyd y Bwa Bach o'r rhaffau oedd yn ei glymu i'r pawl haf. Rhedodd nerth ei draed i loches tafarn y Llew Gwyn heb boeni dim am Madog a minnau. Y cachgi bach, meddyliais. Ond doedd dim amser i feddwl mwy am y Bwa Bach, oherwydd camodd ap Henri o'n blaenau unwaith eto.

'Foneddigion a boneddigesau! Yr ail rownd. Torri crib y Ceiliog!' meddai.

Gyda hynny camodd dau ddyn cydnerth yr olwg tuag ataf i a Madog. Gwelais fod y ddau'n dal cyllell finiog bob un.

'Na. Rwy'n erfyn arnoch! Peidiwch â thorri fy ngwallt euraid hir prydferth,' gwaeddais, wrth i un o'r dynion afael yn fy nghudynnau ysblennydd. 'O, fy ngwallt, fy ngwallt prydferth. Gwae ac och!'

Gwyddwn nad oedd gennyf unrhyw obaith o gael fy rhyddhau yn dilyn yr ail artaith hon am fod Madog Benfras yn un o'r brid o ddynion hynny oedd wedi dechrau moeli'n ifanc.

'Bydd y rownd yn dechrau pan roddaf i'r arwydd,' meddai ap Henri cyn gweiddi, 'Coc-a-dwdl-dwwwww!'

Caeais fy llygaid wrth imi deimlo'r gyllell yn dechrau torri fy ngwallt. Ond diolch i'r Iôr, dim ond llond llaw o'm gwallt hir sidanaidd a dorrwyd cyn i ap Henri gamu o'n blaenau.

'Dyma ganlyniad yr ail rownd. Y cyntaf i gael torri ei grib oedd y bolgi moel,' gwaeddodd, gan bwyntio at Madog ac ychwanegu, 'Rhyddhewch y Ceiliog!'

Rhyddhawyd Madog o'r rhaffau oedd yn ei glymu i'r pawl haf a rhedodd yntau nerth ei draed i loches y dafarn heb boeni dim amdana i. Y cachgi tew, meddyliais. Ond doedd dim amser i feddwl mwy am Madog Benfras, oherwydd camodd ap Henri o'm blaen unwaith eto.

'Foneddigion a boneddigesau! Dyma enillydd y gystadleuaeth,' bloeddiodd.

Cymeradwyodd y dorf, cyn i nifer o'r dynion oedd wedi'u gwisgo fel taeogion fy rhyddhau o'r pawl haf. Cefais fy llusgo draw i'r pilori a gosodwyd fy mhen drwy'r stoc, gyda 'mhen-ôl yn yr awyr a'r bluen yn cyhwfan yn yr awel.

'Ac yn awr, i gloi'r gystadleuaeth am eleni, y seremoni ddyrnu!' gwaeddodd ap Henri.

Yn y pellter gwelais Wil ac Iolo Goch yn dod allan o'r dafarn. Gwaeddais nerth fy mhen, 'Wil! Helpa fi!' gan obeithio y gallai fy macwy cyfrwys fy achub o'm sefyllfa druenus, fel y gwnaeth sawl tro o'r blaen.

Rhuthrodd Wil tuag ataf. 'Syr! Syr! Beth maen nhw wedi'i wneud iti, syr?' gwaeddodd, cyn penlinio o fy mlaen.

'Mae'n rhaid iti wneud rhywbeth, Wil,' erfyniais arno.

'Ond beth alla i wneud?' gofynnodd Wil.

'Fawr ddim, mae'n siŵr, erbyn meddwl,' meddwn yn benisel. 'O, wel. Paid â phoeni. Clec neu ddwy ar fy ngên ac mi fydd yr artaith ar ben yn fuan,' ychwanegais. Gwthiais fy ngên allan yn ddewr, yn barod am yr ergydion.

Ond suddodd fy nghalon pan welais y gof yn cerdded trwy'r dorf tuag at ap Henri. Gweddïais na fyddai'n fy adnabod am nad oeddwn yn gwisgo fy nghôt borffor. Hyd yn oed petai'n fy adnabod, o leiaf roedd Wil yno i gyfaddef mai ef oedd wedi bod yn godinebu gyda'i wraig.

Yna clywais Wil yn dweud, 'Mae'n rhaid imi fynd, syr. Dwi newydd gael syniad gwych ar gyfer eich achub chi. Mi fydda i'n ôl mewn chwinciad,' meddai, gan ruthro ymaith.

Rwy'n amau mai cilio i osgoi'r gof roedd Wil gan na wnaeth e ddychwelyd, ac ni allai gynnig esboniad credadwy am ei 'syniad gwych' pan ddaeth y gyflafan i ben ychwaith.

Dechreuodd ap Henri weiddi. 'Rydych chi'n gwybod y drefn. Bydd y seremoni ddyrnu'n dod i ben ar yr arwydd. Ac yn ôl yr hen draddodiad, y dyrnwr fydd gof Llanidloes.'

Daeth y gof i sefyll o'm blaen a sibrwd yn fy nghlust. 'Mi fydden i'n eich adnabod yn unrhyw le, Dafydd ap Gwilym, côt borffor ai peidio,' ysgyrnygodd.

'Dewch 'mla'n. Ewch amdani,' dywedais gyda chymaint o urddas ag oedd yn bosib i rywun oedd yn noeth yn y pilori, gyda phluen yn sownd yn ei din. Gwthiais fy ngên allan. 'Peidiwch â dal yn ôl, daeog, mae gen i ên gadarn.'

Chwarddodd y gof cyn camu y tu ôl imi, tynnu'r bluen allan o fy mhen-ôl a'i rhoi yn fy ngheg.

'Dyw dyrnu'r Ceiliog ddim yn golygu taro'ch gên,' chwarddodd, cyn torchi ei lewys.

Pesychodd ap Henri, yn barod i roi'r arwydd, ond myfi a waeddodd 'Coc-a-dwdl-dwwwww!' y tro hwn.

IX

Roeddwn yn eistedd (yn anghyfforddus iawn) ger y tân yn nhafarn y Llew Gwyn yng nghanol Llanidloes y noson honno. Agorais fy mhedwaredd botelaid o win coch mewn ymdrech i leddfu'r boen. Roeddwn yn eistedd ar fy mhen fy hun am fod y Bwa Bach wedi ymuno â Morfudd yn eu hystafell wely ar ôl y digwyddiad ger y pawl haf. Roedd Madog Benfras wedi cilio i'w ystafell wely hefyd, lle'r oedd Iolo, mwy na thebyg, eisoes yn cysgu'n braf yn dilyn ei ddiwrnod o botian gyda Wil.

Ar ôl cael fy rhyddhau o'r pilori y prynhawn hwnnw roedd ambell daeog caredig wedi fy helpu i wisgo fy nillad carpiog amdanaf cyn fy nhywys i'r dafarn. Ymhen hir a hwyr daeth Wil i chwilio amdanaf gyda'r esgus mwyaf tila erioed am ei gynllun i fy achub.

'Es i i chwilio am y Bwa Bach, Madog, Iolo a Morfudd yn y gobaith y bydden nhw'n gallu darbwyllo trefnydd y gystadleuaeth dy fod di'n uchelwr go iawn,' meddai'n gelwyddog. Esboniais fy mod i'n gwybod popeth am ei anturiaethau carwriaethol gyda Hawys, gwraig y gof, gan ddisgrifio'r digwyddiad yn yr ysgubor a'r cwt gwyddau.

Yn y fan a'r lle penderfynais ychwanegu cymal at gytundeb Wil fel na fyddai ganddo'r hawl i fenthyg fy nillad eto. Yna, fe'i hanfonais i brynu dillad newydd imi cyn agor potelaid arall o win a dechrau synfyfyrio am fy sefyllfa druenus.

Fel bardd, mae'n bwysig meddwl yn ddwys am brofiadau bywyd, p'un a ydyn nhw'n rhai pleserus neu, yn yr achos hwn, yn rhai poenus. Ceisiais roi trefn ar fy meddyliau. Yn gyntaf, penderfynais beidio â dychwelyd i Lanidloes eto. Yn ail, os oedd Morfudd yn parhau i fod yn anffyddlon i'r Bwa Bach, roedd hi'n ddyletswydd arnaf i achub ei henaid. Os oedd hi am fod yn anffyddlon, yna mi ddylai fod felly gydag un dyn yn unig, sef myfi.

Wrth imi agor fy mhumed botel o win gwelais Gruffudd ab Adda yn camu i mewn i'r dafarn. Cerddodd tuag ataf ac mae'n rhaid bod golwg ddigon truenus arnaf, oherwydd mi ofynnodd, 'Beth yn y byd ddigwyddodd, Dafydd?' Adroddais hanes y dydd, gan rannu fy ngwin gydag ef.

'Ond dwi ddim yn deall,' meddai. 'Mi ddywedais i wrth Wil ac Iolo fod Gŵyl Mabsant Idloes yn wahanol i bob gŵyl arall, ac mai'r taeogion wedi'u gwisgo fel uchelwyr sy'n dioddef ar y diwrnod hwnnw ac nid fel arall,' ychwanegodd, gan grafu ei ên yn anghrediniol.

'Beth?' gofynnais.

'Yn syml, fel arfer mewn ffair mae'r uchelwyr wedi eu

gwisgo fel taeogion ac mae'r taeogion wedi eu gwisgo fel uchelwyr. Y taeogion sydd wedi eu gwisgo fel uchelwyr sy'n israddio'r uchelwyr sydd wedi eu gwisgo fel taeogion,' meddai Gruffudd yn gyflym.

'Cywir,' cytunais.

'Ond yn Ffair Llanidloes, er bod yr uchelwyr yn gwisgo fel taeogion a'r taeogion yn gwisgo fel uchelwyr, yr uchelwyr sy'n gwisgo fel taeogion sy'n israddio'r taeogion sy'n gwisgo fel uchelwyr. Deall?'

'I'r dim,' atebais gan gymryd llwnc hir arall o win.

Nid yw'r bardd Dafydd ap Gwilym yn ynfytyn. Nac ydy wir. Sylweddolais ar unwaith pam fod Iolo Goch wedi mynnu gwisgo fel taeog gan adael i Madog Benfras wisgo fel uchelwr y bore hwnnw. Roedd Iolo am ddial ar Madog am fod hwnnw wedi'i geryddu'n ddi-baid am feddwi ac anghofio llinellau di-ri o'i gerddi y noson cynt.

Sylweddolais hefyd fod Wil wedi penderfynu dial arnaf i am fy mod innau wedi ei geryddu yntau ben bore. Nid fy mhen-ôl yn unig oedd yn danllyd felly pan ddychwelodd Wil gyda'r dillad maes o law. Cafodd bryd o dafod go iawn gennyf unwaith eto am 'anghofio' beth roedd Gruffudd ab Adda wedi'i ddweud wrtho.

'Ond syr, mae mor anodd deall pobl o Bowys Wenwynwyn,' meddai.

'Celwydd noeth. Roeddet ti am ddial arnaf am imi dy geryddu ac am nad oeddwn am fynychu ffair Gŵyl Mabsant Sant Idloes,' meddwn.

'Ond syr, onid dioddefaint yw tynged y bardd? Pe na baet ti wedi dioddef cymaint heddiw fyddet ti na finnau ddim wedi cael y deunydd gwerthfawr oedd ei angen i ysgrifennu cerddi fel y rhain,' eglurodd Wil. 'Dyma iti "Dan y Bargod" ac "Y Cwt Gwyddau",' ychwanegodd, gan dynnu darn o femrwn o'i boced a'i roi yn fy llaw.

Darllenais y cerddi ac mae'n rhaid imi gyfaddef eu bod ymysg fy ngherddi gorau, ac yn cynnwys ambell i berl megis:

'Codes hen famwydd drwynbant,
a'i phlu oedd gysgod i'w phlant,
a dyma'r ŵydd ddyfal lwyd yn ymosod arnaf
a'm difa a'm bwrw odani;
perthynas, yn dost y'm curwyd,
i grëyr annwyl troed-lydan llwyd.'

'Hmmm,' meddwn, ar ôl darllen y ddwy gerdd, 'mae angen ychydig o waith arnyn nhw, ond rwyt ti yn llygad dy le. Rydyn ni wedi cydweithio'n dda unwaith eto, Wil.'

'Wrth gwrs, syr,' meddai Wil gan arllwys tancard arall o win imi.

I

Nid oeddwn wedi gwella'n llwyr o'm hanafiadau echrydus yn dilyn seremoni dyrnu'r Ceiliog, hyd yn oed bythefnos yn ddiweddarach, pan oeddwn i, Wil, a fy nghyd-feirdd, Madog Benfras ac Iolo Goch, yn yr Hen Lew Du yn Aberteifi un diwrnod yng nghanol mis Medi 1347.

Cerddais yn araf iawn o gyfeiriad y bar gyda thancardiau llawn cwrw i'r tri ohonom.

'Pidlen Pryderi!' meddai Iolo Goch. 'Rwyt ti'n dal i gerdded fel petai gen ti bloryn ar dy geilliau, 'achan.'

'Efallai ddylet ti fynd yn ôl i weld Meddygon Myddfai,' meddai Madog Benfras, a fu'n hynod o ffodus i beidio â dioddef fy anffawd i ar ddiwedd y gystadleuaeth yn Ffair Llanidloes.

'Peidiwch â phoeni, gyfeillion o'r bardd-frid. Mi fydda i'n iawn ar gyfer ein taith nesaf,' meddwn, wrth gofio am y nifer o gerddi gwych newydd roeddwn i a Wil wedi'u llunio yn ystod fy nghystudd yn fy nghartref ym Mro Gynin yng ngogledd y sir dros y pythefnos cynt.

Roeddem ni feirdd wedi ymgynnull yn y Llew Du i aros i'r Bwa Bach a Morfudd ddychwelyd o'u hymweliad â Thyddewi. Roedd trefnwyr ein bagad barddol wedi teithio yno i ymweld â'r esgob newydd, Ioan o Thoresby, a gafodd ei gysegru fis ynghynt yn dilyn marwolaeth Henry de Gower ym mis Mai.

Bydd y rhai ohonoch sydd eisoes wedi darllen rhan gyntaf fy hunangofiant yn cofio bod y Bwa Bach a Morfudd wedi ymweld â'r Pab Clement VI yn Avignon ar ran Henry de Gower flwyddyn ynghynt, yn ystod haf cythryblus 1346. Pinacl gyrfa'r Bwa Bach, yn ogystal â gwneud ei ffortiwn fel adeiladwr, oedd bod yn un o brif adeiladwyr Palas Esgob Tyddewi. Roedd Henry de Gower, bryd hynny, am adeiladu palas haf yn Llandyfái, felly aeth y Bwa Bach a Morfudd â'r cynlluniau at y gŵr oedd yn rheoli'r arian, sef y Pab Clement VI. Nawr, flwyddyn yn ddiweddarach, roedd y Pab wedi rhoi sêl ei fendith ar y cynllun, ac er bod yr hen esgob wedi marw roedd yr un newydd, Ioan o

Thoresby, yr un mor awyddus i adeiladu'r palas haf. Dyna oedd pwrpas ymweliad y Bwa Bach a Morfudd â Thyddewi.

Pan oedd y ddau ohonynt yn ymweld â'r Pab flwyddyn ynghynt roeddwn i, Wil, Madog ac Iolo wedi ymuno â byddin Edward y Trydydd, a deithiodd i Ffrainc i fod yn rhan o frwydr ffyrnig Crécy.

Rwyf eisoes wedi sôn am fy anturiaethau yn Ffrainc yn rhan gyntaf fy hunangofiant. Ond i'r rhai hynny ohonoch nad oedd yn rhan o'r daith honno, dyma'r hanes yn fras.

Roedd Morfudd yn pryderu am iddi dderbyn neges fod ei brawd, Martin, yn cael ei ddal yn wystl yn Ffrainc yn dilyn brwydr ym Mehefin 1346. Ar ôl i Morfudd fy nghyhuddo i o fod yn llwfr, sylwadau a gofnodais yn y gerdd ysblennydd 'Merch yn edliw ei lyfrdra', ymunais i a Wil â byddin Lloegr gan deithio i Ffrainc i geisio achub Martin.

Yn dilyn nifer o ddigwyddiadau anturus ac anffodus daethom o hyd i Martin. Ond nid oedd yn wystl.

I'r gwrthwyneb.

Roedd wedi rhedeg bant o fyddin Lloegr ac wedi ymuno â chatrawd Gymreig Owain Lawgoch. Nid oedd Martin am ddychwelyd i Gymru am ei fod yn mwynhau ei hun yn mercheta, yfed gwin, lladd, godinebu, a chasglu ysbail yn Ffrainc. Pwy allai ei feio?

Felly bu'n rhaid imi ddod i gytundeb ag ef.

Fy rhan i o'r fargen oedd dweud celwydd noeth wrth ei chwaer, Morfudd, sef bod Martin wedi marw o'i anafiadau ar ôl cael ei ddal yn wystl gan y Ffrancod. Byddai hynny'n sicrhau na fyddai unrhyw un yn chwilio amdano a gallai barhau i fwynhau ei fywyd yn Ffrainc.

Ei ran ef o'r fargen oedd ysgrifennu llythyr at Morfudd ar ei wely angau dychmygol, yn adrodd hanes ffug fy newrder innau yn ceisio'i achub. Ond yn anffodus, cafodd y llythyr ei ddifrodi ar ôl imi ddychwelyd i Gymru. Roeddwn wedi ceisio anghofio am y bennod anffodus honno o'm bywyd ond roedd Iolo Goch a Madog Benfras yn mynnu hel atgofion y prynhawn mwyn hwnnw o fis Fedi.

'On'd oedden nhw'n ddyddiau da yn Ffrainc?' meddai Iolo, gan gymryd dracht hir o'i beint.

'Hyfryd iawn. Ni oedd y wal werdd. Dyddiau gorau ein bywydau,' cytunodd Madog Benfras.

Mae'n flin gen i, ddarllenwr ffyddlon. Anghofiais ddweud y bu Madog Benfras ac Iolo Goch, draw yn Ffrainc, yn feirdd swyddogol y gatrawd Gymreig a oedd dan arweiniad Syr Rhys ap Gruffydd, neu Wncwl Rhys i mi, am fod ei chwaer, Nest Fechan, wedi priodi brawd Mami, Llywelyn ap Gwilym. Pam, meddyliais, y mae pobl bob amser yn ailysgrifennu hanes, ac yn troi digwyddiadau erchyll neu ddiflas yn 'anturiaethau' unwaith maen nhw gartref yn twymo'u traed o flaen y tân?

'Dyw hynny ddim yn wir. Roedden ni i gyd yn ofni am ein bywydau. Y wal werdd, wir! Ai dyna pam wnaethoch chi redeg bant o'r fyddin?' gofynnais.

'Mae hwnna'n gyhuddiad hollol annheg, Dafydd,' meddai Madog. 'Mi adawon ni'n swyddi fel beirdd swyddogol catrawd Syr Rhys ap Gruffydd am ei fod wedi torri'n cytundeb...'

'... gan ein gorfodi i gyfansoddi'n cerddi ar flaen y gad yn hytrach na mwynhau'r profiad o'u cyfansoddi o bell,' ychwanegodd Iolo Goch.

'Ta beth, rwy'n amau'n fawr dy fod ti a Wil wedi rhedeg bant o gatrawd Syr Rhys ap Gruffydd, beth bynnag,' meddai Madog.

'Celwydd noeth, Madog. Rwyt ti'n gwybod yn iawn fy mod i a Wil wedi mynd ar gyrch ysbïo ar ran Wncwl Rhys pan gawsom ein dal gan gatrawd Gymreig Owain Lawgoch.'

'Mae'r meistr yn llygad ei le,' meddai Wil. Sylwais ei fod yn croesi'i fysedd o dan y bwrdd. Y gwir, wrth gwrs, oedd fy mod i a Wil wedi ceisio rhedeg i ffwrdd a dianc ar gwch o Ffrainc i'r Hen Ogledd, cyn cael ein dal gan gatrawd Owain Lawgoch.

'Mae'n debyg bod yn rhaid inni dderbyn gair y ddau ohonoch felly,' meddai Madog yn amheus.

'Os oes rhaid,' cytunodd Iolo.

Crynais wrth gofio am y profiad. Nid oeddwn am ddychwelyd yn agos i faes y gad eto, yn enwedig gyda bwystfil didrugaredd fel Syr Rhys ap Gruffydd. Wedi'r cyfan, bardd cariad yw Dafydd ap Gwilym. Bardd rhamant, bardd y caeau, y llatai, y llwyni a'r perthi. Bardd y deildy. Ond bardd rhyfel? Na.

'Rwy'n gobeithio na fydd yr un ohonom yn gweld Syr Rhys ap Gruffydd am gyfnod,' meddwn. 'Mae wedi bod yn brysur gyda'r Brenin Edward a'r Tywysog Du yng ngwarchae Calais ers bron i flwyddyn. A gobeithio mai yno y byddan nhw am ddeng mlynedd arall,' ychwanegais, gan godi fy nhancard mewn llwncdestun.

'Chlywaist ti 'mo'r newyddion?' gofynnodd Iolo.

'Pa newyddion? Dwi wedi treulio'r pythefnos diwethaf yn fy nghartref ym Mro Gynin yn gwella o'm hanafiadau ac yn ysgrifennu mwy o gerddi penigamp.'

'Mae gwarchae Calais ar ben. Enillodd y Saeson ac mae Rhys ap Gruffydd wedi dychwelyd i Gymru i chwilio am fwy o filwyr i ymuno â'r gatrawd i warchod buddiannau'r Saeson yn Ffrainc,' esboniodd Iolo. 'Mi fyddai Madog a minnau'n barod iawn i ryfela eto fel beirdd petai angen, wrth gwrs.'

'Yn hollol, Iolo,' meddai Madog. 'Ond wedi pwyso a mesur, rydym o'r farn ei bod yn bwysicach inni aros yng Nghymru a chodi morâl pawb yma gyda'n barddoniaeth,' ychwanegodd.

'Cytuno'n llwyr,' meddwn innau a chodi i nôl rhagor o ddiod. Ar yr un pryd, cododd Madog ac Iolo gan fynd allan trwy'r drws cefn i ollwng diferyn.

Gyda hynny, cerddodd dyn tal i mewn i'r dafarn. Roedd dipyn yn deneuach na'r tro diwethaf imi ei weld. Roedd hefyd wedi torri ei wallt melyn yn fyr, ac wedi tyfu barf. Ond mi fydden i'n ei adnabod yn unrhyw le. Hwn oedd brawd Morfudd, y diweddar Martin.

II

'Wel, wel, wel. Y bardd Dafydd ap Gwilym. Roeddwn i'n gobeithio y byddet ti'n dal i fynychu'r dafarn hon y clywais i ti'n sôn cymaint amdani yn Ffrainc flwyddyn yn ôl,' meddai Martin, neu fel yr oedd yn galw'i hun yng nghatrawd Gymreig Owain Lawgoch, Martin y Rhyfelwr, neu Martin Guerre. Gwenodd pan welodd Wil yn eistedd wrth y bwrdd ger drws blaen y dafarn. 'A dyma dy was... Wil. Gwell fyth,' ychwanegodd, gan eistedd yn fy nghadair i wrth y bwrdd a gweiddi, 'Dere â thair potelaid o win gorau'r dafarn, ap Gwilym, inni gael dathlu ein haduniad.'

Dychwelais at y bwrdd gyda'r gwin. Ar ôl i Martin lyncu llond tancard gydag un dracht, sychodd ei geg â'i fraich dde ac edrych o'i gwmpas.

'Ble mae fy chwaer annwyl, a'i chwcwallt o ŵr?'

Esboniais fod Morfudd a'r Bwa Bach yn Nhyddewi ac y bydden nhw'n dychwelyd ymhen diwrnod neu ddau ar gyfer ymarferion taith nesaf Cymdeithas y Cywyddwyr, Rhigymwyr, Awdlwyr a Phrydyddion yn ardal Trefaldwyn.

'Rwy'n siŵr y bydd Morfudd yn hapus iawn i fy ngweld,' chwarddodd Martin, gan wincio arnaf.

'... yn enwedig am ei bod yn meddwl dy fod ti wedi marw,' meddwn.

Mewn gwirionedd, dim ond trafferth fu brawd iau Morfudd iddi erioed. Roedd eu rhieni wedi marw ers blynyddoedd ac felly Morfudd a'r Bwa Bach oedd unig deulu Martin. Roedd wedi dwyn anfri arnynt yn rheolaidd drwy oryfed yn nhafarndai'r rhan fwyaf o fwrdeistrefi Cymru. Roedd ganddo enw drwg, hefyd, am ymladd yn giaidd, heb sôn am ei anturiaethau carwriaethol ffiaidd.

Dim ond un gair y gellid ei ddefnyddio i ddisgrifio Martin. Rhacsyn.

Ond roedd e'n frawd i Morfudd ac roedd hi'n ei garu. Mi ddarbwyllodd hi'r Bwa Bach i roi arian iddo er mwyn ymuno â byddin Edward, yn y gobaith y byddai'n adfer ei enw da, wedi iddo hanner lladd dyn mewn tafarn yng Nghemaes. Ond yn dilyn cyflafan brwydr Saint-Pol-de-Léon ym mis Mehefin 1346 bachodd Martin ar y cyfle i ddianc o fyddin Lloegr. Daeth ar draws catrawd Gymreig Owain Lawgoch rai wythnosau'n ddiweddarach, a chwrdd â minnau ryw fis wedi hynny. Dyna pryd y daeth y ddau ohonom i gytundeb.

Efallai y byddai Morfudd yn hapus i weld Martin ar dir y byw, ond doeddwn i ddim yn hapus o gwbl.

'Pam wyt ti wedi dychwelyd i Gymru?' gofynnais.

'Penderfynais ei bod hi'n hen bryd imi ymweld â'm chwaer annwyl a'i gŵr. Yn enwedig am fod byddin Ffrainc a chatrawd Owain Lawgoch ar chwâl ar ôl brwydr Crécy a gwarchae Calais.'

Celwydd noeth. Syllais ar ei ddillad carpiog. Roedd hi'n amlwg fod ei arian wedi dod i ben am na allai ysbeilio bellach fel rhan o gatrawd Owain Lawgoch. Ei fwriad, yn ddi-os, oedd begera rhagor o arian gan Morfudd a'r Bwa Bach.

'Hefyd, roedd yn rhaid imi ffoi rhag y Pla sy'n ymledu ar draws de Ffrainc,' ychwanegodd Martin, cyn yfed dracht arall o win. 'Mae'r Pla eisoes wedi cyrraedd Narbonne, Marseille a Montpelier. Penderfynais gilio i ddiogelwch Cymru a bro fy mebyd ar arfordir Ceredigion, i ddechrau bywyd newydd yma.'

Ac ailafael yn dy yrfa o yfed, ymladd a thwyllo pobl, meddyliais, cyn sylweddoli'n sydyn fy mod i mewn trafferth go iawn. Roeddwn wedi dweud wrth Morfudd a'r Bwa Bach flwyddyn ynghynt fod Martin wedi marw. Pan fyddai Morfudd yn gweld ei brawd ar dir y byw, byddai'n sylweddoli fy mod i wedi dweud celwydd wrthi. Yn waeth na hynny, roedd Martin yn gwybod y gwir, sef fy mod i a Wil wedi ffoi o fyddin Lloegr a chael ein dal gan gatrawd Gymreig Owain Lawgoch. Mi fyddai Martin yn siŵr o ddweud wrth ei chwaer am fy llwfrdra.

'On'd oedden nhw'n ddyddiau da gyda'r gatrawd Gymreig?' meddai Martin. Ar hynny, dychwelodd Madog Benfras ac Iolo o'r domen ger y drws cefn.

'Siolen Olwen! 'Sen i ddim yn mynd i'r domen am awr neu ddwy, bois. Mae Madog wedi cael gwared ag un anferth,' meddai Iolo.

'Ond doedd e ddim hanner mor ddrewllyd â dy un di, Iolo,' atebodd Madog.

'Madog? Iolo?' meddai Martin, gan ddechrau gwenu wrth syllu ar y ddau.

'Henffych, gyfaill. Myfi yw'r bardd enwog Madog Benfras ap Gruffudd ab Iorwerth Arglwydd Sonlli ab Einion Goch ab Ieuaf ap Llywarch ab Ieuaf ap Ninaw ap Cynfrig ap Rhiwallawn,' meddai Madog.

'... a fi yw'r bardd enwog, Iolo Goch,' ychwanegodd Iolo.

Chwarddodd Martin yn uchel. 'Dwi wedi clywed llawer amdanoch chi.'

'O! Yn wir? Pryd?' gofynnodd Madog gan eistedd wrth y bwrdd.

Caeais fy llygaid a griddfan, gan wybod ei bod hi'n rhy hwyr imi geisio osgoi'r gyflafan oedd i ddod.

'Cefais lawer o hanesion am y ddau ohonoch chi gan Dafydd pan oedd e'n aelod o gatrawd Gymreig Owain Lawgoch flwyddyn yn ôl,' atebodd Martin, cyn ychwanegu, 'yn fuan ar ôl iddo ef a'i was Wil, fan hyn, ffoi o fyddin Lloegr.'

'Rwy'n credu bod ffoi yn air ychydig yn gryf...' dechreuais, gan glywed Wil yn griddfan yn fy ymyl.

'Ffoi!' gwaeddodd Madog yn orfoleddus.

'Ffoi!' gwaeddodd Iolo, gan chwerthin yn afreolus.

'Mi ddywedais i wrthot ti eu bod nhw'n llwfr, on'd do, Iolo,' meddai Madog.

'Do wir, Madog.'

'Ond... mi wnaethoch chi yr un peth yn union. Mi wnaethoch chi redeg bant o gatrawd Syr Rhys ap Gruffydd,' taranodd Wil.

Pwysodd Martin yn ôl yn ei gadair a gwenu'n gam. 'Felly dwi'n eistedd yng nghwmni tri bardd llwfr a gwas llwfr. Ydy fy chwaer yn gwybod hyn?' gofynnodd.

'Chwaer? Pwy yw eich chwaer?' gofynnodd Madog.

'Eich cyflogwr, wrth gwrs. Morfudd.'

'Ond bu farw unig frawd Morfudd yn Ffrainc y llynedd.

Dangosodd Dafydd lythyr inni a ysgrifennodd hwnnw ar ei wely angau,' meddai Madog.

'Ti yn llygad dy le, Madog,' cytunodd Iolo.

Esboniodd Martin i Madog ac Iolo ein bod wedi creu cynllun i dwyllo Morfudd, a siglodd y ddau eu pennau'n anghrediniol.

'Mi fydd Morfudd yn siomedig iawn pan ddaw hi i ddeall dy fod yn gachgi ac yn gelwyddgi, Dafydd,' meddai Madog.

'Yn siomedig iawn,' cytunodd Iolo.

'Ac mi fydd hi'n siomedig iawn pan ddyweda i wrth bawb eich bod chi'ch dau wedi ffoi o fyddin Lloegr hefyd,' ymatebais yn ffyrnig. 'Mi fyddech chi'ch dau wedi cael eich lladd gan Syr Rhys ap Gruffydd yn Crécy oni bai bod Wil a minnau wedi rhaffu celwyddau i achub eich crwyn. Os daw Morfudd i wybod y gwir amdanaf i, mi ddaw hi i wybod y gwir amdanoch chi hefyd, allwch chi fod yn siŵr o hynny.'

'Wrth gwrs, does dim rhaid i Morfudd a'r Bwa Bach wybod bod Dafydd a Wil wedi ffoi o fyddin Lloegr,' meddai Martin, gan bwyso ymlaen yn ei gadair a gostwng ei lais, er nad oedd unrhyw un arall yn y dafarn heblaw am Dyddgu, oedd yn casglu tancardiau y pen arall i'r ystafell.

'Beth wyt ti'n awgrymu, Martin?' gofynnais yn dawel.

'Mae Morfudd yn gwybod mai fi ysgrifennodd y llythyr. Ond petaet ti, Dafydd, yn dweud dy fod ti wedi fy ngadael ar fy ngwely angau, mi allwn i fod wedi gwella trwy ryw ryfedd wyrth ar ôl iti fynd,' meddai Martin.

'Mi fyddai hynny'n garedig iawn ar dy ran di, Martin,' meddwn.

'Yn syndod o garedig,' ategodd Wil, gan giledrych ar Martin.

Efallai fod Martin wedi newid ei ffordd erbyn hyn, meddyliais. Ond na. *Au contraire*, fel y byddai'r trwbadwriaid yn ei ddweud.

'Wrth gwrs, mi fyddai angen i ti, Dafydd, ddangos yr un caredigrwydd tuag ataf i.'

'Yn hollol,' cytunodd Madog.

'Fyddai hynny ond yn deg,' cytunodd Iolo.

'Beth fyddai angen imi ei wneud?'

'Dwi wedi cael llond bol o ryfela. Dwi ddim yn fachgen ieuanc ffôl rhagor. Dyma fy mhedwerydd haf ar hugain ar y ddaear ac mae'n hen bryd imi fwrw gwreiddiau, a pha le gwell na'r fan hon,' meddai Martin gan lygadu Dyddgu, a oedd erbyn hyn yn golchi'r byrddau ym mhen pellaf y dafarn. 'Dwi am anghofio'r gorffennol a dechrau o'r newydd. A pha fywyd gwell sydd yna yng Nghymru na bod yn aelod o Gymdeithas y Cywyddwyr, Rhigymwyr, Awdlwyr a Phrydyddion?'

'Wyt ti'n gallu barddoni?' gofynnais.

'Dim ond beirdd o'r safon uchaf sy'n cael ymuno â beirdd CRAP Cymru,' meddai Madog.

'Ti yn llygad dy le, Madog,' cytunodd Iolo.

Chwarddodd Martin. 'Alla i ddim rhaffu brawddeg o farddoniaeth at ei gilydd,' meddai.

'Ond sut fyddi di'n llwyddo i gynnal dy hun fel bardd felly?' gofynnodd Madog.

'Mi fydd y beirdd enwog a thalentog Dafydd ap Gwilym, Madog Benfras ac Iolo Goch yn rhoi rhai o'u cerddi imi, gan esgus mai myfi, y bardd Martin Llwyd, sy'n berchen arnyn nhw.'

'Dyna syniad gwreiddiol,' meddai Wil dan ei wynt.

'Ond pam fydden ni'n gwneud hynny?' gofynnodd Madog.

'Dwi ddim yn deall,' ategodd Iolo.

'Rwy'n credu y byddai hynny'n ad-daliad teg am sicrhau na fydda i'n dweud wrth bawb, yn enwedig Morfudd – ac yn fwy na hynny, yr awdurdodau – eich bod yn feirdd llwfr a ddihangodd o fyddin Lloegr,' meddai Martin.

'Ond...' meddai Madog, gan fethu ag yngan gair arall.

'Y ffrwcsyn ffrwcsyn... blacmel yw hynna,' meddai Iolo.

'Pa... pa...' dechreuais i.

'Mae blacmel yn air hyll. Awgrymu ydw i eich bod chi'n gwneud ffafr i mi yn gyfnewid am y ffafr fydda i'n ei gwneud i chi.'

'Pa... pa...' ychwanegais.

'Beth mae fy meistr yn ceisio'i ddweud yw hyn, dwi'n credu... Beth sy'n ei atal e rhag dweud eich bod chi, Martin, wedi bod yn llwfr pan ddihangoch *chi* o fyddin Lloegr ac ymuno â byddin Ffrainc?' awgrymodd Wil.

'Ie. Dyna ni. Da iawn, Wil,' llwyddais i ddweud o'r diwedd.

'Mae rhwydd hynt ichi wneud hynny. Ond dim ond chi sy'n gwybod fy mod i wedi ffoi o fyddin Lloegr yn hytrach na chael fy nal fel gwystl. A dim ond fi sy'n gwybod eich bod chi wedi ffoi o fyddin Lloegr hefyd. Felly, fy ngair i yn erbyn eich gair chi fydd hi, a dwi'n gwybod pwy fydd Morfudd, fy chwaer annwyl, yn ei gredu. Eich penderfyniad *chi* yw dewis cadw'ch enw da ai peidio. *Impasse* yw'r gair, dwi'n credu,' meddai Martin gan godi ar ei draed. 'Pwy yw'r fenyw sy'n golchi'r byrddau draw fan'co?' gofynnodd.

'Dyddgu, y landledi,' atebodd Madog.

'Felly, hi yw'r uchelwraig weddw roeddech chi, Dafydd a Wil, yn sôn gymaint amdani pan oeddech chi yn Ffrainc. Fel ddywedais i'n gynharach, mae'n bryd imi fwrw gwreiddiau, a pha ffordd well o wneud hynny na phriodi a rhedeg tafarn,' meddai Martin. 'Dwi'n credu ei bod hi'n bryd imi gyflwyno fy hun i Dyddgu deg, heb ddweud gair am beth ddigwyddodd yn Ffrainc, wrth gwrs. Pan ddof i'n ôl mi fydda i'n disgwyl ateb i'm cynnig,' ychwanegodd, cyn camu i gyfeiriad Dyddgu.

Doedd dim dewis gennym, wrth gwrs, ond derbyn telerau Martin pan ddychwelodd at y bwrdd gyda Dyddgu maes o law.

'Rwy'n clywed bod eich bagad barddol ar fin cael aelod newydd,' meddai Dyddgu, gan wenu ar Martin. 'Mae Martin wedi sôn am ddewrder y pedwar ohonoch chi yn Ffrainc y llynedd, a dwi'n edrych ymlaen at glywed llawer mwy o'r hanes,' ychwanegodd. Sylwais fod wyneb Wil wedi troi'n borffor.

'Ydw i'n debygol o fod yn un o feirdd CRAP Cymru?' gofynnodd Martin, gan edrych ar bob un ohonom yn ei dro.

'Wyt,' atebodd Madog.

'Wyt,' atebodd Iolo.

'Wyt,' atebais innau.

'Gwych. A fyddech chi mor garedig â mofyn pedair potelaid o'ch gwin Bordeaux gorau, Ddyddgu deg?' meddai Martin.

'Yn anffodus, mae wedi bod yn amhosib mewnforio gwin o Bordeaux yn ddiweddar oherwydd y rhyfel gyda Ffrainc,' meddai Dyddgu.

'Hmmm. Efallai y gallaf gynnig ychydig o gyngor ichi ar hynny. Mae gen i nifer o gysylltiadau yr ochr draw i *La Manche*. Dyw hyd yn oed rhyfel ddim yn atal pobl rhag masnachu â'i gilydd,' meddai Martin. 'Ond am nawr... mi wnaiff unrhyw win y tro i ddathlu'n cytundeb,' ychwanegodd, gan wylio Dyddgu'n cerdded i gyfeiriad y bar.

'Dwi'n bwriadu dechrau ar fy ngyrfa fel bardd drwy lunio cerdd am Dyddgu,' meddai Martin gan edrych arnaf i. 'Rwyt ti'n ei hadnabod yn dda, Dafydd. Allet ti greu un ar fy nghyfer erbyn bore fory os gweli di'n dda?'

'Wrth gwrs,' meddwn, yn benisel.

'O. Un peth arall, Dafydd.'

'Ie?'

'A fyddai'n bosib imi fenthyg dy was nawr ac yn y man? Dim ond yn achlysurol, wrth gwrs.'

'Oes dewis gen i?'

'Na.'

'Ond, syr...' dechreuodd Wil.

'Cau dy geg a chofia beth wyt ti,' ysgyrnygodd Martin. 'Rwy am iti fynd i farchnad Aberteifi i brynu dillad ffasiynol imi, ac esgidiau tebyg i'r rhai mae dy feistr yn eu gwisgo.'

'Ond mi fydd angen arian arna i,' meddai Wil.

'Ond mi fydd angen arian arna i... *beth*?' ysgyrnygodd Martin.

'Ond mi fydd angen arian arna i... *syr*,' poerodd Wil y geiriau allan.

'Mi wnaiff Dafydd dalu. Wedi'r cyfan, ef yw dy feistr... am nawr,' meddai Martin gan wgu, ond trodd yr wg yn wên ar unwaith pan welodd Dyddgu'n dychwelyd gyda'r gwin.

III

Treuliais i a Wil y noson honno'n cyfansoddi cerdd ar gyfer Martin. Ac mae'n rhaid imi gyfaddef inni greu campwaith gyda'r gerdd 'Gwahodd Dyddgu'. Roedd hynny'n fwy o gamp nag arfer o ystyried bod Wil wedi treulio'r holl amser yn cwyno am Martin a'i agwedd nawddoglyd tuag ato.

' "Cer i mofyn rhagor o win imi, Wil... cer i ofyn i Dafydd pryd fydd y gerdd yn barod, Wil... cer i sychu fy esgidiau, Wil..." Mae'n rhaid iti wneud rhywbeth,' meddai ar ôl iddo orffen ysgrifennu drafft cyntaf y gerdd. 'Dwi wedi blino'n lân. Ac mae'r diawl am imi fynd â dŵr iddo ben bore.'

'Paid â phoeni, Wil. Mi gawn ni air gyda'r Bwa Bach pan ddaw Morfudd ac yntau yma. Mi lwyddodd hwnnw i gael gwared â Martin o'r blaen gan ei orfodi i ymuno â byddin Lloegr, ac os na all y Bwa Bach ein helpu, dwi'n ffyddiog y gallwn ni godi digon o arian rhyngom i sicrhau ei fod yn gadael am byth,' meddwn.

'Dwi ddim yn siŵr am hynny. Mae e'n dangos cryn dipyn o ddiddordeb yn Dyddgu,' atebodd fy macwy yn ddig.

Bu'n rhaid i Madog, Iolo a minnau wrando ar Martin yn adrodd fy ngherdd wych yn uchel i Dyddgu ym mar yr Hen Lew Du toc wedi *Sext* drannoeth.

'Dyn cannaid doniog gynneddf, Dyddgu â'r gwallt lliwddu lleddf, Dy wahawdd, cawddnawdd cuddnwyf, I ddôl Mynafon ydd wyf,' llefarodd Martin yn drwsgl, gan roi'r pwyslais ar y gytsain anghywir yn ddi-ffael. Gwingais, gan aros i'r artaith ddod i ben.

Wrth i Martin lefaru '... Yno heno, hoen gwaneg, Awn ni ein dau, fy nyn deg, Awn, od awn, wyneb gwynhoyw, Fy nyn lygad glöyn gloyw,' gwelais, dros ysgwydd Martin, y Bwa Bach yn cerdded i mewn i'r dafarn. Safodd yn gegagored pan welodd fod ei frawd yng nghyfraith nid yn unig yn fyw, ond yn adrodd barddoniaeth o'r safon uchaf.

'O Martin. Dyna gerdd hyfryd,' meddai Dyddgu, oedd wedi'i swyno'n llwyr.

'Pam na ddoi di gyda mi am dro ar hyd dolydd Mynafon y prynhawn 'ma, er mwyn imi allu adrodd y gerdd eto yn y fan lle cafodd ei chreu ar dy gyfer?' gofynnodd Martin.

'Dyna syniad hyfryd. Ond beth am y dafarn?'

'Gall Wil ofalu am y dafarn,' atebodd Martin.

'O'r gorau. Gad imi fynd i mofyn fy ngwimpl,' meddai Dyddgu, gan ruthro i fyny'r grisiau i'w hystafell.

Bryd hynny y sylwodd Martin ar y Bwa Bach yn sefyll fel delw ger drws y dafarn.

'Henffych, Bwa Bach. Ble mae fy chwaer annwyl?' gofynnodd.

Daliodd y Bwa Bach i sefyll yno heb yngan gair. 'Ond... ond... ond,' meddai, wrth i Iolo a minnau ei dywys at gadair ger ffenest y dafarn cyn i Madog estyn tancard yn llawn gwin iddo. Llyncodd y gwin yn gyflym a dechrau dod ato'i hun. Esboniodd fod gan Morfudd annwyd trwm. Roedd hi wedi penderfynu aros yn Nhyddewi am ddiwrnod neu ddau nes ei bod hi'n teimlo'n ddigon da i deithio'n ôl i Aberteifi gyda charfan o bererinion.

Maes o law, adroddodd Martin y celwydd a drefnwyd, sef ei fod wedi gwella o'i anafiadau ar ôl imi ei adael ar ei wely angau flwyddyn ynghynt, gan ychwanegu ei fod yn bwriadu aros yng Ngheredigion am weddill ei oes. 'Wrth gwrs, mi fydd angen benthyciad arna i i fy rhoi ar ben ffordd,' meddai, gan wincio ar y Bwa Bach. Griddfanodd hwnnw. Gyda hynny, dychwelodd Dyddgu ac aeth Martin a hithau am dro ar hyd glannau afon Teifi.

Unwaith iddyn nhw adael y dafarn, dechreuodd pawb gwyno wrth y Bwa Bach ar draws ei gilydd mewn lleisiau aflafar.

'Mae'n anfaddeuol, Bwa Bach. Mae'n rhaid iddo fynd. Dyw hyn ddim yn ein cytundeb,' llefodd Madog, gan chwifio'i gytundeb yn wyneb y Bwa Bach, er nad oedd gan hwnnw unrhyw syniad ar y pryd am beth roedd Madog yn cwyno.

'Hollol anfa-ffrwcsyn-ddeuol, Bwa Bach,' cytunodd Iolo

Goch, gan chwifio'i gytundeb yntau yn wyneb y Bwa Bach.

'Mae'n rhaid ichi wneud rhywbeth, Bwa Bach. Dwi'n poeni am anrhydedd Dyddgu, heb sôn am gyflwr fy nhraed gyda'r holl redeg o gwmpas mae'n fy ngorfodi i'w wneud,' cwynodd Wil.

'Mae'n rhaid iddo fynd, Bwa Bach. Mae'n rhaid iti wneud rhywbeth,' erfyniais innau.

Ond dim ond siglo'i ben wnaeth y Bwa Bach. 'Pam ydych chi'n gadael iddo wneud fel y mynno fel hyn?' gofynnodd.

'Yn anffodus, allwn ni ddim dweud y stori gyfan wrthot ti, Bwa Bach, ond mi allwn ni ddatgelu fod Martin yn blacmelo pob un ohonon ni am rywbeth a ddigwyddodd yn Ffrainc y llynedd,' atebais.

'Pob un ohonoch chi?'

Amneidiodd Madog, Iolo, Wil a minnau â'n pennau.

Griddfanodd y Bwa Bach. 'A sut yn y byd mae Martin yn gallu barddoni?'

'Ni sy'n ysgrifennu'r cerddi ar ei gyfer,' dywedais.

'Mae hynny'n rhan o'r cytundeb, i wneud yn siŵr na fydd e'n datgelu beth ddigwyddodd yn Ffrainc i bobl eraill,' ychwanegodd Madog.

'Morfudd, yn enwedig,' ategodd Iolo.

Griddfanodd y Bwa Bach eto. 'Yn anffodus, bois, dwi yn yr un cwch â chi. Dyna pam y bu'n rhaid imi dalu iddo ymuno â'r fyddin yn hytrach na gadael iddo gael ei gosbi am hanner lladd y boi 'na yng Nghemaes,' meddai.

'Ond beth sydd ganddo arnat ti?' gofynnais.

'Fel chwychwi, alla i ddim datgelu'r holl ffeithiau. Ond roedd Martin yn dyst i ddigwyddiad sy'n codi cywilydd arnaf. Rhywbeth a ddigwyddodd yn fy mharti hydd y noson cyn imi briodi Morfudd bum mlynedd yn ôl.'

'Oes unrhyw beth allwn ni ei wneud i gael gwared ag e?' gofynnais.

'Na. All Martin wneud dim o'i le yng ngolwg Morfudd. Dwi'n ofni na chawn ni byth wared arno tra mae e ar dir y byw,' meddai'r Bwa Bach.

'Ond mae â'i fryd ar swyno Dyddgu a'i phriodi,' meddai Wil. 'Mae'n rhaid iddi gael gwybod y gwir amdano.'

'Na, Wil. Y peth gorau i'w wneud yw oedi nes gawn ni syniad. Paid â dweud gair wrth neb,' oedd fy ngair olaf ar y mater, gan wybod na fyddai Wil yn mentro mynd yn groes i'w feistr.

IV

'Ydy hyn yn wir, fod Martin wedi ffoi o fyddin Lloegr ac wedi ymuno â chatrawd Gymreig Owain Lawgoch yn hytrach na chael ei ddal yn wystl gan y Ffrancod?' gofynnodd Dyddgu pan gerddais mewn i gegin y dafarn i chwilio am Wil toc cyn *Vespers* y noson honno.

Roedd hi'n edrych yn heriol arna i, a Wil yn sefyll y tu ôl iddi.

'Mae'n flin gen i, syr. Ond roedd yn rhaid imi ddweud y gwir wrthi,' meddai Wil yn dawel.

Ochneidiais. 'Ydy. Mae'n hollol wir,' meddwn. 'Dyw Martin ddim yn dy haeddu di, Dyddgu,' ychwanegais. 'Yn ogystal â bod yn gelwyddgi, mae'n yfwr, yn ferchetwr ac yn rhacsyn llwfr.' Safodd Dyddgu yn stond a hanner cau ei llygaid.

'Welson ni mohono'n brwydro o gwbl pan oedden ni yn Ffrainc. Dim ond yfed yn nhafarn Le Vieux Lion Noir ddydd a nos, cyn diflannu toc cyn y frwydr yn Crécy,' meddai Wil.

'Felly ry'ch chi'ch dau'n dweud na chafodd e ei ddal yn wystl?'

'Ydyn,' atebais yn bendant.

'Ac felly... celwydd llwyr oedd y llythyr wnest ti honni fod Martin wedi'i ysgrifennu at Morfudd?'

'Wel... ie,' atebais yn llai pendant.

'Ac felly... celwydd llwyr oedd yr honiad yn y llythyr dy fod ti wedi bod yn ddewr drwy geisio achub ei fywyd.'

'Wel, ie a nage... ond cofia, nid dyna'r pwnc dan sylw, Dyddgu.'

'Dwi'n meddwl mai ti ysgrifennodd y llythyr 'na, Dafydd ap Gwilym. Rhag dy gywilydd di!'

'Dyddgu! Na! Dwyt ti ddim yn deall.'

'O ydw, Dafydd! Dwi'n deall popeth nawr. Mi wnaeth Martin, fel unrhyw Gymro gwerth ei halen, adael byddin Lloegr i helpu Owain Lawgoch i frwydro dros ryddid i Gymru, yn wahanol i chi'ch dau, Dic Siôn Dafydd a Dic Siôn Wil, a gymerodd bunt y gynffon ac esgus eich bod yn ddewr. Dim ond yfed yn nhafarn Le Vieux Lion Noir ddydd a nos fuoch chi'ch dau, yna diflannu cyn y frwydr yn Crécy,' meddai Dyddgu, cyn ychwanegu, 'Dwi'n credu bod y ddau ohonoch chi'n genfigennus o Martin am ei fod yn arwr a frwydrodd dros annibyniaeth i'w wlad, ac ar ôl clywed y gerdd a ysgrifennodd ar fy nghyfer i, dwi'n amau dy fod ti, Dafydd, yn genfigennus ohono am ei fod yn well bardd na thi hefyd.'

'O'r un safon, efallai,' meddai Wil dan ei wynt wrth i Dyddgu ymhelaethu.

'Mae gen i barch mawr tuag at Martin ar ôl clywed y gwir amdano. Felly, diolch o galon i'r ddau ohonoch chi.'

Ar hynny, ymddangosodd Martin yn nrws y gegin.

'Beth sy'n mynd ymlaen fan hyn? Codi lleisiau? Oes 'na ddadlau ar droed? Rwy'n casáu gweld pobl yn tynnu'n groes,' meddai yn ei lais mwyaf melfedaidd.

'Mae Dafydd a Wil newydd ddweud wrtha i dy fod ti wedi gadael byddin Lloegr yn fwriadol i ymladd dros ryddid i Gymru,' meddai Dyddgu.

'Ydyn nhw wir?' gofynnodd Martin, gan grychu'i dalcen heb wybod sut i ymateb i'r honiad.

'A go lew ti am wneud hynny,' ychwanegodd Dyddgu. Ymledodd gwên ar draws wyneb Martin.

'Fel rwyt ti'n gwybod, Dyddgu, dwi ddim yn un i ganu fy nghlodydd fy hun,' meddai. 'Mi fydden i wedi dweud hyn wrthot ti, ond mae 'na lawer o bobl fyddai'n barod iawn i fy mradychu drwy ddweud wrth yr awdurdodau fy mod wedi ffoi o fyddin

Lloegr,' ychwanegodd, gan edrych yn fygythiol arna i a Wil.

'Fydden i byth yn maddau i unrhyw un fyddai'n gwneud hynny,' meddai Dyddgu.

A dyna ddiwedd ar y syniad a ddaeth i'm meddwl o ysgrifennu llythyr anhysbys at Gwnstabl Aberteifi.

'Gyda llaw, Dyddgu. Newyddion da,' meddai Martin. 'Mae'r Bwa Bach wedi cytuno i fuddsoddi yn ein cynllun i drawsnewid yr Hen Lew Du.'

'O! Gwych, Martin.'

'Pa gynllun?' gofynnais.

'Mi gafodd Martin y syniad pan oedd ym Mharis gyda chatrawd Owain Lawgoch. Mi welodd fod gwestai bach oedd yn cynnig arlwy chwaethus ar gyfer y cyfoethogion yn llwyddiannus iawn. Beth alwaist ti nhw, Martin?'

'Tafarndai *boutique*,' atebodd Martin dan wenu. 'Dim lle i daeogion na beirdd, mae gen i ofn. Dim riff-raff, heblaw amdanaf i, wrth gwrs.' Chwarddodd Martin a Dyddgu.

'Ac mae Martin hefyd wedi cael y syniad o fewnforio'r gwin gorau o Bordeaux. Mae ganddo gysylltiadau da yn ardal y Gironne, mae'n debyg. Y gwin gorau ar gyfer y cwsmeriaid gorau, dyna'r syniad,' meddai Dyddgu.

'Ac mae gen i syniad ar gyfer codi'r arian fydd ei angen ar gyfer y fenter,' meddai Martin, gan edrych i fyw fy llygaid. 'Rwy'n credu bod cerdd newydd yn dechrau cronni yn fy mhen. Cerdd fydd yn barod ben bore fory,' ychwanegodd. Clywais Wil yn ysgyrnygu'n dawel wrth fy ochr.

Gwyddwn ei bod hi'n hen bryd i Wil, Madog, Iolo, y Bwa Bach a minnau gynnal cyfarfod argyfwng.

V

Cynhaliwyd y cyfarfod yn oriau mân y bore yn ystafell y Bwa Bach toc cyn *Vigil*. Roedd y pryder i'w weld yn amlwg ar wynebau Madog, Iolo, Wil a'r Bwa Bach yng ngolau'r gannwyll a losgai ar y bwrdd.

Y cyntaf i gwyno oedd Wil. ' "Wil, gwna hyn. Wil, gwna'r llall." Dyna'r cyfan dwi'n ei glywed o fore gwyn tan nos gan Martin,' meddai.

'Ond rwyt ti *yn* was wedi'r cyfan,' meddai Madog yn ei ffordd rwysgfawr arferol.

'Pwynt dilys, Madog,' cytunodd Iolo.

'Ond fy ngwas *i* yw e. *Fi* ddylai fod yn rhoi'r gorchmynion iddo,' meddwn.

'Ti'n hollol iawn, Dafydd,' cytunodd Iolo.

'Yn waeth na hynny, y cyfan dwi'n ei glywed gan Dyddgu yw "Mae Martin yn mynd i wneud hyn... mae Martin yn mynd i wneud y llall" – ac mae Martin eisoes wedi dechrau gwneud ei hun yn ddefnyddiol yn y dafarn drwy gario casgenni a gweini tu ôl i'r bar,' meddai Wil yn bryderus. 'Fi ddylai fod yn gwneud hynny.'

'Ac mae'n edrych yn debyg mai ni fydd yn talu am syniadau hurt Martin,' ysgyrnygodd Madog.

'Yn hollol,' cytunodd Iolo.

'Bydd ei gynllun i drawsnewid yr Hen Lew Du yn dafarn *boutique* yn costio ffortiwn imi,' cwynodd y Bwa Bach.

'Ac ar ôl i'r gwaith gael ei gwblhau, ble fyddwn ni'n ymarfer? Fydda i ac Iolo ddim yn gallu fforddio aros yma,' cwynodd Madog.

'Yn enwedig ar y cyflog pitw rwyt ti a Morfudd yn ei dalu,' cytunodd Iolo gan edrych yn gyhuddgar ar y Bwa Bach.

'A bydd gorfod rhoi ein cerddi i'r twyllwr yn costio ffortiwn arall inni,' ychwanegais.

'Rwy'n cytuno. Mi fydd hi'n amen arnom. Fydd dim digon o arian ar ôl 'da fi a Morfudd i gynnal ein hunain heb sôn am dalu beirdd,' cwynodd y Bwa Bach gan siglo'i ben.

'A beth am gynllun Martin i fewnforio gwin Bordeaux?' gofynnodd Madog.

'Ni fydd yn talu amdano heb weld unrhyw elw,' cytunodd Iolo.

'Dwi'n amau mai smyglo'r gwin yw'r bwriad fel na fydd Martin yn talu unrhyw dreth arno,' awgrymodd Wil.

'A ni fydd yn hongian o'r crocbren pan gaiff y cynllun ei ddinoethi,' ychwanegais.

'Does dim dwywaith amdani. Fe neu ni yw hi, bois. Mae'n rhaid iddo fynd. Cytuno?' gofynnodd y Bwa Bach, a'i lygaid yn fflachio yng ngolau gwan y gannwyll. Estynnodd ei law dde a'i gosod ar ganol y bwrdd. 'Cytuno?'

'Cytuno,' sibrydodd pob un ohonom gan roi ein llaw dde fesul un ar ben un y Bwa Bach.

'Cefais neges gan y llatai yn gynharach heno. Bydd Morfudd yn cyrraedd yr Hen Lew Du erbyn *Compline* dradwy. Felly bydd yn rhaid inni weithredu cyn hynny oherwydd mi fydd hi'n mynnu fod Martin yn aros os welith hi e,' meddai'r Bwa Bach.

'Cytuno,' sibrydodd pob un ohonom eto.

'Ond sut allwn ni gael gwared ag e?' gofynnais, gan edrych o un i'r llall. Suddodd fy nghalon pan welais yr olwg chwyrn ar eu hwynebau. 'O... na... nid hynna...'

'Does dim ffordd arall, Dafydd,' meddai Madog.

'Cytuno'n llwyr,' meddai Iolo.

'Ni cheir cryfder heb undod,' meddai'r Bwa Bach.

'Mae i falchder ei gwymp,' ategodd Wil.

'Ni fydd llanw heb drai,' cytunodd Madog

'Mae colled i un yn ennill i arall,' ychwanegais innau.

Eisteddodd Iolo'n fud am ennyd gan edrych o un i'r llall.

'Nid aur yw popeth melyn?' awgrymodd, a griddfanodd Madog.

'Na? Beth am pryn hen, pryn eilwaith?' cynigiodd. Wil a minnau a riddfanodd y tro hwn.

'Yymmm. Nid da lle gellir gwell? Arhoswch funud, mi ddaw...' meddai Iolo'n ddryslyd.

'Rho'r ffidil yn y to, Iolo. Taw piau hi,' ysgyrnygodd Madog. 'Oes unrhyw un ohonoch chi'n fodlon gwirfoddoli?' ychwanegodd. Ceisiodd pob un ohonom osgoi edrych i fyw ei lygaid. Ysgyrnygodd a chodi pum coesyn o wellt o'r llawr cyn torri un ohonynt yn ei hanner. Cydiodd ynddynt oll yn ei ddwrn fel nad oedd modd gweld pa un oedd y byrraf, a dal ei law allan uwchben y gannwyll fel mai ef fyddai â'r fantais o dynnu'r gwelltyn olaf.

Llyncodd Iolo ei boer a chymryd y gwelltyn cyntaf. Syllodd yn bryderus arno cyn sylweddoli nad hwn oedd y darn oedd wedi'i dorri.

Yr ail i dynnu gwelltyn oedd y Bwa Bach. Caeodd ei lygaid wrth wneud hynny cyn agor un llygad yn araf, a gweld nad oedd ei welltyn ef wedi'i dorri chwaith.

Pwysodd Wil ymlaen. Gwelais fod ei law dde'n crynu wrth iddo ddewis ei welltyn. Ochneidiodd mewn rhyddhad pan sylweddolodd nad ef fyddai'n gorfod cyflawni'r weithred aflan.

Teimlais y chwys yn rhedeg i lawr fy nhalcen wrth imi syllu ar y ddau welltyn oedd ar ôl. Estynnais fy llaw ac oedi uwchlaw un ohonynt cyn newid fy meddwl a gosod fy llaw dros y llall, cyn newid fy meddwl unwaith eto. Yna llyncais fy mhoer, cau fy llygaid a dewis gwelltyn.

Gwyddwn o'r ochenaid o ryddhad a glywais gan Madog mai myfi fyddai'n gorfod cael gwared ar Martin Llwyd.

'Does dim ots sut wyt ti'n ei wneud e ond mae'n rhaid iti gael gwared ohono yfory,' meddai Madog. Ar hynny tynnodd Wil rywbeth allan o'i diwnig a'i wthio ar draws y bwrdd tuag ataf. Cyllell finiog iawn yr olwg. Codais y gyllell a syllu arni, cyn llyncu fy mhoer, ei gosod yn ôl ar y bwrdd a'i gwthio'n ôl i gyfeiriad Wil. 'Dim diolch. Mi feddylia i am ddull llai gwaedlyd,' meddwn yn grynedig.

'Cymer y gyllell rhag ofn i'r awen ddiflannu,' meddai Madog, gan wthio'r gyllell yn ôl ataf.

Ai dagr ydy'r hyn a wela i o 'mlaen, a'r carn tuag at fy llaw? meddyliais. Codais oddi wrth y bwrdd yn dawel. Cydiais yn y gyllell. Gwyddwn y byddai fy enaid yn mynd i ebargofiant yn uffern petawn i'n cyflawni'r weithred.

VI

Roedd y dafarn yn wag pan gerddais i mewn toc wedi *Terce* fore trannoeth, a Martin ar ei ben ei hun yn golchi byrddau yn y bar. Cerddais tuag ato gan deimlo'r gyllell yn drwm ym mhoced dde fy nghôt.

Dwi wedi dweud droeon mai bardd cariad yw Dafydd ap Gwilym. Bardd rhamant, bardd y caeau, y llatai, y llwyni a'r perthi. Bardd y deildy. Ond llofruddfardd? Na. Felly, yn dilyn noson ddi-gwsg, roeddwn wedi penderfynu sut i gael gwared ar Martin. Cyfarchais ef, a gosod fy ail gerdd yn clodfori Dyddgu yn ei law.

Agorodd Martin y memrwn a dechrau darllen yn uchel: 'Gywair o ddawn, gywir, ddoeth, Gynilgamp gu anwylgoeth, Gair unwedd etifedd tir, Gorwyllt foethusddyn geirwir, Yn gron fferf, yn ddiderfysg...'

Cododd ei ben a gwenu arnaf. 'Da iawn, Dafydd. Dwi ddim yn deall gair, wrth gwrs, felly bydd yn rhaid iti esbonio'r gerdd imi,' meddai.

Anwybyddais ei gais a gofyn ble'r oedd Dyddgu.

'Mae hi wedi mynd i'r dref i brynu blawd.'

Camais yn nes ato a sibrwd, 'Faint o arian sydd ei angen arnat ti i roi llonydd i Dyddgu a'r gweddill ohonom, a gadael Ceredigion am byth?' gofynnais.

Edrychodd Martin yn graff arna i gan grafu ei ên. 'Hmmm. Mi fydden i'n ystyried gwneud hynny am ddeg punt ar hugain.'

'Deg punt ar hugain!' ebychais. 'Ond mae hynny'n grocbris. Mae hynny'n fwy na thâl gwystl iarll.'

'Dyna'r swm mae'r Bwa Bach wedi addo'i fuddsoddi i drawsnewid y dafarn os... neu yn hytrach, *pan* fydda i'n priodi Dyddgu,' meddai Martin.

Ar hynny, gwelais gasgen oedd wedi'i gosod uwchlaw Martin ar ail lawr y dafarn yn rhowlio tuag at yr ymyl, ac yna'n siglo am ennyd neu ddwy cyn cwympo. Neidiais tuag at Martin a'i dynnu o'r ffordd wrth i'r gasgen syrthio a thorri'n deilchion yn y man lle bu Martin yn sefyll.

'Diolch, Dafydd,' meddai Martin yn grynedig, wrth inni wylio'r cwrw'n ymledu ar hyd llawr y dafarn.

'Roedd rhywun wedi gadael y gasgen yn rhy agos at yr ymyl, mwy na thebyg,' meddwn. Wnes i ddim sôn imi feddwl fy mod wedi gweld dwy law, un bob ochr i'r gasgen, a phen moel yn pipo drosti cyn iddi gwympo.

'Pam yn y byd fyddai rhywun yn rhoi casgen o gwrw ar yr ail lawr?' gofynnodd Martin, cyn codi ar ei draed a dechrau clirio'r llanast.

Penderfynais osgoi rhoi help llaw iddo drwy fynd am dro ar hyd gwastadedd Mynafon ger afon Teifi. Treuliais yr oriau nesaf yn pendroni sut y gallwn godi £30. Fel uchelwr, roedd gen i arian wrth gefn, wrth gwrs. Ond roedd £30 yn swm sylweddol. Byddai'n rhaid imi roi'r gorau i fy mywyd bras, a thorri cyflog Wil yn sylweddol, meddyliais. Ond roedd hi'n sefyllfa argyfyngus, felly penderfynais y byddai'n rhaid imi aberthu fy ngofynion fy hun i achub ein bagad barddol.

Roedd hi toc wedi *Sext* y prynhawn hwnnw pan ddychwelais i'r Hen Lew Du i chwilio am Martin. Clywais sŵn ei draed yn dod i fyny grisiau'r seler tu ôl i far y dafarn. Daeth i'r golwg yn cario hanner dwsin o boteli o win. Rhoddodd y gwin ar y bar a chau drws y seler yn glep.

'Henffych, Martin Llwyd,' meddwn, cyn nesáu at y bar a gofyn ble'r oedd Dyddgu.

'Mae hi wedi mynd i'r dref i brynu mwy o gaws.'

'Gwych. Rwy wedi bod yn ystyried dy gynnig ac wedi penderfynu talu'r tri deg punt,' dywedais.

Symudodd Martin gam neu ddau ar draws y bar ac agor un o'r poteli gwin cyn arllwys llond tancard iddo'i hun.

'Hmmm,' atebodd, gan gymryd llwnc mawr o'r gwin. 'Yn anffodus, mae'r pris wedi codi i hanner canpunt,' meddai.

'Hanner canpunt! Ond mae hynny'n bris gwystl dug! Pam?'

'Cefais sgwrs gyda Dyddgu cyn iddi adael am y dre. Mi gytunodd hi i roi fy nghynllun mewnforio gwin ar waith. Bydd y buddsoddiad cychwynnol yn ugain punt o leia, felly dyna'r swm ychwanegol fydd ei angen arnaf i adael,' atebodd Martin, cyn gorffen cynnwys y tancard ac arllwys mwy o win iddo'i hun.

'Rwy'n credu bod angen diod arnaf innau, hefyd,' meddwn.

Trodd Martin i nôl tancard arall, yna, yn sydyn, dechreuodd chwifio'i freichiau fel petai ar fin cwympo. Ymhen chwinciad roeddwn wedi neidio ar y bar a gafael yn dynn yn ei fraich chwith. Gwelais ei fod ar fin cwympo i bydew'r seler. Gan ddefnyddio fy holl nerth, llwyddais i'w dynnu'n ôl i ddiogelwch.

'Roeddwn i'n siŵr fy mod wedi cau drws y seler,' meddai Martin, gan rwbio'i bigwrn chwith wrth imi ymuno ag ef yr ochr arall i'r bar.

'Dwi ddim yn siŵr,' meddwn. Gwyddwn yn iawn fod Martin wedi cau drws y seler ar ei ôl.

'Mi fyddai wedi bod ar ben arnaf petaet ti ddim yma.'

Syllais i lawr i dywyllwch y seler. 'Yn sicr, mae'n dipyn o gwymp i'r gwaelod,' meddwn.

'Ydy, ac mae hi fel y fagddu yna,' meddai Martin. Parhaodd i rwbio'i bigwrn wrth imi syllu i lawr i'r seler. Hanner meddyliais imi weld rhywbeth coch yno, ond diflannodd eto i'r tywyllwch.

Codais Martin ar ei draed a'i dywys tuag at fwrdd cyfagos, lle dechreuodd yfed mwy o win i ddod dros yr ysgytwad.

Penderfynais ei adael yno a mynd am dro arall ar hyd gwastadedd Mynafon ger afon Teifi. Treuliais yr oriau nesaf yn pendroni sut i godi'r ugain punt ychwanegol. Gwyddwn y byddai fy mam annwyl yn fodlon rhoi'r arian imi petawn i'n gallu meddwl am esgus digon da. Ond byddai hynny'n golygu y byddai'n rhaid imi aros adref i helpu fy nhad ar yr ystad ym Mro Gynin yn hytrach na threulio'r rhan fwyaf o'r flwyddyn yn fardd teithiol. Serch hynny, roedd hi'n sefyllfa argyfyngus a byddai'n rhaid imi aberthu fy ngofynion fy hun i achub ein bagad barddol.

Roedd hi toc wedi *Nones* y prynhawn hwnnw pan ddychwelais i'r Hen Lew Du i chwilio am Martin. Roedd yn cerdded allan o'r gegin gyda photel o dan ei gesail a darn o femrwn wedi'i glymu iddi.

'Henffych, Martin Llwyd,' meddwn, cyn nesáu ato a gofyn ble'r oedd Dyddgu.

'Mae hi wedi mynd i'r dre i brynu mwy o wenwyn gan yr apothecari am fod y botel oedd ganddi yn wag. Mae'r llygod ffyrnig yn bla yma. Doedd hi ddim yn hapus – newydd brynu'r botel oedd hi, ac roedd hi'n grediniol nad oedd wedi defnyddio cymaint ohono,' meddai Martin, gan eistedd i lawr a rhoi'r botel ar y bwrdd. 'Mae Dyddgu mor ystyriol. Mae hi wedi gadael anrheg imi. Medd cartref,' ychwanegodd, cyn dangos y neges oedd wedi'i hysgrifennu ar y memrwn imi. 'I Martin.'

'Hyfryd iawn,' meddwn, wrth i Martin agor y botel a thywallt llond tancard iddo'i hun.

'Rwyf wedi ystyried dy gynnig ac wedi penderfynu talu'r hanner canpunt,' ychwanegais.

'Hmmm,' meddai Martin, gan godi'r tancard yn barod i yfed ohono. 'Yn anffodus, mae'r pris wedi codi i ganpunt,' meddai gan osod y tancard yn ôl ar y bwrdd.

'Canpunt! Ond mae hynny'n bris gwystl brenin! Pam?'

'Rwy'n bwriadu gofyn i Dyddgu fy mhriodi, ac os bydd hi'n cytuno, yr hanner canpunt ychwanegol yw gwerth y dafarn, ei gwaddol a'i heiddo,' atebodd Martin. 'Rwy'n amcangyfrif y byddaf angen o leiaf hanner canpunt ychwanegol i'm digolledu. Felly dyna'r swm ychwanegol fydd ei angen arnaf i adael,' ychwanegodd, gan godi'r tancard unwaith eto.

'Wyt ti eisiau diod?' gofynnodd.

'Pam lai?' atebais. Tywalltodd Martin lond tancard o'r medd imi. Ond wrth imi godi'r tancard sylwais fod Wil yn sefyll wrth ddrws y gegin. Roedd e'n chwifio'i ddwylo'n wyllt y tu ôl i Martin. Sylwais ei fod yn gwneud siâp cwpan gyda'i law chwith ac yn pwyntio ato gyda'i law dde, cyn dal ei wddf a gwneud ystumiau fel petai ar fin marw.

'Ai Dyddgu ei hun a roddodd y medd iti?' gofynnais, gan roi fy nhancard yn ôl ar y bwrdd.

'Na. Ei weld ar fwrdd y gegin wnes i. Roedd hi mwy na thebyg wedi'i baratoi a'i adael ar fy nghyfer cyn iddi fynd i nôl mwy o wenwyn,' atebodd Martin gan godi ei dancard eto yn barod i yfed.

'Paid â'i yfed e!' gwaeddais.

'Pam lai?'

'Mae'n rhaid imi gynnig llwncdestun yn gyntaf.'

'O'r gorau.'

'I Dyddgu,' meddwn, gan godi fy nghwpan a tharo ei gwpan ef mor galed nes iddo syrthio o'i law ac i'r llawr.

'Mae'n flin gen i. Gormod o fôn braich,' meddwn, ac yna, wrth i Martin blygu i godi ei gwpan o'r llawr, codais y botel a thaflu honno i'r llawr hefyd, lle torrodd yn deilchion.

'Mae'n flin gen i eto. Dwi'n greadur mor drwsgl,' ychwanegais, gan daflu'r gwenwyn oedd yn fy nghwpan i ar y llawr hefyd. 'O, dyma Wil,' meddwn, gan esgus fy mod newydd weld fy ngwas. 'Wil. Dere yma i lanhau'r llanast 'ma, wnei di?' gwaeddais arno cyn sibrwd wrth Martin, 'Mi fydd angen amser arna i i ddod o hyd i'r canpunt.'

'O'r gorau. Mae gen ti tan *Compline* heno,' meddai hwnnw, cyn codi a'm gadael yng nghwmni Wil, oedd ar fin cael pryd o dafod gan ei feistr.

VII

Roedd hi toc cyn *Compline* y noson honno ac roeddwn yn sefyll ger bar y dafarn gyda Madog, Iolo a'r Bwa Bach. Roedd Wil y tu ôl i'r bar am fod Dyddgu wedi gofyn iddo weini ar y cwsmeriaid tra oedd Martin a hithau'n mynd am dro ar hyd dolydd Mynafon. Byddai Martin, wrth gwrs, yn manteisio ar y cyfle hwnnw i adrodd fy ail gerdd ganmoliaethus iddi.

'Mae ymddygiad y pedwar ohonoch chi wedi bod yn warthus heddiw,' sibrydais, er nad oedd unrhyw un arall yn y dafarn ar y pryd.

'Pam? Beth wyt ti'n mwydro amdano?' gofynnodd Madog.

'Ry'ch chi i gyd yn gwybod yn iawn am beth dwi'n sôn. Tydi, Bwa Bach, a wthiodd y gasgen o gwrw o'r ail lawr. Tydi, Iolo, agorodd ddrws y seler. A thydi, Madog, a wenwynodd y medd. Diolch byth fod Wil yno i'm rhybuddio,' atebais.

'Roedden ni'n gwybod na fyddet ti'n gallu lladd Martin, felly mi wnaethon ni benderfynu rhoi help llaw iti,' meddai'r Bwa Bach.

'A bu bron i chi â fy lladd i hefyd,' ysgyrnygais.

'Mi ddwedais i wrthyn nhw fod perygl y byddech chi'n yfed y gwenwyn hefyd, syr. Dyna pam wnes i'n siŵr fy mod i o gwmpas i'ch rhybuddio chi,' meddai Wil.

'Ond pam oedd yn rhaid i ti, Dafydd, achub bywyd Martin? Ddylet ti fod wedi gadael i'r ffrwcsyn yfed y ffrwcsyn medd gwenwynig,' meddai Iolo.

'Am fy mod i'n rhy ystyriol a gwaraidd, efallai?' cynigiais.

'Neu am dy fod ti'n ormod o gachgi!' taranodd Madog.

'Cytuno'n llwyr, Madog,' meddai Iolo.

'A diolch byth am hynny, neu mi fydden ni i gyd yn wynebu'r crocbren,' meddwn.

'Ond beth wnawn ni nawr?' gofynnodd y Bwa Bach. 'Beth os bydd Dyddgu'n priodi Martin? Fe fydd hwnnw'n bla arnom am byth.'

'Does dim rhaid iti boeni am hynny, Bwa Bach. Mae Dyddgu wastad wedi dweud na fydd hi'n priodi eto. A dwi ddim yn ei gweld hi'n newid ei meddwl ar gyfer rhacsyn fel Martin. Coeliwch chi fi, gyfeillion, ein gobaith gorau yw codi'r canpunt sydd ei angen arnom...' Ond cyn imi gael cyfle i ddweud gair arall cerddodd y crïwr tref i mewn i'r dafarn.

'Clywch, clywch! Clywch, clywch!' gwaeddodd. 'Dyma'r newyddion diweddaraf ar y nawfed ar hugain o Fedi 1347. Bydd Syr Rhys ap Gruffydd yn cyrraedd Aberteifi i gasglu milwyr ar gyfer y gatrawd Gymreig fydd yn dychwelyd i frwydro yn erbyn y Ffrancwyr ymhen deuddydd,' ychwanegodd, cyn troi ar ei sodlau a gadael y dafarn.

Sylwais fod Dyddgu a Martin wedi cerdded i mewn drwy ddrws cefn y dafarn tra oedd y crïwr tref yn datgan ei newyddion.

Trodd Martin at Dyddgu. 'Mi fydd yn rhaid imi fynd yn ôl i Ffrainc i ddal ati i ymladd dros ryddid i'n gwlad, Dyddgu,' meddai, yn ddigon uchel i bawb ei glywed.

'Pam fod yn rhaid iti ddychwelyd i Ffrainc, Martin? Onid wyt ti wedi gwneud digon dros dy wlad yn barod? Dwi eisoes wedi colli fy ngŵr i'r rhyfel creulon yn erbyn Ffrainc. Paid â mynd,' erfyniodd Dyddgu.

'Ond oes yna reswm digonol i mi aros?'

'Mae hynny i fyny i ti, Martin.'

Gyda hynny aeth Martin ar ei bengliniau a gofyn i Dyddgu ei briodi yn y fan a'r lle.

'Dim gobaith, was,' meddwn innau, gan wenu'n wybodus ar y lleill.

'Gwnaf!' meddai Dyddgu ar unwaith, a throdd pawb i rythu arna i.

Wrth i Martin a Dyddgu gilio i gornel y dafarn i gofleidio, rhuthrais innau at y bar. 'Wil, oes gen ti ychydig o'r medd gwenwynig 'na ar ôl?'

Gwenodd Wil. 'Nag oes, syr. Ond mae gen i gynllun i gael gwared ar Martin am byth,' atebodd. 'Mae'r newyddion am y rhyfel, a Dyddgu'n sôn am ei gŵr, wedi rhoi syniad imi. Ond mi fydd angen iti anfon y llatai gyda neges ar frys fel bod Syr Rhys ap Gruffydd yn cyrraedd yma yfory,' ychwanegodd, cyn troi at y gweddill. 'Madog! Iolo! Bwa Bach! Mae'r meistr wedi cael syniad. Dyma beth fydd angen ichi ei wneud,' meddai, gan wincio arnaf.

Da iawn, was, meddyliais wrth imi glosio at Wil gyda'r gweddill, oherwydd doedd gen i'r un syniad beth oedd fy nghynllun.

VIII

Bu'n rhaid inni ddioddef Dyddgu a Martin yn trafod trefniadau'r briodas yn ddi-baid drannoeth. Roedd y ddau wedi penderfynu cael priodas anferth gan wahodd pob aelod amlwg o gymdeithas ardal Aberteifi. Wrth gwrs, beirdd CRAP Cymru fyddai'n gorfod talu am y cyfan am fod Martin wedi mynnu na fyddai tad Dyddgu'n talu ceiniog.

Roeddwn i, y Bwa Bach, Madog ac Iolo newydd orffen ein swper pitw o gig oen a maip toc cyn *Compline* y noson honno. Roedd Wil yn casglu'r platiau oddi ar y bwrdd a Martin a Dyddgu wrth y bar yn trafod faint o win fyddai ei angen ar gyfer y briodas pan gerddodd Morfudd i mewn trwy ddrws yr Hen Lew Du.

Trodd Martin i wynebu ei chwaer am y tro cyntaf ers dwy flynedd.

'Martin? Na... mae'n amhosib... mi ddywedodd Dafydd dy fod ti wedi marw...' ebychodd Morfudd, cyn llewygu yn y fan a'r lle.

Pan ddaeth ati'i hun, esboniodd y Bwa Bach hanes ei brawd iddi. Ymhen dipyn, cododd ar ei thraed a syllu ar Martin, a safai yn ymyl Dyddgu.

'Henffych, chwaer annwyl,' meddai hwnnw. 'Mae'n dda dy weld eto ac mae'n bleser gen i dy gyflwyno i dy ddarpar chwaer yng nghyfraith, Dyddgu.'

Ar hynny, llewygodd Morfudd unwaith eto. Daeth ati'i hun am yr eildro, a llwyddodd y Bwa Bach i'w chodi oddi ar y llawr a'i gosod mewn cadair. Eisteddodd yno'n syllu ar ei brawd.

'Ai ti Martin yw e go iawn?' gofynnodd.

'Wrth gwrs, chwaer annwyl. Fel y gweli, rwyf wedi tyfu barf ac mae fy ngwallt hir melyn wedi'i dorri'n fyr erbyn hyn, ond dy frawd sy'n sefyll o dy flaen.'

'Hmmm. Sgwn i...' meddai'r Bwa Bach y tu ôl iddo.

'Sgwn i beth?'

'Sgwn i ai Martin yw e?' meddai'r Bwa Bach gan edrych ar

Morfudd. 'Mae hwn yn edrych yn wahanol iawn i'r dyn roeddwn i'n ei adnabod.'

'Fel y dywedais i... rwyf wedi tyfu barf... a thorri fy ngwallt...'

'Nawr dy fod ti wedi codi'r pwnc, ro'n i'n meddwl bod hwn yn edrych yn wahanol iawn i'r dyn ro'n i'n ei adnabod yn Ffrainc y llynedd,' meddwn innau.

'Rwy'n credu eich bod chi'n iawn, syr. Mae hwn yn edrych yn wahanol iawn i'r Martin go iawn,' ategodd Wil gan nesáu at Martin a chraffu arno.

'Y Martin go iawn? Ond fi yw'r Martin go iawn!' taranodd Martin.

'Ond mi fyddai unrhyw dwyllwr yn dweud hynny,' meddwn i.

'Ti yn llygad dy le, Dafydd,' meddai Madog Benfras.

'Cytuno'n llwyr,' ategodd Iolo Goch.

'Bydd yn garcus, ap Gwilym, a chofia am ein trefniant,' meddai Martin, gan amneidio i gyfeiriad Morfudd.

'Pa drefniant?' gofynnais. 'Dwi ddim yn cofio unrhyw drefniant.'

'Y trefniant sy'n golygu nad ydw i'n dweud wrth Morfudd dy fod wedi ffoi o fyddin Lloegr.'

Chwarddais yn uchel.

'Ac mae'n siŵr eich bod am honni fy mod innau hefyd wedi rhedeg bant,' meddai Wil.

'A ninnau hefyd,' meddai Madog ac Iolo yn unfryd, gan siglo'u pennau mewn anghrediniaeth.

Trodd Martin i wynebu'r Bwa Bach. 'Beth amdanat ti, Bwa Bach? Bydd yn ofalus wrth ateb. Wyt ti'n cofio am ein cytundeb?'

'Pa gytundeb?' gofynnodd y Bwa Bach, gan rolio'i lygaid i awgrymu fod Martin yn wallgof.

'Y cytundeb sy'n golygu na fydda i'n dweud beth ddigwyddodd yn ystod dy barti hydd... y digwyddiad gyda'r pans porffor, bagl yr esgob, a'r lleian.'

'Gwallgof... hollol wallgof,' meddai'r Bwa Bach.

Sylwais fod Morfudd yn dal i syllu'n graff ar ei brawd. Trodd

Martin ati. 'Morfudd... maen nhw i gyd yn dweud celwydd... fi yw Martin,' erfyniodd, cyn meddwl am ennyd. 'Wyt ti'n cofio cwympo i mewn i'r afon pan oeddet ti'n bum mlwydd oed a minnau'n neidio i mewn i dy achub?'

'Ydw, wrth gwrs fy mod i...' dechreuodd Morfudd cyn i Wil ymyrryd.

'Pa! Mi allai'r Martin go iawn fod wedi dweud y stori yna a llawer o rai tebyg wrth y cnaf yma pan oedden nhw yn Ffrainc. Mae hynny'n beth cyffredin iawn yn y fyddin. Milwyr yn rhannu straeon gyda'u ffrindiau, yna'n cael eu lladd, a'r ffrindiau hynny'n elwa o honni mai nhw ydyn nhw, am eu bod yn gwybod cymaint amdanyn nhw. Dyna sydd wedi digwydd yn yr achos yma, mae'n amlwg. Bu farw'r Martin go iawn yn Ffrainc ac mae hwn yn edrych yn ddigon tebyg iddo, felly mae wedi penderfynu cymryd ei le.'

'Dwi ddim yn siŵr,' meddai Morfudd. 'Mae'n edrych fel fy mrawd... ond... wel, dwi ddim yn siŵr erbyn hyn.'

'O'r gorau... o'r gorau...' meddai Martin gan edrych yn wyllt ar ei chwaer. 'Mi alla i brofi mai fi yw Martin. Mi ddweda i rywbeth wrthot ti does neb ond ti a minnau'n ei wybod,' ychwanegodd yn hunangyfiawn. 'Dim ond fi sy'n gwybod dy fod ti ddim ond wedi priodi'r Bwa Bach am ei arian. Mi ddwedaist ti hynny y noson cyn eich priodas, gan wneud i mi addo na fyddwn i'n dweud wrth neb,' meddai'n fuddugoliaethus.

Roedd wyneb Morfudd fel delw.

'Do fe?' gofynnodd y Bwa Bach.

'Do. Ac mi ddywedaist ti, Morfudd, wrtha i na fyddet ti wedi edrych ddwywaith ar y "moelyn hyll, twp" heblaw fod ganddo ddigon o arian i roi bywyd cyfforddus iti. Nag wyt ti'n cofio?' gofynnodd Martin.

Bu tawelwch am ennyd a daliodd pawb eu gwynt, ond penderfynu achub ei phriodas yn hytrach na'i brawd wnaeth Morfudd.

'Celwydd noeth,' meddai.

Roedd cynllun Wil wedi gweithio i'r dim. Roedd Martin wedi crogi ei hun â'i raff ei hun.

'Ond Morfudd...' cwynodd Martin wrth i Morfudd godi ar ei thraed.

'Dim ond un peth all brofi ai hwn yw fy mrawd ai peidio,' meddai. 'Mae gan fy mrawd fan geni ar ei ben-ôl... ar ei foch chwith. Ploryn piws,' ychwanegodd.

'Ond Morfudd, does gen i ddim man geni yn fanna... rwyt ti'n gwybod hynny... pam wyt ti'n gwneud hyn?' dechreuodd Martin. Ond cyn iddo ddweud gair arall roedd Madog ac Iolo wedi gafael ynddo, a'r Bwa Bach wedi tynnu ei fritshys i lawr a syllu ar ei ben-ôl.

'Does gan hwn ddim man geni ar ei ben-ôl!' gwaeddodd y Bwa Bach mewn gorfoledd. 'Nid Martin yw hwn ond twyllwr!'

Ni allai Morfudd edrych i lygaid Martin. 'Dwi am fynd i fy ystafell,' meddai. 'Dwi ddim am weld y dyn hwn byth eto.' Cerddodd heibio i Martin heb edrych arno.

Roedd Dyddgu wedi gwylio'r digwyddiadau hyn yn gegrwth, ond roedd Martin yn benderfynol o geisio'i darbwyllo.

'Mae rhywun wedi swyno fy chwaer. Maen nhw'n dweud celwydd amdana i. Dwi erioed wedi dweud gair o gelwydd wrthot ti, Dyddgu, fy nghariad. Mae'n rhaid iti fy nghredu i,' erfyniodd.

'Heb ddweud celwydd? Pa!' meddwn i, gan droi at Dyddgu. 'Mae'n flin gen i ddweud, Morfudd, nad yw'r dyn hwn yn gallu rhaffu'r un frawddeg o farddoniaeth. Myfi, Dafydd ap Gwilym, a greodd y ddwy gerdd ar ei gyfer.'

'Ond pam fyddet ti'n gwneud hynny?'

'Am fod fy meistr yn ddyn mor garedig fel na allai wrthod cais brawd ei gyflogwr pan ofynnodd hwnnw iddo ysgrifennu cerddi yn dy foliannu,' meddai Wil. 'Ond mi benderfynodd y celwyddgi, sy'n galw ei hun yn Martin, esgus mai ef oedd wedi ysgrifennu'r ddwy gerdd. Wrth gwrs, mae rheolau sifalri'r meistr wedi ei atal rhag dweud y gwir wrthoch chi,' ychwanegodd.

'Diolch, Wil. Ie, dyna'r gwir,' dywedais, gan amau y byddai cyflog Wil yn codi cyn gynted ag y bydden ni wedi cael gwared â Martin.

'Ydy hyn yn wir, Martin... neu pwy bynnag wyt ti go iawn?' gofynnodd Dyddgu gyda dagrau'n cronni yn ei llygaid.

'Hocrell fwyn ddiell fain dda, Gywair o ddawn, gywir, ddoeth...' dechreuodd Martin, cyn i Wil ymyrryd.

'Nid barddoniaeth y meistr mae Dyddgu am ei chlywed ond eich barddoniaeth chi.'

'Ymm... ymm... O, Dyddgu, dwyt ti ddim fel tail, na phail, na dail...' Siglodd Dyddgu ei phen wrth i Martin ddatgan yn uwch, '... na mael... nac yn wael... Dyddgu, ti fel yr haul.'

'Y twyllwr!' meddai Dyddgu. 'Os oeddet ti'n gallu twyllo am farddoniaeth, ac esgus bod yn chwaer i Morfudd, dwi'n siŵr nad oeddet ti'n un o arwyr catrawd Owain Lawgoch chwaith. Cer o fy ngolwg i!' meddai, gan droi ar ei sodlau a gadael y dafarn.

'Dyna'r farddoniaeth waethaf imi ei chlywed ers amser,' dywedais wrth Martin. Ar hynny, sylwais ar dri dyn yn cerdded i mewn i'r dafarn, wedi'u gwisgo mewn lifrai gwyrdd a gwyn. Safai dau filwr o'r gatrawd Gymreig un bob ochr i ddyn oedd dros chwe throedfedd o daldra a bron yr un lled. Syr Rhys ap Gruffydd.

'A dyna'r farddoniaeth orau i mi ei chlywed ers amser,' gwaeddodd Syr Rhys, gan gamu tuag ataf a'm cofleidio mor dynn nes fy mod bron â llewygu. 'Dyna'r math o farddoniaeth dwi ei hangen ar gyfer y taeogion yn fy nghatrawd. Cerddi syml sy'n odli heb y cynganeddu uffernol 'na rwyt ti, Dafydd, yr hen Geiliog Dandi, a dy ffrindiau yn mynnu eu hadrodd,' ychwanegodd Syr Rhys, gan anwesu ei farf wen anferth wedi iddo fy rhyddhau o'i afael.

Gadewch imi oedi am ychydig i esbonio presenoldeb Syr Rhys ap Gruffydd. Roedd Wil wedi gofyn imi anfon neges at Wncwl Rhys y diwrnod cynt. Gwyddai fy ngwas y byddai hwnnw'n chwilio am fardd swyddogol newydd ar gyfer ei gatrawd yn y rhyfel yn Ffrainc i glodfori ei orchestion di-ri.

Roedd y neges a anfonais gyda'r llatai yn gofyn i Syr Rhys ddod i'r Hen Lew Du yn Aberteifi cyn gynted â phosib am fy mod i wedi dod o hyd i'r bardd delfrydol ar gyfer ei gatrawd.

Fel y gwyddoch chi ddarllenwyr a gafodd flas ar ddarllen rhan gyntaf fy hunangofiant, mae Syr Rhys dan y camargraff fy mod i'n fab iddo. O ganlyniad, mae'n fodlon gwneud unrhyw beth i fy nghynorthwyo.

'Dyma'r union fachan sydd ei angen arna i i ysgogi ein gwrol ryfelwyr, felly. Dere 'mla'n,' meddai Syr Rhys gan ddechrau tynnu Martin gerfydd ei glust allan o'r dafarn.

'I ble rydych chi'n mynd â mi?' gofynnodd Martin.

'I Ffrainc, wrth gwrs. Ble byddi di'n creu cerddi angerddol yn y rheng flaen gan wylio dy gyfoedion yn lladd y Ffrancwyr, ac os byddi di'n lwcus, y bradwr, Owain Lawgoch ei hun,' taranodd Syr Rhys.

'Ond mae'r Pla ar led yn Ffrainc,' cwynodd Martin.

'Pa i'r Pla! Dere 'mla'n, yr hen fabi!' ysgyrnygodd Syr Rhys, gan adael y dafarn gyda Martin yn gwichian fel llygoden fawr ar ei ôl.

IX

Roeddwn wedi rhannu sawl potelaid o win gyda'r Bwa Bach, Madog, Iolo a Wil erbyn *Vigil* y noson honno i ddathlu ein buddugoliaeth dros Martin Guerre.

Erbyn hyn roedd Morfudd wedi clwydo, ond cyn iddi fynd mi fachodd ar y cyfle i gael sgwrs â mi tra oedd y Bwa Bach yn ymweld â'r domen.

'Yn ôl Wil, dy syniad di oedd y cynllun i greu amheuaeth am fy mrawd,' meddai. Amneidiais yn euog, ond gan ddwyn i gof bod Wil yn cael ei dalu'n hael am ei syniadau.

'Rwy'n ddiolchgar iawn, Dafydd. Bydd yn rhaid imi feddwl am ryw ffordd o dy wobrwyo,' ychwanegodd, gan wincio arnaf cyn troi ac anelu am ei hystafell wely. Roeddwn ar ben fy nigon.

Roedd y Bwa Bach yn ddiolchgar hefyd. Roedd y moelyn bach wedi meddwi'n rhacs erbyn i glychau Abaty Aberteifi ddynodi ei bod hi'n gyfnod *Vigil* yn oriau mân y bore. Pwysodd yn ôl yn ei gadair.

'Diolch byth nad brawd Morfudd oedd y twyllwr 'na yn y diwedd,' meddai.

'Ond Bwa Bach, fe oedd...' dechreuodd Madog Benfras, cyn i Iolo ei fwrw yn ei asennau blonegog.

'Wfff... o... ie, wrth gwrs, rwyt ti yn llygad dy le, Bwa Bach. Dyna'r celwyddgi mwyaf imi gwrdd ag e erioed,' meddai.

Ar hynny, daeth Dyddgu draw gyda photelaid arall o win.

'Un peth dwi ddim yn ei ddeall yw pam ei bod wedi cymryd cyhyd ichi sylweddoli nad brawd Morfudd oedd y dihiryn?'

'Wrth gwrs, roedden ni i gyd yn ei amau o'r dechrau, am fod y Martin go iawn wedi marw yn Ffrainc, ond roedd hwn yn edrych yn ddigon tebyg iddo,' dechreuais esbonio. 'Ond dim ond rhywun o'r un gwaed all ddweud yn iawn ac felly roedd yn rhaid inni aros nes bod Morfudd yn cyrraedd i gael gwybod y gwir,' ychwanegais, gan groesi fy mysedd o dan y bwrdd.

'Mae'n rhaid imi ddiolch iti, Dafydd. Mi wnest ti fy achub rhag gwneud penderfyniad echrydus,' meddai Dyddgu. 'A diolch iti hefyd am ysgrifennu cerddi moliant mor wych. Dwi'n teimlo eu bod nhw wedi dod o'r galon,' ychwanegodd, gan roi ei llaw ar fy ysgwydd. Gwelais fod Wil yn rhythu arna i.

'Roedd Wil o gymorth mawr gyda sawl rhan o'r cynllun,' meddwn yn ofalus, mewn ymdrech bitw i geisio bod mor deg â phosibl â fy ngwas, a oedd dros ei ben a'i glustiau mewn cariad â Dyddgu.

'Mae hynny mor nodweddiadol ohonot ti, Dafydd. Ceisio rhoi'r clod i rywun arall. Ond dwi'n gwybod y gwir,' meddai Dyddgu, cyn camu yn ôl at y bar ac anwybyddu Wil yn llwyr.

Gwyddwn y byddai'n rhaid imi dalu Wil yn ôl am achub y dydd drwy geisio ei helpu i swyno Dyddgu. Ac mi gefais gyfle i wneud hynny rai wythnosau'n ddiweddarach. Ond gwae ac och. Cyflafan fu'r ymdrech honno, ddarllenwr ffyddlon.

Y Crair Sanctaidd

I

Roedd Morfudd, y Bwa Bach, Madog Benfras, Iolo Goch a minnau yn eistedd yn nhafarn yr Hen Lew Du yn Aberteifi tua chanol mis Hydref gwlyb 1347. Roeddwn yno i ymarfer ar gyfer perfformiadau olaf yr hydref cyn i Gymdeithas y Cywyddwyr, Rhigymwyr, Awdlwyr a Phrydyddion glwydo am y gaeaf. Ond cyn inni roi'r gorau iddi, gwyddwn y byddem yn cael croeso cynnes yn llysoedd lleol Glyn Aeron, Uwch Aeron, Manafan a'r Morfa Bychan yng ngogledd Ceredigion.

Roeddwn i'n eistedd mewn cadair ger y ffenest yn gwylio'r glaw yn pistyllio i lawr, gyda chath newydd y dafarn yn canu grwndi yn fy nghôl. Prynais y gath ddu a gwyn i Dyddgu fel nad oedd angen iddi byth eto brynu gwenwyn i ladd y llygod ffyrnig yn y dafarn. Byddai hynny'n sicrhau na fyddai unrhyw wenwyn yn cael ei gymysgu â medd yn 'ddamweiniol' eto a bod pawb yn fwy diogel.

Roeddwn wedi esgus mai Wil a brynodd y gath. Gobeithiai hwnnw y byddai'r anrheg yn gwneud i Dyddgu gynhesu tuag ato.

'Efallai nad wyt ti am roi sws i mi, Dyddgu, ond dyma fi'n rhoi sws i ti,' meddai wrth landledi'r dafarn, gan estyn y gath yn anrheg iddi. 'Dyddgu, gad imi gyflwyno Sws y gath.'

Gwyddwn na fyddai Dyddgu'n anghofio am Martin ac yn rhoi ei chalon i rywun arall am amser hir. Ond roeddwn i wedi cipio calon y gath – roedd yn fy nilyn o gwmpas y dafarn ac yn mynnu eistedd yn fy nghôl yn gwrando arnaf yn sibrwd fy marddoniaeth yn ei chlust.

Roedd ein bagad barddol wedi cyd-dynnu (am unwaith) i drechu Martin, brawd Morfudd, ond doedd neb wedi sôn am y cnaf ers hynny. Yn wir, bu i'r hen drefn gael ei hailsefydlu'n fuan iawn.

Roedd Morfudd yn ein ceryddu byth a beunydd am adrodd ein cerddi'n wallus yn yr ymarferion. Safai'r Bwa Bach yn edrych arni mor addolgar ag erioed. Roedd Madog Benfras yr un mor ddilornus o'm hymdrechion i, ac roedd Iolo Goch yn dal i gytuno â phopeth a ddywedai ei gyfaill sachabwndi.

O ran aelodau eraill Cymdeithas y Cywyddwyr, Rhigymwyr, Awdlwyr a Phrydyddion, roedd Llywelyn Goch eisoes wedi anfon neges yn dweud na fyddai'n rhydd i ymuno â ni ar ein taith i ogledd Ceredigion am ei fod ynghlwm â sefyllfa anodd ym Mhennal.

'Ynghlwm i'r gwely gyda Lleucu Llwyd, mwyaf tebyg,' awgrymodd Madog Benfras.

'Cytuno'n llwyr,' meddai Iolo Goch.

Roedd Gruffudd Gryg wedi anfon neges atom yn ôl ei arfer, i ddweud ei fod yn dioddef o annwyd cas ac na fyddai'n gallu ymuno â ni tan ddechrau'n taith.

Serch hynny, roeddwn yn teimlo'n fodlon fy myd wrth syllu ar y glaw yn ffurfio pyllau ar y stryd y tu allan i'r dafarn. Roeddwn i a Wil wedi creu nifer o gerddi newydd dros y pythefnos blaenorol ar gyfer ein taith. Roeddwn wrthi'n sibrwd 'A drwg yw yn dragywydd Nesed Awst, ai nos ai dydd, A gwybod o'r method maith, Euraid deml, yr aut ymaith,' o'm cerdd 'Mawl i'r Haf' yng nghlust Sws pan agorodd drws y dafarn.

Cerddodd y crïwr tref i mewn. 'Clywch, clywch! Clywch, clywch!' galwodd.

Rwy'n siŵr eich bod yn synnu clywed bod y crïwr yn y dafarn. Datgan y newyddion diweddaraf yn sgwâr y dref gyda phawb yn ymgynnull yno i wrando arno y byddai hwnnw fel arfer. Ond roedd Dyddgu wedi cael y syniad o dalu ceiniog yr wythnos i'r crïwr i ddod i gyhoeddi'r newyddion yn yr Hen Lew Du unwaith y dydd ers dechrau'r haf.

'Does dim rhaid i neb adael y dafarn i glywed y newyddion nawr. Mae'r newyddion yn dod atyn nhw heb iddyn nhw orfod symud o'u seddi,' esboniodd. Roedd y syniad yn un gwych, ond yn ddiweddar roedd Dyddgu wedi ychwanegu ato drwy dalu'r crïwr tref i hysbysebu'r dafarn rhwng pob darn o newyddion. Roedd siopwyr a chrefftwyr eraill yn y dref yn hoffi'r syniad ac roeddent hwythau hefyd wedi penderfynu noddi'r crïwr tref i hysbysebu eu busnesau.

Yr unig broblem gyda'r drefn newydd oedd bod datganiadau'r crïwr tref nawr ddwywaith yn hwy nag arfer.

'Clywch, clywch! Clywch, clywch!' gwaeddodd y crïwr eto gan agor darn o femrwn a dechrau ar ei gyhoeddiad.

'Mae Edward Woodstock, Tywysog Cymru, sy'n rheoli holl diroedd Ceredigion wedi penderfynu codi trethi gymaint â swllt y chwarter o fis Tachwedd ymlaen,' bloeddiodd.

'... gan orfodi'r werin i dalu am ryfel ei dad yn erbyn Ffrainc tan y cadoediad,' sgyrnygodd Wil.

'Clywch, clywch! Clywch, clywch!' galwodd y crïwr eto. 'Mae siop newydd sbon wedi agor yn y dref. Mae'r siop geiniog yn cynnig cannoedd o fargeinion am geiniog yn unig. Cynnig arbennig yr wythnos hon. Dwy gofrodd sanctaidd am bris un. Mae'r siop wedi'i lleoli yn Stryd y Farchnad, rhwng yr apothecari a'r barbwr.'

Dechreuodd Wil rwgnach mai gwneud datganiadau cyhoeddus oedd swyddogaeth y crïwr tref, cyn cau ei geg pan welodd Dyddgu'n rhythu arno am yr eildro.

Yna, ar ddiwedd y datganiad hirwyntog, daeth y daranfollt.

'Clywch, clywch! Clywch, clywch!' gwaeddodd y crïwr eto.

'Mae Edward Woodstock, Tywysog Cymru, sy'n rheoli holl diroedd Ceredigion wedi penderfynu y gall Abaty Ystrad Fflur feddiannu trigain erw o ddaliadau Priordy Aberteifi a thiroedd eraill yn Aberteifi yn dilyn penodiad yr abad newydd, Llywelyn Fychan.'

Gyda hynny, caeodd y crïwr tref ei femrwm, troi ar ei sawdl, a gadael y dafarn.

Wrth gwrs, doedd y newyddion ddim yn syndod i uchelwr fel myfi oedd yn perthyn i nifer o bwysigion y sir – fel fy ewythr, Llywelyn, oedd yn Gwnstabl Castellnewydd Emlyn, a'm hewythr arall drwy briodas, Syr Rhys ap Gruffydd. Hefyd, yn Ystrad Fflur y cafodd y meistr ifanc ei addysg dan adain y Brodyr Gwynion Sistersaidd. Roeddwn i'n deall i'r dim felly beth oedd wedi digwydd.

Bu Priordy Aberteifi dan reolaeth Coron Lloegr er 1322. Am fod mab y Brenin Edward y Trydydd, sef Edward Woodstock, neu fel yr oedden ni'r uchelwyr yn ei alw, Tywysog Cymru, yn rheoli Ceredigion erbyn hyn, roedd gan hwnnw bob hawl i wneud beth a fynnai gyda'r 240 erw oedd yng ngofal y priordy.

Roedd y Tywysog wedi penodi un o'i ddilynwyr mwyaf ffyddlon, Llywelyn Fychan, yn abad Mynachlog Sistersaidd Ystrad Fflur yng ngogledd y sir flwyddyn ynghynt. Ac yn awr roedd y penderfyniad i drosglwyddo trigain erw o ddaliadau'r priordy i eiddo Ystrad Fflur yn dyst i'r ffath fod y tywysog am ymestyn grym y fynachlog yng Ngheredigion, gan atgyfnerthu ei rym ei hun, wrth gwrs, dros diroedd de'r sir.

Codais y gath o'm côl a'i rhoi ar y llawr cyn codi ar fy nhraed a mynd draw i ymuno â Dyddgu a Wil wrth y bar. Roedd Dyddgu wedi cynhyrfu'n lân ar ôl clywed newyddion y crïwr tref.

'Beth sy'n bod, Dyddgu?' gofynnais.

'Mae'r dafarn yn sefyll ar ddarn o dir sy'n berchen i Briordy Aberteifi. Mae gen i drefniant gydag abad y priordy sy'n golygu fy mod i'n cyflenwi'r abaty â gwin a chwrw am bris teg. Mae hyn wedi atal y mynachod rhag gorfod gweithio'n galed i gynnal gwinllannoedd a bragu eu cwrw eu hunain, gan roi mwy o amser iddyn nhw addoli a gweddïo,' atebodd Dyddgu.

'... ac i aros yn eu gwelyau trwy'r bore yn hytrach na chodi i lafurio yn y caeau,' ychwanegodd Wil dan ei wynt.

'Mae'r trefniant yn golygu bod y rhent a'r degwm dwi'n ei dalu i'r priordy yn rhesymol,' ychwanegodd Dyddgu. 'Ond Duw a ŵyr pa fath o rent a degwm fydd abad Ystrad Fflur yn ei godi,' gorffennodd.

Tywalltodd Wil ychydig o frandi i dancard a'i gorfodi i'w yfed.

'Paid â phoeni, Dyddgu. Yn gyntaf, dwyt ti ddim yn gwybod a yw'r Hen Lew Du yn sefyll ar un o'r daliadau sydd wedi'i drosglwyddo i Abaty Ystrad Fflur ai peidio,' dywedais innau, i geisio'i chysuro. 'Ac yn ail, mi gefais i fy addysg gynnar yn Abaty Ystrad Fflur. Er bod dulliau addysgu'r brodyr Sistersaidd yn gallu bod yn gyntefig iawn, mae ganddyn nhw enw da am fod yn deg â'u tenantiaid. Synnwn i fochyn na fyddi di'n talu ceiniog yn fwy,' ychwanegais yn hyderus.

Gyda hynny rhuthrodd y crïwr tref i mewn i'r dafarn eto gyda llythyr yn ei law. 'Mae'n flin gen i, Dyddgu. Anghofiais i roi'r llythyr hwn ichi,' meddai. 'Rwyf wedi cael cyfarwyddyd i roi un o'r llythyrau hyn i bawb sydd bellach yn denantiaid Abaty Ystrad Fflur. Ac ry'ch chi'n un ohonynt. Mae'r llythyr yn dod oddi wrth Abad Ystrad Fflur, Llywelyn Fychan.'

Cymerodd Dyddgu'r llythyr o'i law, agor sêl yr abad, a darllen ei gynnwys. Bu tawelwch am gyfnod hir cyn i Dyddgu godi ei phen a gosod y llythyr ar y bar.

'Mae hi ar ben arna i. Mae'r abad newydd wedi treblu rhent y dafarn. Does gen i ddim gobaith o allu talu cymaint â hynny,' meddai'n benisel. 'Ac yn waeth na hynny, mi fydd yr abad newydd, Llywelyn Fychan, yn ymweld â'i ddaliadau newydd i gasglu'r rhent am y chwarter nesaf cyn diwedd yr wythnos. Beth yn y byd ydw i'n mynd i'w wneud?'

'Beth yn wir?' adleisiais innau, wrth i Wil gnoi ei wefus. Gwyddwn fod syniad eisoes yn dechrau cronni yn ei ben. Wedi'r cyfan, dyna pam fod y meistr ifanc yn ei dalu mor hael am ei wasanaeth.

II

Eisteddai Morfudd, y Bwa Bach, Madog Benfras, Iolo Goch, Wil, Dyddgu a minnau o amgylch bwrdd yn yr Hen Lew Du y noson honno yn ceisio meddwl am ffyrdd o ddatrys sefyllfa argyfyngus Morfudd.

'Mi fyddai'n annheg disgwyl i mi a'r Bwa Bach gyfrannu'n ariannol at yr achos y tro hwn am inni achub y dafarn yn gynharach eleni, drwy gynnal y twrnamaint barddol rhyngwladol yma,' meddai Morfudd.

Roedd Morfudd, wrth gwrs, yn llygad ei lle. Roedd hi'n syndod i mi ar y pryd ei bod wedi awgrymu cynnal y twrnamaint – a fu'n llwyddiant ysgubol i'n bagad barddol ni – yn yr Hen Lew Du, yn enwedig am fod Morfudd a Dyddgu'n casáu ei gilydd.

'Mae Morfudd yn iawn. Mae pethau'n ddigon tyn arnom yn ariannol ar hyn o bryd,' cytunodd y Bwa Bach, gan edrych i gyfeiriad Madog ac Iolo.

'O, Madog! Iolo! A fyddech chi'n fodlon fy helpu?' gofynnodd Dyddgu.

'Paid ag edrych arnon ni'n dau. Mae pethau'n anodd iawn arnon *ni* ar hyn o bryd hefyd...' dechreuodd Madog.

Ar hynny tynnodd Iolo ddarn o femrwn o'i ysgrepan.

'... ond mi allwn ni fenthyca'r arian iti, Dyddgu,' meddai Iolo, '... ugain y cant o log bob dydd am y pum diwrnod cyntaf, yna ad-daliad o ddau ddeg pump y cant am yr wythnos ganlynol, gan godi i bump y cant yn ddyddiol o hynny ymlaen. Ad-daliadau i'w talu'n llawn. Mae cyfyngiadau ynghlwm,' ychwanegodd yn gyflym.

Ochneidiais. Roeddwn innau wedi mynd i drafferthion ariannol echrydus ddwy flynedd ynghynt ar ôl benthyg arian gan y ddau fardd yma, heb sylweddoli fod y llog yn golygu y byddai arnaf i ffortiwn iddynt.

'Dwi ddim yn credu ei bod yn ddoeth i Dyddgu fenthyg arian ar delerau fyddai'n golygu ei bod hi mewn mwy o ddyled i chi yn y pen draw nag y byddai i Abad Ystrad Fflur,' meddwn.

'Beth amdanat ti, Dafydd? Fel uchelwr, mae gen ti ddigon o arian i helpu Dyddgu,' taranodd Madog Benfras.

'Ti yn llygad dy le, Madog. Heb os nac oni bai,' cytunodd Iolo Goch.

'Lwfans pitw iawn dwi'n ei dderbyn gan fy rhieni annwyl, yn anffodus,' meddwn i, gan edrych yn obeithiol ar Wil.

Pesychodd hwnnw. 'Dwi'n rhyw amau bod y meistr, yn ôl ei arfer, yn rhy ddiymhongar i wyntyllu'r syniad sydd ganddo yn ei ben,' meddai.

'Wel, Wil, man a man i ti wyntyllu'r syniad ar fy rhan i felly,' meddwn innau.

Aeth Wil yn ei flaen. 'Am fod yr Hen Lew Du yn sefyll ar dir y priordy mae'n bosib bod rhyw sant wedi'i gladdu yng nghyffiniau'r dafarn. Petai hynny'n wir, gallai Dyddgu godi arian ar bobl i ddod i'r dafarn i weld creiriau'r sant hwnnw,' meddai.

Gwyddai pob un ohonom, wrth gwrs, fod creiriau sanctaidd wedi bod yn ffynhonnell ariannol doreithiog dros ben i eglwysi, priordai ac abatai dros y blynyddoedd. Maen nhw'n denu pererinion, ac mae angen llety, bwyd a diod ar y pererinion hynny, heb sôn am y cyfle i brynu cofrodd i gofio am yr ymweliad.

'Mi fyddai dod o hyd i Grair Sanctaidd, yn enwedig un sy'n gysylltiedig â gwyrthiau, yn fuddiol dros ben,' cytunais.

'Ond prin yw'r gobaith bod esgyrn rhyw sant neu'i gilydd wedi'u claddu yn agos i'r dafarn hon,' meddai Dyddgu'n benisel. 'Mi fyddai'n wyrth ynddo'i hun petawn i'n dod o hyd i graig o'r fath.'

Ond roeddwn i a Wil yn gwybod yn union ble y gallen ni ddod o hyd i syniadau ar gyfer Crair Sanctaidd. Yn enwedig am fod y siop geiniog roedd y crïwr tref wedi ei hysbysebu'n gynharach yn cynnig gwerthiant arbennig o ddwy gofrodd sanctaidd am bris un.

'Mae gwyrthiau'n digwydd o bryd i'w gilydd,' meddai Wil, gan godi ar ei draed ar yr un pryd â mi.

'Ble y'ch chi'ch dau'n mynd?' gofynnodd Morfudd.

'Ry'n ni'n mynd i ddarganfod mwy am seintiau'r ardal hon,' atebais, gan frasgamu at ddrws y dafarn.

III

Cyrhaeddon ni'r siop geiniog a safai rhwng yr apothecari a'r barbwr yn Stryd y Farchnad toc cyn *Nones* y prynhawn hwnnw. Cerddodd y ddau ohonom i mewn i'r adeilad to isel oedd yn orlawn o bob math o waith llaw, cofroddion ac eitemau eraill di-ri.

Camodd dyn allan o ystafell fach yng nghefn yr adeilad. Pan welais pwy oedd yn sefyll o fy mlaen cefais fy syfrdanu'n llwyr. Methais ag yngan gair wrth imi syllu i wyneb neb llai na'r lleidr unllygeidiog, unfraich, Owain ab Owen.

I'r rhai hynny ohonoch na chawsoch gyfle i ddarllen rhan gyntaf fy hunangofiant, gadewch imi eich cyflwyno i'r cnaf diegwyddor Owain ab Owen. Roedd y dihiryn hwn wedi dwyn arian oddi arnaf ddwywaith mewn diwrnod ddwy flynedd yn ôl. Yn waeth na hynny, oherwydd hwn, bu bron imi gael fy nienyddio ar gam am ddwyn oddi ar drigolion tref Nanhyfer. Ar ben hynny, hwn oedd yn gyfrifol am ddwyn tlws pencampwyr talwrn barddol rhyngwladol Ewrop. Ac yn goron ar y cyfan, roedd y cnaf hwn wedi dianc o grafangau cyfiawnder bob tro... hyd yn hyn.

'Owain ab Owen, myn diain i!' gwaeddais, gan gymryd cam yn nes ato, gyda'r bwriad o afael yn dynn yn y lleidr a'i dywys o flaen ei well i gael ei gosbi am ei holl gamweddau.

Safodd hwnnw yn ei unfan yn fy llygadu i a Wil yn heriol. A llygadu oedd y *mot juste*, gyfeillion, oherwydd er bod ei lygad chwith yn pefrio roedd ei lygad dde'n hollol wyn. Roedd ei law chwith hefyd ar goll. Hwn, yn ddiamau, oedd y lleidr Owain ab Owen.

Estynnodd ei law dde allan o'i flaen.

'Oedwch am ennyd, gyfeillion,' meddai, gan chwerthin yn isel. 'Mae'n amlwg eich bod wedi fy nghamgymryd am fy nghefnder, y lleidr gwarthus Owain ab Owen. Peidiwch â phoeni, mae nifer o bobl yn gwneud yr un camgymeriad. F'enw i yw Owen ab Owain, nid Owain ab Owen.'

'Ond rydych chi'n edrych yr un ffunud â'r lleidr Owain ab Owen,' dywedais, gan astudio'r dyn yn fanwl.

'Er enghraifft, mae'r ddau ohonoch wedi colli llygad a llaw,' ychwanegodd Wil, gan daro'r hoelen ar ei phen.

'A'r un llygad, sef yr un dde, a'r un llaw, sef yr un chwith, ar hynny,' cytunais, gan selio'r ddadl.

Ond parhau i'n llygadu wnaeth y cnaf.

'Mae'n wir fod tebygrwydd teuluol. Rydych chi wedi bod yn graff iawn. Chwarae teg, does dim llawer o bobl yn sylwi ar hynny. Y gwir yw bod fy nhad, sef Owain ab Owen, un arall, yn frawd i dad Owain ab Owen, sef Owen ab Owain,' meddai'r dyn a honnai mai ei enw oedd Owen ab Owain.

'Felly, rydych chi, Owen ab Owain, yn fab i Owain ab Owen, sy'n frawd i Owen ab Owain, sy'n dad i Owain ab Owen?' gofynnais.

'Yn hollol. Rydych chi wedi'i deall hi.'

'Ond sut all eich tad, Owain ab Owen, fod yn frawd i Owen ab Owain? Beth oedd enw eu tad hwythau? Owain ynteu Owen?' gofynnodd Wil.

'Enw fy nhad-cu oedd Owen Owain ab Owen Owain, sy'n esbonio pam mai enw un mab oedd Owen ab Owain ac enw'r llall oedd Owain ab Owen. Gyda llaw, enw fy hen dad-cu oedd Owain Owen...'

Erbyn hyn roedd fy mhen yn dechrau troi. 'O'r gorau, o'r gorau. Rydym yn derbyn eich gair, Owen ab Owain,' meddwn.

'Does neb yn y teulu'n sôn am Owain ab Owen, gyda llaw. Ef yw'r ddafad ddu. Rhacsyn llwyr. Dyw a ŵyr ble mae e nawr.'

'Mae gen i syniad go lew,' meddai Wil gan barhau i syllu ar y siopwr.

Anwybyddodd hwnnw sylw Wil gan balu 'mlaen. 'Mi fydden i'n ddiolchgar petaech chi'n cadw'r wybodaeth am fy nghefnder o dan eich het croen afanc ysblennydd, syr. Dwi ddim am i'r siop gael enw drwg am fod pobl yn meddwl fy mod i... bod fy *nghefnder*, Owain ab Owen, wedi dwyn y nwyddau sydd ar werth yma.'

'Wrth gwrs. Rwy'n uchelwr, ac rwyf bob amser yn cadw at fy ngair,' meddwn. Clywais Wil yn grwgnach y tu ôl imi.

'Da iawn. Felly, sut alla i fod o gymorth? Croeso i'r siop geiniog a dime,' meddai Owen ab Owain.

'Siop geiniog a dime? Roedden ni dan yr argraff eich bod yn gwerthu popeth yn y siop hon am geiniog,' meddai Wil.

'Rwy'n ofni fy mod i wedi gorfod codi pris fy nwyddau am

fod perchnogion newydd y tir mae'r siop yn sefyll arno, Abaty Ystrad Fflur, wedi codi'r rhent yn ddychrynllyd o uchel. Y rhyfel yn erbyn Ffrainc sydd ar fai, wrth gwrs,' esboniodd Owen ab Owain.

'Cytuno'n llwyr,' meddai Wil, gan ddechrau twymo rhywfaint tuag at y siopwr.

'Ta beth am hynny. Rwy'n sylwi fod gennych chi ddewis eang o gofroddion sanctaidd yma,' dywedais innau, gan bwyntio at y rhesi o gerfluniau pren oedd wedi'u gosod ar silffoedd ar hyd wal gefn y siop.

'Oes yn wir. Dyma un newydd sy'n boblogaidd iawn,' meddai Owen ab Owain, gan estyn am gerflun o'r Forwyn Fair gyda'r baban Iesu yn ei chôl, a chanhwyllbren a channwyll yn ei llaw dde.

'Dyma gofrodd o'r cerflun enwog gafodd ei ddarganfod ar lannau afon Teifi ddwy ganrif yn ôl. Mae'r cerflun gwreiddiol, wrth gwrs, yn Eglwys y Santes Fair yn yr abaty, ond mae'r gofrodd hon yn boblogaidd iawn ymysg pererinion,' meddai'r siopwr. Trodd a phwyntio at nifer o eitemau eraill oedd wedi'u gosod ar y silffoedd. 'Beth am gofrodd o groes Calfari lle bu farw'r Iesu?' ychwanegodd, gan estyn am ddarn o bren pydredig o'r silff, '... neu beth am wellt o breseb y baban Iesu?' Tynnodd ddarn o bren maint dwrn wedi'i naddu i siâp preseb gyda darn o wellt y tu mewn iddo i lawr o'r silff. 'Dyw'r preseb ddim yn wreiddiol, wrth gwrs, ond *mae*'r gwellt yn wreiddiol. Cafodd ei fewnforio o Fethlehem. Mae gen i ddarn o femrwn sy'n tystio i hynny.'

'A beth yw hwn? Y Greal Sanctaidd?' gofynnodd Wil ychydig yn wawdlyd, gan gymryd hen gwpan pren pydredig oddi ar y silff.

'Dyna'r unig un o'i fath sydd gen i. Mae'n gwbl unigryw. Mi brynais hwn gan feudwy oedd yn teithio drwy Aberteifi'n ddiweddar. Roedd e'n honni mai hwn yn wir yw'r Greal Sanctaidd, a gludwyd i Gymru gan Joseff o Arimathea ganrifoedd maith yn ôl,' meddai'r siopwr, gan chwerthin yn isel unwaith eto. 'Ond mae'n rhaid imi gyfaddef, mae marchnad y Greal Sanctaidd yn orlawn o gwpanau o'r fath. Ac mi fyddai'r Greal Sanctaidd go iawn, wrth gwrs, wedi'i wneud o aur, diamwntau a gemau gwerthfawr. Mi gewch chi hwn am geiniog yn unig.'

Gofynnais i'r siopwr craff a oedd ganddo unrhyw gofroddion o seintiau gyda chysylltiadau lleol. Camodd draw at fwrdd yng nghanol y siop lle'r oedd pum cerflun pren wedi'u gosod. Cerfluniau hyll iawn o ddynion oedd y rhain, a wynebau pob un ohonynt yn edrych fel petaent wedi'i gor-wneud hi gyda'r ddiod feddwol am fis cyfan.

'Dyma ichi gerfluniau a naddais gyda fy nwylo fy hun. Maent yn gofroddion o'r pum sant sy'n gysylltiedig ag afon Teifi,' meddai Owen ab Owain, gan bwyntio atyn nhw fesul un. 'Dyma Pedrog, Briog, Carannog, Meugana, a'r un mwyaf lleol i ni yn Aberteifi, Sant Cubert, neu Gwbert,' meddai gyda balchder.

'Mae'r cofroddion yn hyfryd, ond tybed a oes gennych chi Grair Sanctaidd sy'n gysylltiedig â Sant Gwbert y byddech chi'n fodlon ei werthu inni?' gofynnais. 'Efallai fod gennych chi rywbeth yn yr ystafell gefn?' ychwanegais, gan wincio ar y siopwr.

'Crair Sanctaidd! Ond mae'r rheiny'n bethau prin iawn.'

'Ydyn, ond beth petai rhywun yn digwydd dod o hyd i Grair Sanctaidd sy'n gysylltiedig â Sant Gwbert? Esgyrn ei law, efallai?' meddai Wil, gan edrych i lygad Owen ab Owain. 'Mi fyddai hynny'n fuddiol iawn i chi. Mi allech chi werthu'ch cerfluniau o Sant Gwbert fel cofroddion i'r pererinion fyddai'n heidio yma i weld y Crair Sanctaidd.'

Edrychodd Owen ab Owain arna i a Wil am ennyd gan grafu ei ên.

'A fyddai cwpwl o fysedd yn gwneud y tro?'

'Byddai llaw gyfan yn well,' awgrymodd Wil.

'Byddai dwy law yn well fyth,' ychwanegais.

'Arhoswch ble rydych chi,' meddai'r siopwr. Camodd i'r ystafell gefn lle clywais e'n sibrwd, 'Gwenhwyfar! Ble gladdaist ti dy dad llynedd?'

Ymhen hir a hwyr dychwelodd Owen ab Owain yn dal esgyrn dwy law, gan sychu'r pridd oddi arnynt.

'Dyma chi, syr,' meddai, gan roi'r esgyrn yn fy llaw. 'Swllt, os gwelwch yn dda.'

'Swllt!' meddwn. 'Ond siop geiniog a dime yw hon.'

'Ie, a dwi'n codi ceiniog a dime am bob bys.'

Doedd gen i ddim dewis ond talu'r cybydd. 'Mi fydd arna i angen rhywbeth i gadw'r esgyrn ynddo. Creirfa,' meddwn.

Estynnodd y siopwr am y cwpan pren oedd ar y silff. 'Mi gewch chi'r cwpan 'ma am ddim. Dwi ddim yn ei hoffi,' meddai, gan gymryd yr esgyrn a'u gosod yn y Greal Sanctaidd honedig. Yna, safodd a'i ddwylo ar ei gluniau.

'Yn unol â pholisi'r busnes, ni chaniateir dychwelyd unrhyw eitem. A chofiwch, yn ôl hanes Sant Gwbert, wnaeth e ddim llwyddo i gyflawni unrhyw wyrth,' meddai i gloi.

Gadawodd Wil a minnau'r siop ac anelu am efail y gof i brynu rhawiau ar gyfer y gwaith palu.

IV

Dychwelodd y ddau ohonom i'r Hen Lew Du y noson honno a chladdu'r ddwy law a'r cwpan oddeutu ugain llath o'r drws cefn, cyn ymuno â gweddill y bagad barddol ym mar y dafarn.

Esboniais yn gelwyddog fy mod i a Wil newydd ymweld â'r priordy ac wedi bod wrthi'n astudio hen gofnodion am y seintiau oedd yn gysylltiedig â'r ardal. Ychwanegais fod yna bosibilrwydd y gallai un o'r seintiau fod wedi'i gladdu yng nghyffiniau'r dafarn.

'Yn ôl y cofnodion roedd Sant Gwbert yn sant crwydrol a allai fod wedi cael lloches am gyfnod yn y pentref sydd bellach yn dwyn ei enw,' meddwn. Roedd hynny, o leiaf, yn wir.

'Ond mae Gwbert dros ddwy filltir i ffwrdd. Pam fyddai'r sant wedi'i gladdu ger yr Hen Lew Du?' gofynnodd Dyddgu.

'Am ei fod yn sant crwydrol?' awgrymodd Madog, ychydig yn wawdlyd.

'Mae'r cofnodion hefyd yn datgelu ei fod wedi troedio tiroedd Mynafon ger afon Teifi wrth iddo genhadu – tir sy'n agos iawn at y dafarn hon,' ychwanegais. Mi fyddai angen imi raffu celwyddau, mae'n amlwg, i ddarbwyllo pawb bod posibilrwydd o ddod o hyd i'w olion.

'Hyd yn oed petaen ni'n dod o hyd i olion corff, sut fydden ni'n gwybod mai olion Sant Gwbert ydyn nhw?' gofynnodd Dyddgu.

'Am fod y cofnodion hefyd yn nodi bod Sant Gwbert wedi'i gladdu â chwpan pren yn ei ddwylo. Petaen ni'n digwydd dod o hyd i olion dynol a chwpan pren, mi fydden ni'n gwybod mai esgyrn Sant Gwbert ydyn nhw,' atebais, gan geisio swnio mor hyderus â phosib.

'Ond mae gwastadedd Mynafon yn anferth. Mae'n golygu y byddai'n rhaid inni balu dros dair erw o dir,' meddai'r Bwa Bach.

'Dyna pam y bydd Wil a minnau'n mynd i brynu chwe rhaw ben bore fory fel y gallwn rannu'r gwaith,' meddwn.

Ar hynny, tynnodd Madog Benfras ac Iolo Goch ddarn o femrwn yr un o'u cotiau a'u chwifio o dan drwynau'r Bwa Bach a Morfudd. 'Dyw gwaith caib a rhaw ddim yn rhan o fy nghytundeb i,' taranodd Madog.

'Dim o gwbl,' cytunodd Iolo.

'Ac mae gweithio fel saer maen am flynyddoedd wedi gwneud niwed i fy nghefn a'm penglinau i, bois,' ychwanegodd y Bwa Bach.

'A gobeithio nad ydych chi'n disgwyl i *mi* fod yn rhan o fenter mor benchwiban,' meddai Morfudd.

Ochneidiais, gan esgus fy mod i'n siomedig, ond gan wybod, wrth gwrs, na fyddai llawer o waith palu.

Ond gyda hynny cerddodd Sws y gath i mewn drwy ddrws cefn y dafarn gyda rhywbeth yn ei cheg. Cerddodd ataf, agor ei cheg a gollwng y cynnwys ar y llawr.

'Ych a fi! Llaw esgyrnog!' bloeddiodd Morfudd.

'Llaw esgyrnog?! Does bosib...' meddai'r Bwa Bach gan godi ar ei draed.

'O ble gafodd hi'r esgyrn?' gofynnodd Madog, gan edrych i gyfeiriad drws cefn y dafarn.

'Dyna'n union beth roeddwn i'n ei feddwl, Madog,' cytunodd Iolo, wrth i hwnnw godi ar ei draed.

'O'r cefn... well inni fynd i weld,' meddai Wil gan edrych arna i.

'Yn hollol,' cytunais. Rhuthrodd pawb drwy ddrws cefn y dafarn a gweld bod y gath wedi palu trwy'r droedfedd o bridd roeddwn i a Wil wedi'i gosod ar ben yr olion.

Safodd pawb o amgylch y twll a gweld llaw arall, a chwpan pren pydredig.

'Mae'n wyrth,' gwaeddodd Dyddgu gan syrthio ar ei phengliniau.

'Ydy wir,' meddwn innau, gan hanner gwenu ar Wil.

V

Treuliodd pawb weddill y noson honno'n trafod y ffordd orau o hyrwyddo'r Hen Lew Du fel cartref y Crair Sanctaidd. Y cam cyntaf oedd hysbysu'r crïwr tref. Byddai hwnnw nid yn unig yn lledaenu'r neges yn lleol ond yn defnyddio rhwydwaith newyddion eang y crïwyr tref i rannu'r neges ar hyd a lled gorllewin Cymru.

'Mae'n rhaid inni wneud y mwyaf o'r cyfle euraid hwn,' meddai Morfudd, oedd eisoes wedi dechrau meddwl am y manteision o ran Cymdeithas y Cywyddwyr, Rhigymwyr, Awdlwyr a'r Phrydyddion. 'Mae pobl yn fodlon talu trwy'u trwynau i ymweld â chreiriau sanctaidd,' meddai, gan syllu ar y ddwy law yn ymestyn allan o'r cwpan pren oedd ar y bwrdd o'n blaenau.

Roedd Morfudd yn llygad ei lle. Roedd bywyd yn galed i

bawb, yn uchelwyr a thaeogion. Roedd pererindod i ymweld â Chrair Sanctaidd nid yn unig yn ffordd o gynnal ffydd, ond yn gyfle i gael ychydig o ddifyrrwch ac anghofio am holl ofidiau bywyd am ychydig.

'Wrth gwrs, y nod, fy nghariad, yw codi digon o arian fel bod Dyddgu'n gallu talu rhent anghyfiawn Abad Ystrad Fflur,' meddai'r Bwa Bach.

'Digon teg,' atebodd Morfudd. 'Ond mi allwn ninnau hefyd ddenu mwy o bobl i wario arian yn y dafarn yn ystod eu hymweliad â'r Crair Sanctaidd... am gyfran o'r elw. Mi allen ni gynnig profiad cynhwysfawr i'r pererinion fydd yn ymweld â'r dafarn. Gall Cymdeithas y Cywyddwyr, Rhigymwyr, Awdlwyr a Phrydyddion gynnig gwasanaeth canu cerddi moliant i Sant Gwbert, a chanu cerddi sy'n adrodd ei hanes tra bod y pererinion yn cael eu tywys o amglych y dafarn.'

'Syniad gwych. Cyfle i bawb elwa o'r sefyllfa,' meddai Madog.

'Cytuno'n llwyr, Madog. Nawr 'te. Beth sy'n odli 'da Gwbert?' meddai Iolo, gan dynnu darn o femrwn ac ysgrifbin o'i ysgrepan.

'Beth amdani, Dyddgu?' gofynnais. 'Mi allen ni hyd yn oed honni bod y dwylo a'r cwpan yn arwydd y dylai pobl ddod i yfed yn y dafarn.'

'Pam lai? Heblaw amdanat ti, Dafydd, fydden ni byth wedi dod o hyd i'r olion,' meddai Dyddgu gan wenu'n siriol arna i.

'Mewn gwirionedd, Dyddgu, y gath ddaeth o hyd i'r olion... a Wil a brynodd y gath... felly Wil ddylai gael y clod.'

'Ond ti ddywedodd fod posibilrwydd bod y Crair Sanctaidd wedi'i gladdu ar dir y dafarn,' ychwanegodd Dyddgu.

'Ie. Mae'n bwysig cofio mai tydi, Dafydd, a gafodd y syniad,' cytunodd Madog.

'Cytuno'n llwyr, Madog,' meddai Iolo.

Serch hynny, gwyddwn mai'r ddau hyn fyddai'r cyntaf i droi arnaf petai rhywbeth yn mynd o'i le.

VI

Yn dilyn trafodaethau rhwng Dyddgu, y Bwa Bach a Morfudd, penderfynwyd y byddai ein bagad barddol yn cael traean o elw'r fenter am ein gwasanaeth. Yna, aeth pawb ati i baratoi ar gyfer yr haid o bererinion fyddai'n ymweld â'r Hen Lew Du ar ôl clywed bod Crair Sanctaidd Sant Gwbert wedi'i ddarganfod yno.

Roedd Dyddgu'n poeni am fwydo'r holl ymwelwyr fyddai'n heidio i'r dafarn. 'Mi fydd hi'n anoddach na phorthi'r pum mil,' ebychodd, gan edrych o gwmpas y gegin.

'Hmmm,' meddai Wil, gan grafu ei ên am ennyd. 'Rwyt ti wedi taro'r hoelen ar ei phen, Dyddgu.' Ar hynny, rhuthrodd allan o'r dafarn. Daeth yn ei ôl ymhen sbel yn cario pum torth yn ei freichiau.

'Mi fues i'n ffodus a chael y pum torth olaf gan y melinydd. Maen nhw braidd yn sych ond mi wnawn y tro,' meddai, gan dynnu dau sewin allan o'i diwnig.

'Beth wyt ti am wneud â'r rhain?' gofynnodd Dyddgu.

' "Yna cymerodd y pum torth a'r ddau bysgodyn, a chan edrych i fyny i'r nef a bendithio, torrodd y torthau a'u rhoi i'w ddisgyblion i'w gosod gerbron y bobl; rhannodd hefyd y ddau bysgodyn rhwng pawb." Marc chwech: deugain,' meddwn. Roeddwn yn gyfarwydd â chynnwys y Beibl, wrth gwrs, a minnau'n un o gyn-ddisgyblion disgleiriaf Abaty Ystrad Fflur.

'Ond sut wyt ti'n mynd i fwydo pawb? Yn anffodus, nid ti yw'r Arglwydd Iesu Grist,' meddai Dyddgu.

Gwenodd Wil a dechrau torri'r bara'n ddarnau bach iawn. 'Rwy'n cofio pan o'n i'n gogydd ym myddin Edward y Trydydd yn Ffrainc, roedd yn rhaid imi fwydo catrawd o dros bum cant o filwyr deirgwaith y dydd. Ond mi ddysgais i ddull Ffrengig arloesol o goginio. Y cyfan sydd ei angen yw rhoi darn bach o bysgodyn ar ben darn bach o fara a *voilà*. *Canapé*. Mi fydd yn ddigon i fwydo pum cant os nad pum mil,' meddai'n fuddugoliaethus.

'Gwyrth arall,' chwarddodd Dyddgu, gan ddechrau ar y gwaith o dorri'r bara.

Erbyn hyn roedd Madog ac Iolo yn sefyll yn nrws y gegin.

'… heb sôn am y wyrth ddyddiol mae Dyddgu'n ei chyflawni drwy droi gwin y dafarn yn ddŵr, bron,' ebychodd Madog.

'Cytuno'n llwyr, Madog. Gwin gwan ar y naw,' meddai Iolo.

Treuliodd pawb weddill y diwrnod yn creu allor fach ar gyfer Crair Sant Gwbert yng nghanol y dafarn, cyn mynd ati i ymarfer y cerddi moliant roedden ni'r beirdd wedi'u creu dros nos.

Wrth gwrs, nid oedd selogion lleol yr Hen Lew Du yn hapus gyda'r drefn newydd, oherwydd mi fyddai'n rhaid iddyn nhw hefyd dalu dwy geiniog bob tro roeddent am fynychu'r man sanctaidd lle'r oedd olion Sant Gwbert.

Roedd y siopwr cybyddlyd, Owen ab Owain, wedi bod wrthi'n brysur yn paratoi cerfluniau bach o ddwylo Sant Gwbert a'r cwpan. Mi fyddai yntau hefyd yn gwneud elw o'r fenter. Ac yn wir, pan agorodd Dyddgu ddrws y dafarn toc wedi *Terce* drannoeth, roedd dros ugain o bobl yn aros yn eiddgar mewn rhes i weld olion Sant Gwbert.

Y drefn oedd bod Morfudd a'r Bwa Bach yn cymryd y tâl mynediad gan y pererinion, cyn imi eu tywys i ystafell ochr y dafarn. Yno, ac yn rhan o'r pris mynediad, roeddent yn derbyn lluniaeth, sef *canapés* a gwin gwan, tra bod Madog ac Iolo yn eu cyfarch. Gwyddwn o weld cegau seimllyd y ddau eu bod eisoes wedi bwyta mwy na'u haeddiant o'r bara a'r sewin.

'Na rhyw drwsiad rhag brad braw, Swydd ddirnad, y sydd arnaw,' meddai Madog, gan adrodd yr un cwpled ag y byddai'n ei ddefnyddio i gyfarch pob uchelwr. Gwingais o'i glywed yn ei adrodd i daeogion. Amneidiodd y pererinion i ddangos eu bod wedi'u plesio, gan stwffio *canapés* i'w cegau, cyn i Iolo Goch godi ar ei draed a moesymgrymu.

'Pererindawd ffawd ffyddlawn, Perwyl mor annwyl mawr iawn, Myned, mau adduned ddain, Lles yw, tua Sant Gwbert,' meddai, gan adrodd ei gerdd gyfarwydd yntau, cerdd roeddwn wedi'i chlywed hyd syrffed.

Ar ôl i'r pererinion orffen bwyta ac yfed, fy swyddogaeth i oedd eu tywys i'r prif far, lle byddwn yn adrodd hanes bywyd Sant Gwbert ac yna'n adrodd nifer o gerddi bob yn ail â Madog ac Iolo, tra byddai'r pererinion yn rhyfeddu at olion y sant.

Ond wrth imi gerdded i mewn i'r dafarn gwelais fod bronfraith wedi hedfan i mewn a'i bod yn canu'n ddi-baid. Cafodd y canu effaith syfrdanol ar Madog Benfras a safai'n gegagored yn gwrando ar yr aderyn.

'Mae'n wyrth! Mae'n wyrth! Mae'r aderyn yn siarad,' ebychodd, gan wrando'n astud. 'Maddeua imi fy mhechodau marwol,' gwaeddodd, gan bwyntio at yr aderyn oedd yn dal i ganu nerth ei ben yn nenfwd y dafarn.

Yn sydyn, syrthiodd Iolo Goch ar ei bengliniau a mwmial, 'Maddeuwch imi fy mhechodau.'

Gyda hynny, dechreuodd y pererinion weiddi yn eu tro, 'Mae'r beirdd yn iawn. Mae'r aderyn yn ein ceryddu am ein pechodau marwol,' cyn syrthio ar eu pengliniau a dechrau gweddïo.

'Rydych chi'n iawn. Rwy'n bwyta gormod ac yn genfigennus o'm cyd-feirdd,' clywais Madog yn dweud wrth y fronfraith cyn syrthio ar ei liniau. 'Maddeuwch imi am gyflawni'r pechodau marwol hyn, sef glythineb a chenfigen.'

'Rwyf innau hefyd yn gofyn am faddeuant am fod yn ddiog ac am golli fy ffrwcsyn nhymer yn rhy aml a chymryd enw'r ffrwcsyn Arglwydd yn ofer. Maddeuwch imi am y pechodau marwol hyn, sef diogi a dicter,' meddai Iolo Goch.

Gyda hynny, aeth y pererinion ati i gyfaddef eu pechodau hwythau fesul un.

Mae'n rhaid imi ddweud mai'r unig beth a glywais i oedd y fronfraith yn canu'n braf.

Camais yn araf at ddrws cefn y dafarn, ei agor a gadael i'r aderyn hedfan allan i'r awyr agored, gan sylwi bod y gath a safai gerllaw drws y dafarn yn siglo'i chynffon a'i wylio'n ofalus.

Ymhen hir a hwyr daeth Madog, Iolo a'r pererinion allan o'u llesmair a dechrau codi ar eu traed. Clywais nifer fawr ohonynt yn mwmial y gair 'gwyrth'. Cerddais draw at y ddau fardd a sibrwd, 'Gwaith gwych. Ry'ch chi wedi llwyddo i dwyllo pawb fod y fronfraith yn gallu siarad.'

'Twyllo? Chlywaist ti 'mo'r fronfraith yn dweud y byddwn i'n treulio tragwyddoldeb ym mherfeddion tanllyd uffern pe na bawn i'n gweld y goleuni?' taranodd Madog.

'Cefais lond twll o ffrwcsyn ofn fy hun. Mae Madog yn llygad ei le,' adleisiodd Iolo, gan anelu am y drws cefn i gael ychydig o awyr iach yn dilyn ei brofiad ysbrydol dwys.

Ro'n i'n argyhoeddedig fod y ddau wedi creu rhyw fath o gast dichellgar. Serch hynny roeddent yn tyngu bod y fronfraith wedi siarad. Ac roedd ymateb y pererinion yn debyg. Canlyniad gwych y 'wyrth' oedd iddynt brynu holl gynnwys y stondin gofroddion cyn gadael y dafarn i ledaenu'r neges.

Roedd Madog ac Iolo yn dal i daeru eu bod wedi profi gwyrth y noson honno. Am iddynt gael cymaint o ofn, nid oeddent yn fodlon adrodd eu cerddi i'r pererinion o hynny ymlaen.

'Dyw e ddim yn ein cytundeb ein bod ni'n gorfod dioddef gwyrthiau,' meddai Madog wrth Morfudd a'r Bwa Bach, gan chwifio'i gytundeb yn eu hwynebau.

'Cytuno'n llwyr,' meddai Iolo.

O ganlyniad bu'n rhaid i Morfudd a'r Bwa Bach ddysgu'r cerddi priodol dros nos i gymryd lle'r ddau fardd drannoeth.

Roedd y siopwr cybyddlyd Owen ab Owain wedi bod wrthi'n brysur am yr ail noson yn olynol, yn paratoi mwy o gofroddion erbyn y bore yn y gobaith y byddai'r newyddion am wyrth yr Hen Lew Du wedi ymledu.

Ac yn wir, pan agorodd Dyddgu ddrws y dafarn toc wedi *Terce* drannoeth roedd oddeutu deg ar hugain o bobl yn aros yn eiddgar mewn rhes i weld olion Sant Gwbert.

Y drefn y tro hwn oedd bod Madog ac Iolo yn cymryd y tâl mynediad gan y pererinion cyn iddynt gael eu tywys i ystafell ochr y dafarn i gael lluniaeth, sef *canapés* a gwin gwan, tra oedd Morfudd a'r Bwa Bach yn eu cyfarch. Gwyddwn o weld cegau seimllyd y ddau eu bod hwythau, fel Madog ac Iolo'r diwrnod cynt, wedi mwynhau'r bara a'r sewin hefyd.

'Na rhyw drwsiad rhag brad braw, Swydd ddirnad, y sydd arnaw,' meddai Morfudd, gan adrodd cwpled cyfarch Madog. Amneidiodd y pererinion i ddangos eu bod wedi'u plesio, gan stwffio *canapés* i'w cegau, cyn i'r Bwa Bach godi ar ei draed a moesymgrymu.

'Pererindawd ffawd ffyddlawn, Perwyl mor annwyl mawr iawn, Myned, mau adduned ddain, Lles yw, tua Sant Gwbert,' meddai, gan adrodd cywydd cyfarwydd Iolo Goch.

Ar ôl i'r pererinion orffen bwyta ac yfed, tywysais nhw i'r prif far yn barod i adrodd hanes bywyd Sant Gwbert ac adrodd nifer o gerddi, bob yn ail â Morfudd a'r Bwa Bach.

Wrth imi gerdded i mewn, ochneidiais mewn rhyddhad pan welais nad oedd y fronfraith wedi dychwelyd. Serch hynny roedd Sws y gath, oedd wedi gweld yr aderyn yn gadael y diwrnod cynt, yn amlwg wedi bachu ar y cyfle i aros amdano yn y dafarn, gan eistedd ger Crair Sant Gwbert ar yr allor yng nghanol y dafarn. Pan welodd y gath fi, dechreuodd fewian yn uchel. Byddai'n gwneud hynny'n aml pan fyddai am gael ei bwydo neu am fynd allan i'r awyr iach.

Ond cyn imi gael cyfle i wneud dim, sylwais fod mewian y gath yn cael effaith syfrdanol ar Morfudd, a safai'n gegagored yn gwrando arni.

'Mae'n wyrth! Mae'n wyrth! Mae'r gath yn siarad. Maddeuwch imi fy mhechodau marwol!' bloeddiodd, gan bwyntio at y gath. Yn sydyn, syrthiodd y Bwa Bach ar ei liniau a mwmial, 'Maddeuwch imi fy mhechodau.'

Gyda hynny, dechreuodd y pererinion weiddi yn eu tro, 'Maen nhw'n iawn. Mae'r gath yn ein ceryddu am ein pechodau marwol!' cyn syrthio ar eu pengliniau a dechrau gweddïo.

'Ry'ch chi'n iawn. Mae'n rhaid imi roi'r gorau i fy ngodinebu,' clywais Morfudd yn mwmial, gan wrando'n astud ar y gath a syrthio ar ei phengliniau. 'Maddeuwch imi am gyflawni'r pechod marwol o odinebu,' meddai.

'Rwyf innau hefyd yn gofyn am faddeuant am flingo'r beirdd yn ariannol. Maddeuwch imi am bechod marwol trachwant,' meddai'r Bwa Bach.

Gyda hynny, aeth y pererinion ati i gyfaddef eu pechodau hwythau fesul un.

Rhaid imi ddweud mai dim ond clywed y gath yn mewian wnes i. Cerddais at yr allor a'i chymryd yn fy mreichiau cyn mynd at ddrws cefn y dafarn, ei agor a rhoi Sws y gath allan yn yr awyr agored.

Ymhen hir a hwyr daeth Morfudd, y Bwa Bach a'r pererinion allan o'u llesmair a dechrau codi ar eu traed. Clywais nifer fawr ohonynt yn mwmial y gair 'gwyrth' wrth iddynt brynu holl gynnwys y stondin gofroddion a gadael y dafarn i ledaenu'r neges.

Cerddais draw at Morfudd a'r Bwa Bach. 'Gwych iawn. Mi wnaethoch chi lwyddo i'w twyllo nhw, yn union fel y gwnaeth Madog ac Iolo.'

'Twyllo? Chlywaist ti 'mo'r gath yn dweud y byddwn i'n treulio tragwyddoldeb ym mherfeddion tanllyd uffern pe na bawn i'n gweld y goleuni?' taranodd Morfudd.

'Roedd geiriau'r gath yn ddychrynllyd!' meddai'r Bwa Bach gan anelu am y drws cefn i gael ychydig o awyr iach yn dilyn ei brofiad ysbrydol dwys.

Roeddwn i'n argyhoeddedig fod y ddau, fel Madog ac Iolo y diwrnod cynt, wedi creu rhyw fath o gast dichellgar. Ond treuliodd Morfudd a'r Bwa Bach weddill y dydd yn tyngu bod y gath wedi siarad. Cawsant gymaint o ofn nes iddyn nhw benderfynu nad oedden nhw am adrodd cerddi'r beirdd i'r pererinion o hynny ymlaen.

O ganlyniad, bu'n rhaid i mi a Wil ddysgu'r cerddi priodol dros nos a chymryd lle Morfudd a'r Bwa Bach drannoeth.

Roedd y siopwr cybyddlyd Owen ab Owain wedi bod wrthi'n brysur am y drydedd noson yn olynol, yn paratoi mwy o gofroddion erbyn y bore yn y gobaith y byddai'r newyddion am wyrth yr Hen Lew Du wedi lledaenu ymhellach.

Ac yn wir, pan agorodd Dyddgu ddrws y dafarn toc wedi

Terce drannoeth roedd dros hanner cant o bobl yn aros yn eiddgar mewn rhes i weld olion Sant Gwbert.

Y drefn oedd bod Madog, Iolo, Morfudd a'r Bwa Bach yn cymryd y tâl mynediad gan yr haid o bererinion cyn iddynt gael eu tywys i ystafell ochr y dafarn i gael lluniaeth, sef *canapés* a gwin gwan, tra oedd Wil a minnau'n eu cyfarch.

Chefais i ddim cyfle i fwyta brecwast y bore hwnnw am fod Dyddgu'n rhy brysur i'w baratoi, felly mi helpais fy hunan ar y slei i sawl *canapé* yn y gegin, cyn i Dyddgu a Wil weini'r bwyd a'r gwin i'r werin oedd wedi ymgynnull yn y dafarn.

'Mae'r *canapés* 'ma'n flasus iawn, Wil. Pam na gymeri di un?' gofynnais, gan gymryd arnaf mai dim ond un ohonynt roeddwn i wedi'i fwyta.

'Na. Dim diolch, syr,' meddai Wil, gan geisio osgoi edrych i fy llygaid. 'A dwi'n awgrymu na ddylet ti fwyta mwy ohonynt chwaith,' ychwanegodd, cyn codi ei blât gwag a pharatoi i dywys y pererinion at y Crair Sanctaidd.

'Na rhyw drwsiad rhag brad braw, Swydd ddirnad, y sydd arnaw,' adroddais yn ddiweddarach. Roedd Madog wedi mynnu bod ei gwpled cyfarch yn rhan o'r cytundeb.

Amneidiodd y pererinion i ddangos eu bod wedi'u plesio, gan stwffio'r *canapés* i'w cegau'n awchus.

Cododd Wil ar ei draed a moesymgrymu. 'Pererindawd ffawd ffyddlawn, Perwyl mor annwyl mawr iawn, Myned, mau adduned ddain, Lles yw, tua Sant Gwbert,' meddai, gan grychu'i drwyn ac adrodd cywydd cyfarwydd Iolo Goch heb unrhyw arddeliad.

Ar ôl i'r pererinion orffen bwyta ac yfed, cawsant eu tywys gennym i'r prif far lle byddai Wil a minnau'n adrodd hanes bywyd Sant Gwbert ac yn adrodd nifer o gerddi.

Wrth imi gerdded i mewn i'r ystafell ochneidiais mewn rhyddhad o weld nad oedd y fronfraith na'r gath wedi dychwelyd. Syllais ar Grair Sant Gwbert ar yr allor yng nghanol y dafarn.

Yna, gwae ac och! Yn sydyn, gwelais y dwylo'n codi oddi ar

y cwpan a'r bysedd yn pwyntio tuag ataf. Yn raddol, gwelais wyneb yn ffurfio yng nghanol y cwpan a chlywais y geiriau, 'Edifarha'r pechadur sydd wedi cyflawni o leiaf un o'r pechodau marwol.'

Sefais yn gegagored am ennyd cyn bloeddio, 'Mae'n wyrth! Mae'n wyrth! Mae'r Crair yn siarad. Maddeuwch imi fy mhechodau marwol!' Pwyntiais at y Crair Sanctaidd oedd yn dal i lefaru, gan restru fy nghamweddau. Edrychais i gyfeiriad Wil, oedd yn sefyll yno'n fud yn fy ngwylio'n ofalus. Troais yn ôl i wynebu'r Crair.

'Rydych chi'n iawn. Mae'n rhaid imi roi'r gorau i fy ymddygiad ymffrostgar,' meddwn, gan syrthio ar fy ngliniau. 'Maddeuwch imi am honni mai myfi sy'n ysgrifennu fy ngherddi...' dechreuais, cyn i Wil roi ei law dros fy ngheg i'm hatal rhag dweud mwy.

Clywais y pererinion o f'amgylch yn cyfaddef eu pechodau hwythau hefyd.

Does gen i fawr o gof o'r hyn a ddigwyddodd wedyn, ond ymhen hir a hwyr mi ddes i a'r pererinion allan o'n llesmair, a dechrau codi ar ein traed. Clywais nifer fawr ohonynt yn mwmial y gair 'gwyrth'.

Troais at Wil. 'Dwi wedi gweld gwyrth, Wil. Chlywest ti 'mo'r Crair yn dweud y byddwn i'n treulio tragwyddoldeb ym mherfeddion tanllyd uffern pe na bawn i'n gweld y goleuni?' gofynnais yn llawn rhyfeddod.

Edrychodd Wil arna i'n gyhuddgar.

'Sawl *canapé* fwytest ti, syr?' gofynnodd, wrth iddo fy helpu i godi ar fy nhraed.

'Dim ond un...' dechreuais. Cododd Wil ei ael chwith. '... dim ond un ar hugain,' gorffennais yn euog. Amneidiodd fy ngwas â'i ben cyn fy nhywys at y drws cefn i gael ychydig o awyr iach.

'Beth ddigwyddodd, Wil? Mae pawb sydd wedi ymweld â Chrair Sanctaidd Sant Gwbert wedi gweld gwyrth yn ystod y tridiau diwethaf, heblaw amdanat ti. Dwi'n amau bod gen ti esboniad,' ychwanegais, gan eistedd ar foncyff hen goeden. Daeth y gath o rywle a neidio i fy nghôl i gael mwythau, gan fewian wrth iddi syllu'n eiddgar ar fronfraith oedd yn ei gwawdio ym mrigau'r ywen gerllaw.

Ond cyn i Wil gael cyfle i ateb clywais sŵn canu yn y pellter, y math o ganu aflednais y byddem yn ei glywed yn blygeiniol o gynnar yn ystod ymweliadau ein bagad barddol ag abaty, priordy neu eglwys gadeiriol. Yna gwelais fod degau ar ddegau o bobl wedi ymgynnull fel byddin ar Fanc y Warren uwchlaw yr Hen Lew Du. O'u blaenau safai dwsin o ddynion mewn gwisgoedd gwyn. Y Sistersiaid. Ac ar flaen y fintai roedd dyn bach yn cael ei gario ar sedd gan hanner dwsin o'r Brodyr Gwynion.

VII

Ymhen hir a hwyr cyrhaeddodd y fintai y dafarn. Cododd y dyn bach o'i gadair a chyflwyno'i hun fel Abad Ystrad Fflur. Hwn felly oedd Llywelyn Fychan, teyrn newydd tiroedd Priordy Aberteifi. Ar yr olwg gyntaf edrychai Llywelyn Fychan yn debycach i filwr na mynach, am fod ganddo graith hir ar draws ei wyneb. Ni fyddwn am gwrdd â hwn mewn cornel dywyll ym mherfedd nos, meddyliais wrth i Madog, Iolo, Dyddgu, Morfudd a'r Bwa Bach ymuno â Wil a minnau y tu allan i'r dafarn.

Esboniodd Llywelyn Fychan iddo fod yn ymweld â Lleiandy Llanllŷr ar wastadedd Dyffryn Aeron, a'i fod yn bwriadu ymweld â'r tiroedd newydd a ddaeth i'w law o Briordy Aberteifi yn ddiweddarach yr wythnos honno. Ond yn y cyfamser roedd wedi cael gwybod bod gwyrthiau'n cael eu cyflawni mewn tafarn ddi-nod yn Aberteifi.

'Penderfynais ddod i weld y gwyrthiau hyn gyda'm llygaid fy hun, ac rwyf wedi dod â'r dorf a welwch chi y tu ôl imi ar bererindod ugain milltir dros y diwrnod diwethaf,' meddai mewn llais cras. 'Ble mae olion Sant Gwbert? Gadewch i ninnau brofi'r gwyrthiau. Pwy sy'n gyfrifol am y dafarn hon?' gwaeddodd, a daeth bloedd o gytundeb o'r tu cefn iddo.

Camodd Dyddgu'n betrusgar o flaen yr abad a chyflwyno'i hun gan foesymgrymu.

'Myfi yw perchennog y dafarn,' meddai.

Ymledodd gwên gam ar draws wyneb yr abad.

'O na. Mae'r dafarn hon yn sefyll ar dir sydd bellach yn eiddo i Abaty Ystrad Fflur. O ganlyniad myfi, Llywelyn Fychan, yw'r perchennog, fy merch,' meddai. 'Cawn drafod telerau eich rhent maes o law,' ychwanegodd, gan gamu heibio iddi a'n hannerch ni a'r hanner cant o bererinion oedd yn sefyll o'i flaen.

'Pwy welodd y wyrth?' galwodd.

'Nid *gwyrth* ond *gwyrthiau*, syr,' meddai Madog Benfras, gan gamu o flaen y dorf. Cyflwynodd ei hun fel bardd oedd yn aelod o Gymdeithas y Cywyddwyr, Rhigymwyr, Awdlwyr a Phrydyddion.

'Tawelwch! Nid yw hynny o bwys. A welsoch chi wyrth?'

'Do,' atebodd Madog cyn disgrifio'r tair gwyrth, gan orliwio'r cyfan i geisio creu argraff ar yr abad.

Yna camodd Iolo, Morfudd a'r Bwa Bach ymlaen yn eu tro i gadarnhau adroddiad Madog, gan efelychu ei ymdrechion i ddarbwyllo'r abad.

Gwrandawodd Llywelyn Fychan yn astud ar adroddiadau tebyg o blith y llu o bererinion a welodd olion Sant Gwbert yn siarad.

'Mae'n rhaid imi eich rhybuddio fy mod i'n casáu honiadau ffug am wyrthiau. Rwy'n treulio llawer gormod o amser yn teithio ar hyd a lled y wlad yn ymchwilio i honiadau bod esgyrn y sant hwn neu'r santes arall wedi'u darganfod, ac yn aml esgyrn mochyn neu ddafad ydyn nhw wedi'r cyfan,' meddai, gan droi i wynebu'r Brodyr Gwynion a'r fintai oedd yn sefyll y tu ôl iddo. 'Rwy'n casáu honiadau ffug! Maen nhw'n bla ar ein hoes! Pla ar ein crefydd! Pla ar ein hachos!' gwaeddodd, gan dderbyn bloedd arall o gefnogaeth.

Trodd yr abad i'n hwynebu ni unwaith eto. 'Os yw taeogion a beirdd yn gallu gweld gwyrthiau, yna dylai Abad Ystrad Fflur allu eu gweld hefyd. Ewch â ni at Grair Sanctaidd Sant Gwbert,' meddai'n awdurdodol. Eisteddodd yn ôl yn ei gadair a chafodd ei gario gan ei osgordd i ganol y dafarn lle gosodwyd y gadair o flaen y Crair Sanctaidd.

Cododd i annerch y dorf oedd wedi gwthio i mewn i'r dafarn ac oedd yn aros yn eiddgar i weld gwyrth.

'Rwy'n eich rhybuddio eto. Os na fyddaf yn gweld gwyrth erbyn i gloch y priordy daro *Nones* mi fydd pawb sy'n honni iddyn nhw weld gwyrth yn cael eu fflangellu'n noeth a'u gosod yn y pilori yn Aberteifi,' meddai. Pwyntiodd ei fys i gyfeiriad Madog, Iolo, Morfudd, y Bwa Bach ac yn olaf, ac am gyfnod hirach na'r gweddill, ataf i, Dafydd ap Gwilym.

Gwyddwn mai ffawd debyg i'r un a ddioddefais yn Ffair Llanidloes fyddai'n dod i'm rhan pe na bai'r abad yn gweld gwyrth gyda'i lygaid ei hun.

VIII

Dros yr oriau nesaf, gallwn glywed o bryd i'w gilydd yr abad yn mwmial, 'Bronfraith yn siarad! Cath yn siarad! Y Crair ei hun yn siarad! Pa!'

Roedd Wil, Dyddgu, Morfudd, y Bwa Bach, Madog, Iolo a minnau wedi cilio i'r gegin. Roedd y bar yn orlawn o bobl yn syllu ar y Crair Sanctaidd, yn aros am wyrth.

'Felly beth wnaeth y fronfraith, Sws y gath a'r Crair ei hun ddweud wrthoch chi i gyd?' gofynnodd Dyddgu, gan osod tair potel o win o'n blaenau.

Symudodd pawb yn anghyffforddus yn eu cadeiriau.

'Dywedodd y meistr wrthyf fod y Crair yn ceryddu'r pererinion am gyflawni'r saith pechod marwol,' meddai Wil, gan symud o gwmpas y bwrdd yn arllwys gwin i bawb, 'sef godineb,' ychwanegodd, gan arllwys gwin i dancard Morfudd, '... a thrachwant,' meddai, gan roi gwin i'r Bwa Bach, '... a glythineb a chenfigen,' sibrydodd yng nghlust Madog wrth iddo weini ar hwnnw, '... heb sôn am ddiogi a llid,' meddai wrth arllwys gwin i dancard Iolo, 'a balchder,' gorffennodd, gan arllwys gweddillion y botel i'm tancard innau.

'Mae hynny'n wir,' meddai Madog, 'ond dim ond fy rhybuddio i wnaeth y fronfraith rhag ofn imi grwydro oddi ar lwybr cyfiawnder.'

'A minnau hefyd. Rwyt ti wedi'i deall hi i'r dim, fel arfer, Madog,' cytunodd Iolo.

'Yn hollol,' ebychodd Morfudd.

'Cytuno'n llwyr,' meddai'r Bwa Bach.

Bu tawelwch ymysg y rhagrithwyr am ennyd wrth iddyn nhw hanner disgwyl cael eu taro gan daranfollt am ddweud y fath gelwydd. Ond roeddwn i'n gwybod y gwir.

'Amser a ddengys a fyddwch chi'n dal i droedio llwybr cyfiawnder,' meddwn, gan edrych i fyw llygaid Morfudd. 'Chlywais i ddim byd, wrth gwrs, felly mae fy nghydwybod i'n hollol glir,' ychwanegais, gan edrych ar Wil. Diolch i'r nefoedd bod hwnnw wedi rhoi ei law dros fy ngheg cyn i neb glywed fy nghyfaddefiad innau.

'Rwy'n dyst i hynny, syr,' meddai Wil.

'Ond beth os na fydd yr abad yn gweld gwyrth cyn *Nones*?' gofynnodd Dyddgu.

'Os ydyn *ni* wedi gweld y gwyrthiau, does bosib na fydd dyn mor grefyddol â'r abad yn dyst i wyrth heno,' meddai Morfudd.

'Hmmm. Dwi ddim yn siŵr am hynny,' meddai Wil gan grychu'i wyneb.

'Pam hynny, Wil?' gofynnodd y Bwa Bach.

Pesychodd Wil a dod i sefyll o'n blaenau.

'A dweud y gwir, mae gen i gyfaddefiad bach,' meddai. Griddfanais.

'Myfi oedd yn gyfrifol am y gwyrthiau.'

'Ti? Gwas o'r taeog-frid? Amhosib!' ebychodd Madog.

Dechreuodd pawb chwerthin a siglo'u pennau mewn anghrediniaeth.

'Rwy'n dweud y gwir wrthoch chi. Mall rhyg neu'r *ergot of rye*, fel mae'r Saeson yn ei alw, oedd yn gyfrifol,' meddai Wil. 'Mae'r mall yn ffwng sy'n tyfu mewn bara sydd wedi'i wneud o ryg. Ac mae ei effaith yn cynyddu wrth i'r bara heneiddio.'

'Ond beth yw'r cysylltiad rhwng y mall rhyg yma a'n gweledigaethau?' gofynnodd Morfudd.

'Y mall rhyg a achosodd eich rhithwelediadau. Nid yw effaith y mall yn andwyol iawn os ydych chi'n bwyta ychydig ohono. Dyna pam y torrais i'r bara'n ddarnau bychan. Ond mae'n gwneud i bobl weld a chlywed pethau anhygoel, ac yn gwneud iddyn nhw deimlo'n euog am eu camweddau,' atebodd Wil.

'Ond fachgen, sut oeddet ti'n gwybod am y mall rhyg 'ma?' gofynnodd y Bwa Bach.

'Mi welais ei effaith pan oeddwn i'n gogydd ym myddin Edward y Trydydd yn y rhyfel creulon yn erbyn Ffrainc. Bu'n rhaid inni wneud bara o ryg o safon isel yn dilyn cynhaeaf gwael yn Ffrainc toc cyn brwydr St Omer yn 1343. Ymhen munudau wedi iddyn nhw fwyta'r bara roedd pawb yn gweld pethau dychrynllyd ac annaearol. Mi sylwais hefyd fod y weledigaeth a gafodd y milwr cyntaf yn dylanwadu ar y gweddill a bod pawb yn gweld yr un peth.'

'Dwi wedi clywed am y fath ddigwyddiad, lle mae personoliaeth unigolyn cryf yn dylanwadu ar bobl sydd â phersonoliaeth wannach nag e,' meddai Madog Benfras.

'Ti yn llygad dy le, Madog. Yn hollol. Cytuno'n llwyr,' meddai Iolo.

'Ond pam fyddet ti'n gwneud y fath beth?' gofynnodd Dyddgu.

'Roeddwn am wneud rhywbeth a fyddai'n denu pererinion, er mwyn achub y dafarn,' meddai Wil, gan edrych yn siriol ar Dyddgu.

'Y ffwlbart!'

'Felly fydd yr abad ddim yn gweld gwyrth heno,' meddai Morfudd.

Amneidiodd Wil â'i ben i gytuno.

'... sy'n golygu y byddwn ni'n cael ein fflangellu'n noeth yn Aberteifi...' taranodd Madog.

'... ac yn cael ein gosod yn y pilori,' ategodd Iolo.

Bu tawelwch am gyfnod hir.

'Mae gen i un syniad...' meddai Wil o'r diwedd. 'Tybed a yw'r abad yn teimlo'n llwglyd erbyn hyn?'

Cerddodd i'r pantri a thorri'r bara oedd yn weddill yn ddarnau mân, yna gosod ychydig o'r sewin ar bob darn. Cerddodd allan o'r gegin a chamu'n araf at y fan lle eisteddai'r abad, oedd yn dal i fwmial iddo'i hun. 'Bronfraith yn siarad! Cath yn siarad! Y Crair ei hun yn siarad! Pa!'

Moesymgrymodd Wil o flaen yr abad a gwthio'r plât pren o'i flaen.

'A hoffech chi ychydig o luniaeth ysgafn tra byddwch chi'n aros am y wyrth?' gofynnodd.

Syllodd yr abad ar y bwyd oedd ar y plât o'i flaen.

'Dim diolch,' meddai. 'Dwi ddim wedi bwyta bara ers imi gael torth yn llawn mall rhyg. Roeddwn i'n gweld pethau dychrynllyd ac annaearol am ddyddiau.'

Cododd Wil ar ei draed, troi, a'n gweld ni'n sefyll yn nrws y gegin yn rhythu arno.

IX

Canodd clychau Priordy Aberteifi i ddynodi ei bod hi'n amser *Nones*.

Ochneidiodd Llywelyn Fychan a chodi ar ei draed. Trodd at yr hanner dwsin o Frodyr Gwynion a safai y tu ôl iddo.

'Fel y gwelwch, does dim gwyrth wedi'i chyflawni. Rwy'n casáu honiadau ffug! Maen nhw'n bla ar ein hoes! Pla ar ein crefydd! Pla ar ein hachos!' gwaeddodd. Daeth bloedd o gymeradwyaeth o blith y pererinion yn y dafarn. 'Nawr mi fydd y rheiny a honnodd eu bod wedi gweld gwyrth yn cael eu fflangellu'n noeth a'u gosod ym mhilori Aberteifi,' ychwanegodd, gan bwyntio i gyfeiriad Madog, Iolo, Morfudd, y Bwa Bach ac yn olaf, ac am gyfnod hirach na'r gweddill unwaith eto, ataf i, Dafydd ap Gwilym.

Gyda hynny, daeth Sws y gath i mewn i'r dafarn gyda'r fronfraith yn ei cheg. Edrychai'n falch ohoni'i hun am ddal yr aderyn roedd wedi bod yn ei lygadu ers dyddiau. Ac fel pob cath gwerth ei halen roedd am ddangos ei gorchest i bawb. Cerddodd draw at yr abad, gollwng y fronfraith wrth ei draed, yna cerdded yn osgeiddig allan o'r dafarn.

Cododd Llywelyn Fychan yr aderyn a'i ddal yn ei ddwylo am ennyd. 'Mae hwn yn farw gelain. Yn oer fel marmor,' meddai cyn ei luchio i gyfeiriad y gegin, lle llwyddais innau i'w ddal cyn iddo gwympo i'r llawr. 'Oes rhywun yn mynd i gyflawni gwyrth a dadebru'r aderyn?' gwaeddodd yr abad yn goeglyd. Daeth bloedd o chwerthin o gyfeiriad y dorf.

Fel y gwyddoch, ddarllenwr ffyddlon, mae Dafydd ap Gwilym yn fardd natur, ac yn gyfaill i adar o bob lliw a llun. Teimlais drueni dros y fronfraith fach wrth imi ei dal yn fy nwylo. Yna, teimlais symudiad yn erbyn cledr fy llaw. Ai curiad calon bach gwan ydoedd, tybed? Rhedais yn gynhyrfus at yr allor, tynnu'r esgyrn allan o'r cwpan a thywallt ychydig o win oedd mewn potel ar fwrdd gerllaw i mewn i'r hen gwpan pydredig. Arllwysais ychydig o'r gwin o'r cwpan ar fy mysedd a'i roi ar big y fronfraith. Yn araf bach, agorodd y fronfraith ei llygaid. Rhoddais fwy o win ar ei phig a dechreuodd yr aderyn ddadebru fesul tipyn. Pan welodd y pererinion yr aderyn yn curo'i adenydd, ymledodd ochenaid o ryfeddod ar draws y dorf. Yn sydyn, hedfanodd y fronfraith o'm dwylo ac esgyn i nenfwd y dafarn.

Dechreuodd y dorf weiddi 'Gwyrth!' a syrthio ar eu pengliniau, gan syllu ar y fronfraith nes iddi lwyddo o'r diwedd i hedfan allan trwy ddrws cefn y dafarn.

'Na!' gwaeddodd Llywelyn Fychan. 'Dyw hyn ddim yn bosib. Roedd yr aderyn yn oer. Roedd e'n gelain. Roedd e'n... farw!'

'Lle mae bywyd mae gobaith,' meddwn innau dan fy anadl, gan barhau i ddal yr hen gwpan yn fy llaw.

'Gwyrth! Gwyrth!' parhaodd y pererinion i weiddi. Erbyn hyn roedd wyneb yr abad yn goch a llawn dicter. Ond bu'n rhaid iddo dderbyn ei fod ef ei hun wedi dweud bod yr aderyn wedi marw, cyn i bawb weld y fronfraith yn dod yn fyw eto. Doedd ganddo ddim dewis ond cyfaddef ei fod wedi gweld gwyrth.

X

Llwyddodd yr abad i ddial arnom yn y pen draw, serch hynny, drwy fynnu bod olion Sant Gwbert yn mynd i Ystrad Fflur i'w cadw mewn man sanctaidd am byth, yn hytrach na thafarn gyffredin.

Cyn i'r osgordd adael y dafarn ar ei thaith yn ôl i ogledd Ceredigion y noson honno trodd Llywelyn Fychan i gyfarch Dyddgu, oedd yn sefyll ymhlith aelodau Cymdeithas y Cywyddwyr, Rhigymwyr, Awdlwyr a Phrydyddion.

'Mi fydd yn rhaid inni drafod eich telerau rhent newydd, Dyddgu ferch Ieuan,' meddai, gan afael yn dynn yn y cwpan pren oedd yn dal olion Sant Gwbert. 'Rwy'n awyddus i weithredu cynllun newydd sydd ar y gweill gennym yn Ystrad Fflur ac efallai y gallwch chi ein helpu. Bydd angen ichi deithio i Ystrad Fflur mewn ceffyl a chert i'r perwyl hwnnw. Gyda llaw, diolch ichi am eich rhodd garedig i'r abaty.'

Moesymgrymodd Dyddgu ac amneidio â'i phen, gan wybod nad oedd ganddi unrhyw ddewis ond gadael i Llywelyn Fychan ddwyn y Crair Sanctaidd.

Trodd yr abad i gyfarch y Bwa Bach a Morfudd. 'Efallai y gallai Dyddgu a'ch bagad barddol chi deithio i Ystrad Fflur i adrodd eich cerddi i'r Brodyr Gwynion yno, ymhen rhyw bythefnos.'

'Yn anffodus, mi fyddwn ni'n teithio yn ardal Uwch Aeron bryd hynny...' dechreuodd y Bwa Bach, cyn i Morfudd ei bwnio yn ei asennau a chymryd yr awenau.

'... ond mi fydd hi'n bleser ychwanegu lleoliad ysblennydd Ystrad Fflur at ein taith,' meddai, gan wybod yn iawn mai gorchymyn yn hytrach na gwahoddiad oedd hwn gan yr abad pwerus.

'Da iawn. Ac mi gaiff y beirdd gyfle i weld holl drysorau llenyddol ein cenedl, sy'n ddiogel ar gof a chadw yn y sgriptoriwm,' meddai'r abad cyn camu ar ei gadair a ffarwelio.

Wrth i Wil a minnau wylio'r fintai'n diflannu dros Fanc y Warren trodd Wil ataf a dweud yn dawel, 'Mae'n ffodus mai dim ond dioddef o ryw fath o sioc oedd y fronfraith.'

'Dwi ddim yn siŵr am hynny, Wil. Roedd yr aderyn yn hollol oer. Dwi ddim yn hollol sicr a deimlais i galon y fronfraith yn curo ai peidio, a dwi'n amau bod rhyw rym arallfydol wedi fy arwain i roi gwin yn yr hen gwpan pydredig 'na a'i roi ar big y fronfraith. Roedd yn union fel petai rhywun neu rywbeth yn fy ngorfodi i wneud hynny,' meddwn.

'Roedd yn brofiad ysbrydol iawn ta beth,' meddai Wil. 'Bron fel petaet ti'n cynnal yr offeren wrth roi'r gwin i'r fronfraith.'

A dyna sut y cafodd Wil a minnau y syniad am ein cerdd fythgofiadwy 'Offeren y Llwyn': 'Mi a glywn mewn gloywiaith Ddatganu, nid methu, maith. Ddarllain i'r plwyf, nid rhwyf rhus, Efengyl yn ddifyngus'. Un o'n cerddi gorau, heb os nac oni bai.

Yn sydyn, cofiais beth ddywedodd Wil wrth y siopwr cybyddlyd Owen ab Owain pan brynais yr hen gwpan pydredig a'r olion.

'Sut ddaeth Owen ab Owain o hyd i'r hen gwpan 'na eto?' gofynnais, gan weld o'i ymateb fod yr un syniad yn gwawrio ym mhen Wil.

'Mi ddywedodd ei fod wedi prynu'r cwpan oddi wrth feudwy oedd yn teithio drwy Aberteifi yn ddiweddar. Roedd e'n honni mai'r cwpan oedd y Greal Sanctaidd a gludwyd i Gymru gan Joseff o Arimathea ganrifoedd maith yn ôl,' atebodd Wil.

Bu tawelwch rhyngom am ychydig wrth inni ystyried gwyrth y fronfraith, y gwin, a'r hen gwpan pydredig.

Griddfanais yn hir. 'O, Wil! Efallai fod y Greal Sanctaidd ei hun wedi bod yn ein dwylo am ychydig. Meddylia am yr holl waith da y gallem fod wedi'i gyflawni gyda'r Greal Sanctaidd yn ein meddiant.'

'Yn hollol. Heb sôn am y posibiliadau ariannol,' meddai Wil. Edrychais yn ddig ar fy ngwas am iddo wneud sylw mor farus.

'Fydden ni ddim wedi gwneud unrhyw beth o'r fath... heblaw am godi arian i dalu am ein treuliau, wrth gwrs.'

'Ond syr, mi fyddwn ni'n teithio i Ystrad Fflur ymhen pythefnos. Petaen ni'n dod o hyd i gwpan tebyg, mi allen ni ei gyfnewid am y Greal Sanctaidd,' awgrymodd Wil.

'Syniad da, Wil,' atebais gan wenu. Roeddwn yn ysu i gael gafael ar y Greal Sanctaidd eto ac mi fyddai perfformio yn fy *alma mater*, sef Ystrad Fflur, yn gyfle euraid i wneud hynny. Ac felly y dechreuodd ein taith ar drywydd y Greal Sanctaidd. Duw a ŵyr pa beryglon y byddai'n rhaid i Wil a minnau eu hwynebu ar ein taith. Ond roeddwn yn gwbl ffyddiog na fyddem yn methu yn ein gorchwyl.

I

Roeddwn wedi codi'n blygeiniol o gynnar y bore hwnnw o hydref i deithio'r pymtheg milltir i'r de-ddwyrain o Lanbadarn Fawr, trwy ardal Penweddig ac Is Aeron, gyda bagad barddol Cymdeithas y Cywyddwyr, Rhigymwyr, Awdlwyr a Phrydyddion.

Roeddem eisoes wedi cynnal nosweithiau o glera llwyddiannus mewn llysoedd yng Nglyn Aeron, Uwch Aeron a'r Morfa Bychan yng ngogledd Ceredigion yr wythnos honno. Nawr roeddem ar ein ffordd i gynnal perfformiad olaf y daith yn Abaty Ystrad Fflur. Hwn, felly, fyddai fy nghyfle i gael fy nwylo ar y Greal Sanctaidd unwaith eto.

'Rwy'n edrych ymlaen yn arw,' meddai Madog, wrth inni deithio drwy diroedd Urdd Marchogion Sant Ioan yn Ysbyty Ystwyth. 'Mi fu Iolo a minnau'n clera yma ryw dair blynedd yn ôl ac roedd lletygarwch y Brodyr Gwynion yn wych.'

'Cytuno'n llwyr, Madog. Digon o fwyd a gwin heb ei ail, a'r cyfan am ddim,' meddai Iolo Goch.

Roeddwn i, serch hynny, wedi clywed bod yr abad newydd, Llywelyn Fychan, wedi ennill enw drwg iddo'i hun ar ôl iddo ddisodli ei ragflaenydd, Clement ap Richard, flwyddyn ynghynt. Nid oedd yr abad newydd wedi creu argraff dda arnaf yn ystod ei ymweliad â'r Hen Lew Du yn Aberteifi chwaith. Roedd yr holl weiddi a tharanu'n ddiurddas. Yn wir, roedd yn enghraifft berffaith o ddyn bach yn gorfod gweiddi a'i lordio hi dros bawb i guddio'i wendidau ei hun. A chadarnhawyd fy amheuon yn fuan iawn.

Yn dilyn ein perfformiad gwych ar nos Lun yr wythnos honno, dywedodd Ieuan Fychan ab Ieuan Fwyaf wrthyf yn ei lys yn y Morfa Bychan ger Aberystwyth fod Llywelyn Fychan eisoes wedi cael dirwy o ugain punt am ddwyn saith marc o gist oedd dan ofal yr abaty. Hefyd, honnodd Ieuan Fychan fod Llywelyn Fychan wedi prynu cig carw gan ladron a oedd wedi dwyn y ceirw oddi ar ei dir yntau. Ar ben hynny, soniodd gwraig

Ieuan Fychan fod Llywelyn Fychan dan amheuaeth o ddwyn pymtheg marc oddi ar offeiriad yng nghwmwd Pennardd.

'Clywais fod yr abad newydd yn rhoi lloches i berthynas iddo, Adda ap Rhys ap Madog, oedd yn fedel yng nghwmwd Perfedd, cyn i hwnnw gael ei wahardd o'r ardal am ryw gamwedd neu'i gilydd,' meddai Wil, wrth inni deithio drwy ddyffryn hyfryd, ond serth, Ffair-rhos, ryw bum milltir o'r abaty.

Roedd Dyddgu hefyd wedi teithio gyda'r bagad barddol dros yr wythnos gynt, wrth gwrs, ar gais Llywelyn Fychan, a bu i'w chert hwyluso'r daith gan arbed traed pawb.

'Rwyf innau wedi clywed sïon digon amheus am Llywelyn Fychan hefyd,' meddai Dyddgu gan lywio'r gert a'r ceffyl drwy bentref Pontrhydfendigaid. 'Mae'n debyg bod dau o fynachod Abaty Ystrad Fflur wedi ymosod ar ddau o fwrdeisiaid Aberteifi a dwyn ugain punt oddi arnynt tra oedden nhw'n teithio ar hyd Llwybr y Mynachod rhwng Abaty Cwm-hir ac Ystrad Fflur.' Ochneidiodd. 'Dwi ddim yn edrych ymlaen at drafod y cynllun sydd gan yr abad mewn golwg o gwbl. Dwi'n ofni mai cnaf o'r radd flaenaf yw Llywelyn Fychan a'i fod am gymryd perchnogaeth o'r Hen Lew Du ar ran yr abaty.'

'Wel, dwi o'r farn bod Llywelyn Fychan yn ddyn chwaethus iawn,' meddai Morfudd, a fu'n gwrando ar ein sgwrs o gefn y gert.

'Does dim ots gen i ai diafol neu angel yw'r boi,' meddai'r Bwa Bach. 'Cyn belled â'i fod yn ein talu ni am ein gwasanaeth.'

Roeddwn i, wrth gwrs, wrth fy modd yn clywed am ymddygiad gwarthus Llywelyn Fychan, yn bennaf am fod hynny'n lleddfu fy nghydwybod am fy mwriad i geisio ailgipio'r Greal Sanctaidd.

Yn sydyn, daeth yr abaty i'r golwg am y tro cyntaf, ac roedd yn olygfa drawiadol. Ymlwybrai afon Teifi'n araf drwy diroedd ucheldir Ceredigion uwchlaw Cors Caron. Ac yno, yng nghanol y gwastadedd o gaeau a choedlannau, lle'r oedd cannoedd o ddefaid yn pori'n dawel, safai abaty Sistersaidd mawreddog ac urddasol Ystrad Fflur.

Rhyfeddais at y twr uchel oedd yn ymestyn tua'r nefoedd

ac at weddill yr adeilad, a oedd ar ffurf croes yn rhedeg o'r dwyrain i'r gorllewin. Edrychai'r abaty'n ysblennydd wrth i haul gwan yr hydref ddisgleirio ar y clochdy uwchben porth gosgeiddig y gorllewin.

Roedd yr abaty hwn wedi cynnal y Brodyr Gwynion ers iddo gael ei sefydlu bron i ddwy ganrif ynghynt dan nawdd yr Arglwydd Rhys. Ers hynny roedd y gymuned hon, a fugeiliai ddefaid a gwartheg ar eu tiroedd eang, wedi gwneud ffortiwn drwy werthu gwlân. Heb os nac oni bai, Ystrad Fflur erbyn hyn oedd prif ganolfan ddiwylliannol Cymru. Yma, yn llyfrgell anferth yr abaty, yr oedd cronicl hanes ein gwlad, sef Brut y Tywysogion. Yn bwysicach na hynny, yma hefyd yr oedd yr unig gopi o farddoniaeth y Gogynfeirdd.* Ac yn bwysicach fyth, fel y soniais eisoes, dyma lle cafodd y bardd uchel ei barch, Dafydd ap Gwilym, ran o'i addysg yn ystod ei arddegau cynnar.

'Hwn, gyfeillion, yw fy *alma mater*. Y lleoliad lle dechreuodd y bardd Dafydd ap Gwilym ddysgu am brydferthwch barddoniaeth a diwylliant ein gwlad,' meddwn, cyn dechrau hel meddyliau.

A! Dyddiau bore oes! Llifodd yr atgofion yn ôl. Yr hwyl a'r miri ymysg fy nghyd-ddisgyblion. Ble oedd fy ffrindiau bore oes nawr, tybed? meddyliais. Ble oedd Drewgi Duy, Rhydderch y Rhechwr, a Llywelyn y Llefwr?

Roedd y Brodyr Sistersaidd yn mynnu disgyblaeth lem yn ystod ein gwersi Lladin, Hanes, Cerdd a Cheinlythrennu. Crynais wrth gofio am yr ymolchi dyddiol mewn twb o ddŵr oer. Gwingais wrth gofio'r rhedeg traws gwlad beunyddiol. Ugain milltir i nôl pysgod o draeth Aber-arth, cysgu ar y traeth dros nos, a rhedeg yr ugain milltir yn ôl i'r abaty gyda llond sach o bysgod ar ein cefnau. Rhedodd chwys oer i lawr fy nghefn wrth imi gofio am y crasfeydd dyddiol am gamymddwyn dan law'r abad, Anian Sais.

*Nodyn y Golygydd: Y llyfr mae Dafydd yn cyfeirio ato yw'r enwog Lawysgrif Hendregadredd a fu ar goll cyn cael ei ddarganfod mewn hen wardrob yn ffermdy Hendregadredd, ger Cricieth, yn 1910.

'Am faint fuest ti'n ddisgybl yn yr abaty?' gofynnodd Madog Benfras.

'Chwe mis,' atebais heb feddwl.

'Doedd hynny ddim yn gyfnod hir iawn. Mi dreuliais i saith mlynedd yn astudio yng Nghadeirlan Llanelwy yn ystod fy llencyndod,' broliodd Madog, gan sylwi fod Iolo Goch yn anghyffredin o dawel am unwaith. 'Wrth gwrs, bu'n rhaid i Iolo adael Cadeirlan Llanelwy ar ôl blwyddyn yn unig o addysg am fod ei deulu wedi colli'u harian a'u tir,' ychwanegodd yn wawdlyd. 'Ydw i'n iawn, Iolo?'

'Ti yn llygad dy le, Madog. Ond oes rhaid iti atgoffa pawb drwy'r amser?' meddai Iolo'n dawel.

Trodd Madog ataf i unwaith eto. 'Pam wnest ti adael yr abaty mor fuan? Diffyg nawdd fel Iolo?'

'I'r gwrthwyneb, Madog o'r Benfras frid,' atebais yn hyderus. 'Y gwir yw bod fy nheulu'n meddwl y byddwn i'n cael gwell addysg wrth draed fy ewythr, Llywelyn ap Gwilym, yng Nghastellnewydd Emlyn. Does dim byd tebyg i diwtora personol. A dyna pam mai myfi, Dafydd ap Gwilym, yw pencerdd beirdd CRAP Cymru ac mai tydi yw'r dirprwy,' atebais yn ffroenuchel gan roi Madog yn ei le.

'O leia gest ti gyfle i gael addysg ffurfiol, yn wahanol i ni ferched,' cwynodd Dyddgu, gan orchymyn i'r ceffyl aros o flaen mynedfa'r abaty.

'O na!' ebychodd Morfudd. 'Byddai darllen yr holl lyfrau 'na wedi fy ngwneud i'n sâl.'

'A minnau hefyd, f'anwylyd,' ategodd y Bwa Bach. Ochneidiodd Dyddgu a'r ceffyl ar yr un pryd wrth i'r Bwa Bach ychwanegu, 'Ches i ddim addysg o gwbl. Dwi wedi gwneud fy ffortiwn gyda fy nwylo. Dwi ddim yn meddwl imi golli dim. Addysg bywyd yw'r addysg orau, yntê, Wil?'

'Mi fyddai wedi bod yn braf cael y dewis,' atebodd Wil. 'Mi ddylech chi, Bwa Bach, roi eich profiadau ar gof a chadw, i ddangos ei bod hi'n bosib i daeogion wella'u bywydau.'

Pesychodd y Bwa Bach yn anghyfforddus. 'Na, Wil bach.

Pwy fyddai â diddordeb mewn masiwn cyffredin, er ei fod wedi adeiladu y rhan fwyaf o Eglwys Gadeiriol Tyddewi? Campwaith yn ôl rhai gwybodusion,' atebodd.

Doeddwn i ddim am gyfaddef y gwir i'r gweddill a dweud beth oedd y rheswm go iawn dros imi orfod gadael Abaty Ystrad Fflur bymtheng mlynedd ynghynt. Gwyddwn fod yr abad ar y pryd, Anian Sais, wedi gadael tir y byw erbyn hyn, heddwch i'w lwch. Roeddwn hefyd yn ffyddiog na fyddai unrhyw un arall yn cofio'r bachgen bach golygus, gwaraidd, dengmlwydd oed oedd wedi astudio yno am gyfnod mor fyr. Ond am mai hwn yw fy hunangofiant, dwi'n teimlo ei bod hi'n ddyletswydd arnaf gyfaddef y gwir i chi, ddarllenwr ffyddlon.

Cefais gam, gyfeillion. Cam mawr.

Mae'n ystrydeb mai breuddwyd pob bachgen o'r uchelwrfrid yw bod yn filwr pan fydd yn oedolyn. I'r gwrthwyneb yn fy achos i, gyfeillion. Bardd heddwch yw'r uchelwr Dafydd ap Gwilym. Bardd cariad. Bardd rhamant, bardd y caeau, y llatai, y llwyni a'r perthi. Ond bardd rhyfel? Na.

Fy mreuddwyd i oedd bod yn fynach. Ie, gyfeillion, roeddwn wedi fy swyno gan fyd y Brodyr Gwynion pan oeddwn yn fachgen. Ond aeth fy ngobeithion o astudio i fod yn fynach yn Abaty Ystrad Fflur yn deilchion ar ôl imi gael fy nghyhuddo o adael pwcedaid o flawd uwchben drws y clasty cyn i'r abad, Anian Sais, heddwch i'w lwch, gerdded trwyddo. Rhoddodd ei draed ar y rhaff oedd yn dal y bwced yn ei lle a chwympodd y blawd ar ei ben a'i wneud yn frawd gwyn, yn llythrennol, o'i gorun i'w sawdl.

Roeddwn i'n ddieuog. Ar fy llw. Ond am fy mod wedi cael fy nal yn cyflawni ambell gamwedd fel dwyn afalau o'r berllan, ac ysgrifennu cerddi mewn llawysgrifau yn y sgriptoriwm, myfi, Dafydd ap Gwilym, oedd yr un dan amheuaeth.

Yr unig dystiolaeth yn fy erbyn oedd bod gen i flawd ar fy nwylo! Y gwir oedd fy mod i newydd gael gwers goginio gan y selerwr pan ddigwyddodd y gyflafan. Er imi wadu mai myfi oedd yn gyfrifol, bu'n rhaid imi adael Abaty Ystrad Fflur gyda'm cynffon rhwng fy nghoesau a chwblhau fy addysg yn blentyn maeth yng nghartref fy ewythr Llywelyn yng Nghastellnewydd Emlyn.

II

Agorodd y porth gorllewinol a chamodd yr abad ei hun, Llywelyn Fychan, allan i'n croesawu, yng nghwmni Brawd Gwyn chwyrn ei olwg.

'Croeso i Abaty Ystrad Fflur,' meddai'r abad, cyn troi i gyflwyno'r brawd a safai y tu ôl iddo.

'Gadewch imi gyflwyno fy nirprwy abad newydd, sef fy mherthynas annwyl Adda ap Rhys ap Madog.'

Hwn, felly, oedd y dihiryn a fu'n fedel yng nghwmwd Perfedd, cyn cael ei wahardd o'r ardal am gamwedd anhysbys a chael lloches gan ei berthynas.

Neidiodd Madog Benfras ac Iolo Goch oddi ar y gert, moesymgrymu o flaen yr abad a dechrau ei seboni.

'Na rhyw drwsiad rhag brad braw, Swydd ddirnad, y sydd arnaw,' meddai Madog, yr hen ragrithiwr.

Amneidiodd Llywelyn Fychan yn ddiamynedd a griddfan yn isel.

'Pererindawd ffawd ffyddlawn, Perwyl mor annwyl mawr iawn, Myned, mau adduned ddain, Lles yw, tua Llywelyn Fychan,' meddai Iolo, gan adrodd rhan gyntaf ei gywydd cyfarwydd.

'Dyna ddigon. Dyna ddigon,' meddai Llywelyn Fychan. 'Dyna'r union eiriau a adroddoch chi'ch dau i'r Abad Clement ap Richard pan ddaethoch chi yma dair blynedd yn ôl. Gobeithio bod gennych chi un neu ddwy o gerddi newydd ar ein cyfer,' ychwanegodd yn chwyrn gan edrych dros ysgwyddau'r ddau. 'Ble mae Gruffudd Gryg a Llywelyn Goch ap Meurig Hen? Dyna feirdd o'r iawn ryw.'

Esboniodd Morfudd fod Gruffudd Gryg wedi gorfod ein gadael yn Llanbadarn Fawr i deitho'n ôl i Ynys Môn am nad oedd yn teimlo'n hwylus ar ôl perfformio dair gwaith yn ystod yr wythnos gynt. Roedd Llywelyn Goch hefyd wedi'i esgusodi ei hun am ei fod eisoes wedi addo perfformio o leiaf deirgwaith ym Mhennal y noson honno. Gwyddem y byddai cytseiniaid Llywelyn Goch yn clecian yn ffri wrth iddo berfformio ar gyfer Lleucu Llwyd.

'Dyna drueni. Mi fu Llywelyn Goch yn aros yma'n gynharach eleni,' meddai Llywelyn. 'Beth ddywedodd e amdana i eto, Adda?' gofynnodd i'w ddirprwy.

'Llin, llyw cynefin, llew cynifiad, Llywelyn arall, dedwyddgall dad,' dyfynnodd Adda ap Rhys ap Madog.

Griddfanais. Gallai Llywelyn Goch fod yn gymaint o gynffonnwr â Madog ac Iolo.

'A beth oedd y llinell arall, Adda?'

'Llywelyn wiwbarch, lluniaidd abad.'

'Gwych iawn, yntê?' meddai Llywelyn Fychan cyn troi atom unwaith eto. 'Rwy'n mawr obeithio y bydd eich bagad barddol yn gallu cynnig barddoniaeth o'r un safon nos yfory,' meddai, gan ein harwain drwy borth enfawr y gorllewin.

'Efallai y byddech chi'n fodlon ein tywys o gwmpas yr abaty i'n hysbrydoli?' awgrymais, gan obeithio cael cipolwg ar y Greal Sanctaidd.

'Gyda phleser,' meddai'r abad, cyn iddo ef a'i ddirprwy ein tywys ar hyd corff yr eglwys, heibio côr y mynaich, i'r presbyteri. Yno gwelais esgyrn dwylo Sant Gwbert mewn cwpan ar allor yr eglwys. Ond roedd y cwpan hwn wedi'i wneud o aur.

'Ble aeth y Gre–? dechreuais, cyn atal fy hun. 'Ble mae'r cwpan gwreiddiol oedd yn dal olion Sant Gwbert?' gofynnais mewn penbleth.

'Pa gwpan?' gofynnodd Llywelyn.

'Yr hen un pydredig,' esboniais.

'O, hwnnw. Mi daflais i hwnnw ar ôl imi gael gafael ar... ar ôl imi dderbyn y cwpan aur ysblennydd hwn gan Eglwys

Llanbadarn ar fy ffordd yn ôl o Aberteifi yr wythnos diwethaf.'

'Ond ble mae'r cwpan pydredig nawr?' gofynnais yn wyllt.

'Taflais hwnnw ar y ffordd yn ardal Nanteos. Mae'n siŵr y bydd o ddefnydd i ryw daeog neu'i gilydd,' atebodd yr abad. 'Rhaid ichi gyfaddef fod esgyrn y sant yn edrych yn wych ar yr allor,' ychwanegodd.

Roeddwn bron â chrio wrth imi sylweddoli fod y Greal Sanctaidd allan o'm gafael am byth.

'Mae'n rhaid imi ddiolch ichi eto, Dyddgu, am eich rhodd garedig i'r abaty,' meddai'r abad. Gwyddai pawb, wrth gwrs, nad oedd gan Dyddgu unrhyw ddewis ond rhoi'r greal i'r abad barus. 'Dilynwch fi. Mae'n hen bryd imi esbonio pam yr oeddwn i'n awyddus i Dyddgu ferch Ieuan deithio yma gyda'i chert a'i cheffyl,' ychwanegodd, cyn troi i'r dde, cerdded yn araf trwy ran-groes ddeheuol yr abaty ac anelu am y clas, lle'r oedd y brodyr yn cysgu a bwyta. Ym mhen pella'r clas roedd y gegin, ac ym mhen pella'r ystafell honno roedd nifer o grochanau metel wedi'u clymu yn ei gilydd.

III

'Gadewch imi gyflwyno proses ddistyllu Abaty Ystrad Fflur ichi,' meddai Llywelyn Fychan yn llawn balchder. Syllais yn gegagored ar grochan anferth oedd wedi'i osod uwchlaw coelcerth fawr yng nghanol yr ystafell. Rhedai peipen fetel o'r crochan at un arall ychydig yn llai a oedd wedi'i osod ar fwrdd.

Roeddem, wrth gwrs, yn hen gyfarwydd ag abatai yn cynhyrchu cwrw a gwin. Ond roedd defnyddio proses ddistyllu i greu diodydd cryf iawn yn syniad cymharol newydd. Wna i 'mo'ch diflasu chi drwy esbonio'r broses, ond roedd yr hylif a redai o un alembic i'r llall yn arogli'n hyfryd. Safai un o'r Brodyr Gwynion o flaen yr alembic mawr yn gwneud ystumiau i ddangos y dylai dau frawd arall roi mwy o goed ar y goelcerth.

'Rydym wedi dechrau creu *aqua vitae*, neu ddŵr bywyd, am fod gymaint o eithin pêr yn tyfu gerllaw'r abaty,' meddai Llywelyn Fychan gan bwyntio at y Brawd Gwyn oedd yn dal i roi cyfarwyddiadau i'r brodyr eraill heb ddweud gair. 'Rydym wedi bod yn ddigon ffodus i ddenu'r brawd Walter Bredereep o Abaty Ten Duinen yn Fflandrys atom yn ddiweddar,' ychwanegodd. Amneidiodd hwnnw'n swrth cyn dal ati i wneud ystumiau ar gyfer y ddau frawd arall. 'Mae'n frawd Trapaidd sy'n uchel ei barch o ran distyllu hylifoedd yn yr Iseldiroedd,' esboniodd, 'ac mae'r fam eglwys yn Cîteaux wedi penderfynu lledaenu gwybodaeth am y broses ddistyllu i abatai eraill.'

'Ond beth yw'r hylif?' gofynnodd Morfudd.

'Mae pobl yr Iseldiroedd yn ei alw'n *jenever* am ei fod yn cynnwys eithin pêr i roi blas i'r ddiod. Ond rydym wedi derbyn cyfarwyddyd gan y Tywysog Du... mae'n flin gen i... Tywysog Cymru, i ddefnyddio gair y Sais ar ei gyfer, sef "jin",' meddai Llywelyn Fychan yn falch. 'Mae'n ddiod sy'n codi'r galon ac mae'n dda ar gyfer cadw'n iach. Rydym yn cynhyrchu llawer gormod ohono ar gyfer ein gofynion ni a dyna pam ein bod wedi penderfynu cynnig y ddiod gadarn i dafarndai sy'n perthyn i'r abaty. Rydym eisoes wedi dechrau cyflenwi tafarndai sydd wedi'u lleoli ar ein tiroedd yn Llanbadarn Fawr ac nawr rydym yn awyddus i ledaenu'n gwerthiant i gynnwys yr Hen Lew Du yn Aberteifi,' ychwanegodd, gan wenu ar Dyddgu. 'Dyna pam yr oeddwn am ichi ddod yma gyda'ch ceffyl a'ch cert, i gludo'r jin yn ôl i Aberteifi.'

'Ond faint o'r jin yma ydych chi'n disgwyl imi ei brynu?' gofynnodd Dyddgu'n bryderus.

'Dylai eich cert gymryd oddeutu ugain barel o jin. Ond peidiwch â phoeni, mi fyddwn ni'n codi pris teg amdano er mwyn ichi allu fforddio talu'r rhent i'r abaty,' atebodd Llywelyn Fychan. 'Efallai y dylen ni fynd i drafod telerau'n cytundeb, Dyddgu,' ychwanegodd. 'Rwy'n siŵr y bydd Adda'n fodlon tywys y gweddill ohonoch o gwmpas yr abaty.' Gyda hynny, cydiodd ym mraich Dyddgu er mwyn ei thywys o amgylch gardd lysiau'r abaty.

'Mae gen i syniad am enw ar gyfer y jin,' dywedais yn dawel wrth Wil. 'Beth am "Trafferth mewn Tafarn"?'

'Byddai "Tafarn mewn Trafferth" yn agosach ati,' sibrydodd Wil.

Cerddodd Madog Benfras ac Iolo Goch draw at Adda ap Rhys ap Madog.

'A fyddai modd inni weld y sgriptoriwm? Rydym wedi clywed cymaint amdano,' gofynnodd Madog yn ei lais mwyaf melfedaidd.

'Rwy'n clywed ei fod yn llawn o ffrwcsyn lyfrau,' ategodd Iolo.

Amneidiodd y dirprwy abad â'i ben ac aethom gydag ef o'r clas i'r festri. Roedd drws pren cadarn o'n blaenau yno, a thynnodd Adda allwedd enfawr oddi ar ei wregys a'i dangos inni.

'Mae'r sgriptoriwm yn dal trysorau llenyddol mwyaf ein cenedl. Dyna pam mai myfi, yr abad a'r llyfrgellydd yn unig sydd ag allwedd i'r ystafell. Agorodd y drws a dechrau dringo'r grisiau i ail lawr yr adeilad. Dilynodd y tri ohonom ef nes cyrraedd sgriptoriwm hynod a hanesyddol Abaty Ystrad Fflur.

O'n blaenau roedd cannoedd o lyfrau ac ysgrifau wedi'u gosod yn ddestlus ar silffoedd ar hyd dwy o waliau'r ystafell. Roedd ffenestri mawr yn y ddwy wal arall – un yn wynebu'r dwyrain i gael haul y bore a'r llall yn wynebu'r gorllewin i gael haul y prynhawn a'r hwyrnos. Am ei bod hi'n awr cyn hanner dydd, neu *Nones*, roedd yr haul ar ei anterth ac roedd nifer o frodyr yn eistedd ger y ffenest a wynebai'r dwyrain. Roedd y sgrifellwyr yn pwyso dros eu gwaith ac yn canolbwyntio'n llwyr ar ysgrifennu a chopïo'r llawysgrifau.

Cododd un ohonynt ar ei draed a cherdded heibio inni i gymryd llyfr oddi ar y silff. Wrth iddo ddechrau cerdded yn ôl i'w sedd, cododd ei ben i ddal golau'r haul. Er bod pymtheng mlynedd wedi gwibio heibio ers imi ei weld ddiwethaf, chefais i ddim trafferth adnabod un o fy ffrindiau bore oes. Nid oedd wedi newid fawr ddim, er ei fod gryn dipyn yn dalach erbyn hyn.

'Drewgi? Ai ti yw e? Ie. Ti yw e. Myn diain i! Drewgi!'

ebychais. Cododd un o'r sgrifellwyr ym mhen pella'r ystafell ei ben a gweiddi 'Shwsh!'

Camodd y dyn tuag ataf a sibrwd, 'Myfi yw y brawd Eynon Duy, sef llyfrgellydd yr abaty. Myfi sy'n gyfrifol am y sgriptoriwm. Mae Urdd y Sistersiaid yn mynnu tawelwch yn y sgriptoriwm, felly os na allwch chi gadw'n dawel mi fydd yn rhaid imi ofyn ichi adael.'

Drewgi oedd e. Doedd dim dwywaith am hynny. Drewgi Duy.

Amneidiais arno i ddod yn nes, gan gofio fy mod wedi cael fy ngheryddu droeon bymtheng mlynedd ynghynt am siarad yn y sgriptoriwm yn hytrach na chopïo darn sych o *Metamorphoses* Ofydd yn dawel. Cymerais gam yn nes at y brawd a safai o fy mlaen.

'Mae'n flin gen i. Ro'n i'n meddwl eich bod yn un o'm ffrindiau bore oes yn yr abaty hwn, sef Eynon "Drewgi" Duy,' sibrydais. Camodd y llyfrgellydd chwyrn ataf a syllu i fy wyneb.

'Smwts? Ai ti yw e?' gofynnodd, gan edrych o dan fy ffroenau. 'Ie. Ti yw e. Myn diain i! Smwts ap Gwilym!' ebychodd. Daeth 'shwsh' arall o ben pella'r ystafell.

Safodd Drewgi fel delw am ennyd, yn edrych fel petai wedi gweld drychiolaeth.

'Dewch i'm hystafell, gallwn siarad yno,' meddai maes o law gan ein tywys i ystafell fechan i'r dde o'r sgriptoriwm a chau'r drws derw trwm yn glep ar ei ôl.

Cyflwynodd y dirprwy abad, Adda ap Rhys ap Madog, aelodau'r bagad barddol iddo fesul un, gan esbonio y byddem yn adrodd ein cerddi i'r Brodyr Gwynion gyda'r nos drannoeth.

'Dyna siom,' meddai'r llyfrgellydd. 'Mi fydda i'n dechrau ar fy nhaith i'r fam abaty yn Cîteaux yfory. Mae'n rhaid i o leiaf un Brawd Gwyn o bob abaty Sistersaidd fynychu cynhadledd flynyddol y Sistersiaid yn Cîteaux. Ac yn rhinwedd fy swydd fel llyfrgellydd Abaty Ystrad Fflur, fi sydd â'r fraint honno eleni,' meddai, cyn ychwanegu, 'Smwts, myn diain i. Pwy fydde'n meddwl?'

'Sut ydych chi'n nabod y bardd Dafydd ap Gwilym?' gofynnodd Madog Benfras.

'Roeddwn i a Smwts – Dafydd – yn gyd-ddisgyblion yma bymtheng mlynedd yn ôl,' atebodd y llyfrgellydd gan rwbio'i lygaid fel petai'n methu credu fy mod i'n sefyll o'i flaen.

Clywais Wil yn sibrwd y gair 'smwts' iddo'i hun a chwerthin yn isel. Troais ato a sibrwd yn swrth yn ei glust, 'Syr Smwts i ti, y taeog digywilydd.'

'Mae'n drueni mawr mai dim ond am gyfnod byr y bu Smw... Dafydd yma,' ychwanegodd y llyfrgellydd. 'Dyddiau da. Dyddiau hwyliog.'

'Pam oedd yn rhaid iddo adael?' gofynnodd Madog. Mae'n amlwg nad oedd yn credu fy esboniad i am y tiwtora personol gyda'm hewythr.

'Dyw hynny ddim yn bwysig...' dechreuais, cyn i Iolo ymyrryd.

'Ie. Dywedwch fwy wrthon ni.'

'Na. Does dim rhaid...' dechreuais eto.

'Roedd hwn yn fachgen drwg iawn,' chwarddodd Eynon.

'Oedd e wir?' gofynnodd Morfudd.

'Dim gwaeth nag unrhyw blentyn arall,' protestiais.

'... wastad yn cael ei hun i drafferth a chael ei ffrindiau i drafferth...'

'... dwi ddim yn cofio hynny o gwbl,' meddwn yn gelwyddog.

'Dwedwch fwy,' meddai Madog.

'... Bu'n rhaid iddo dreulio oriau di-ri yn yr hyn mae'r fam abaty ei alw'n *détention*...' ychwanegodd Eynon, gan ddechrau cael blas ar adrodd ei atgofion.

'... unwaith... efallai ddwywaith ar y mwyaf...' eglurais innau.

'A beth yn gwmws oedd e'n ei wneud?' gofynnodd Iolo.

'Dwyn afalau...'

'Afalau? Na... un afal... unwaith...'

'... ysgrifennu ar y llawysgrifau... rwy'n dweud "ysgrifennu" ond lluniau oedden nhw a dweud y gwir. Lluniau anweddus o...'

'... ychydig o weithiau'n unig... deg ar hugain ar y mwyaf... a byth ar yr un llawysgrif. Annheg.' Gwyddwn fod yn rhaid imi wneud rhywbeth yn gyflym i newid trywydd y sgwrs. Ac roedd gen i'r union ateb. Penderfynais mai nawr oedd yr adeg ddelfrydol i ddatgelu cynllun roeddwn i a Wil wedi taro arno wrth baratoi ar gyfer ein hymweliad ag Abaty Ystrad Fflur. Tynnais o du mewn fy nhiwnig, a chyda chryn falchder os caf i ddweud, gyfrol gymharol swmpus o'm barddoniaeth yn fy llawysgrifen fy hun, wedi'i rhwymo'n ddestlus.

'Gan ein bod ni'n sôn am lawysgrifau... mae'n flin gen i amharu ar yr atgofion bore oes, Drewgi – *Eynon* – ond rwyf am gyflwyno cyfrol o fy ngwaith i'w chadw yn Abaty Ystrad Fflur... am byth,' meddwn yn fuddugoliaethus, gan edrych i fyw llygaid Madog Benfras, cyn cyflwyno'r llyfr i fy hen gyfaill, y llyfrgellydd.

'Mae'n bleser gan y sgriptoriwm a'r llyfrgell dderbyn gwaith o'r fath, wrth gwrs,' meddai Eynon Duy. Sylwais fod Madog yn dechrau troi'n biws gan genfigen. 'Ond rwy'n ofni y bydd yn rhaid inni godi pris o ddeg punt i gadw'r llyfr yma,' ychwanegodd, gan geisio osgoi edrych arnaf.

'Beth? Ond mae hynny'n grocbris!' taranais. Sylwais fod gwên yn dechrau ymledu ar draws wyneb Madog.

'Mae'n flin gen i, Smw... Dafydd... ond mae'n rhaid imi ddilyn cyfarwyddyd yr abad,' meddai Eynon, cyn i'r dirprwy abad, Adda ap Rhys ap Madog, ymhelaethu.

'Mae'r abad o'r farn fod yr abaty wedi derbyn nifer o lawysgrifau a llyfrau cyfredol nad ydynt o'r un safon â rhai o'r trysorau sydd yma,' meddai hwnnw. 'Dim ond lle i hyn a hyn o lyfrau sydd yn y llyfrgell, felly mae'r abad wedi penderfynu codi tâl am dderbyn llawysgrifau, i gwrdd â'r gost o ofalu am y llyfr a'i gadw'n sych ac yn ddiogel.'

'Penderfyniad penigamp,' meddai Madog yn wresog.

'Cytuno'n llwyr,' ategodd Iolo gan wthio rhywbeth yn ôl i'w ddiwnig.

Roeddwn i'n siomedig iawn, wrth reswm. Ond mae'r olaf o'r ap Gwilymiaid yn uchelwr. Felly dywedais fy mod i'n derbyn y penderfyniad. Meddyliais yn dawel y byddai angen trafod y mater gyda Wil pan fyddem ar ein pennau'n hunain.

'Wrth gwrs, rydyn ni bob amser yn awyddus i rannu'r trysorau sydd gennym ar gof a chadw yn ein llyfrgell,' meddai Adda.

'Am grocbris... i'r dethol rai,' sibrydodd Wil yn fy nghlust.

'Yn gyfnewid am gyfraniad ariannol i'r abaty gall ein sgrifellwyr gopïo llawysgrifau a chreu copïau ar archeb,' gorffennodd Adda.

Ar ôl i Adda orffen siarad, trodd Eynon Duy i godi llawysgrif drwchus oddi ar y bwrdd o'i flaen. 'Er enghraifft,' meddai, 'rydym newydd gwblhau ein gwaith diweddaraf, a gomisiynwyd gan uchelwr lleol o'r enw Rhydderch ab Ieuan Llwyd.'

Ro'n i'n adnabod Rhydderch ab Ieuan Llwyd. Ef oedd mab Ieuan Llwyd, yr uchelwr y buom yn clera yn ei gartref yng Nglyn Aeron yn gynharach yr wythnos honno. Nid oedd gan Rhydderch unrhyw ddiddordeb mewn llenyddiaeth. Gwyddwn y byddai'r llyfr yn gorwedd yn segur ar ryw fwrdd yng Nglyn Aeron, a hynny fel y gallai Rhydderch ymffrostio ei fod wedi cefnogi'r abaty.

'Dyma'r tro cyntaf i drysorau rhyddiaith ein cenedl gael eu casglu o fewn un llawysgrif, gan gynnwys chwedlau rhyddiaith, holl straeon y Mabinogi, y Tair Rhamant, Trioedd Ynys Prydain, yn ogystal â chyfieithiadau o chwedlau Ffrengig ac *Ystorya Bown de Hamtwn*,' meddai Eynon Duy yn llawn balchder. 'Bydd hon yn cysegru rhyddiaith ein cenedl, fel y mae Llawysgrif y Gogynfeirdd eisoes wedi'i wneud i'n barddoniaeth,' ychwanegodd.

'Clywch, clywch,' bloeddiais. Cofiais am yr oriau pleserus a dreuliais yn pori drwy'r llawgysgrif wych honno yn ystod fy nghyfnod yn ddisgybl yn Ystrad Fflur. Daeth awydd mawr drosta i i weld y llawysgrif eto.

'A gaf i weld Llawysgrif y Gogynfeirdd eto, Eynon?' gofynnais yn eiddgar.

Dechreuodd Drewgi godi ar ei draed ond torrodd Adda ap Rhys ap Madog ar ei draws.

'Bydd yn rhaid ichi gyflwyno cais ysgrifenedig i'r abad os ydych chi am gael mynediad at drysorau'r llyfrgell.'

'Wil. Memrwn ac ysgrifbin, os gweli di'n dda,' dywedais ar unwaith. Ond cyn i Wil gael cyfle i dynnu'r gwrthrychau hynny allan o'i ysgrepan ychwanegodd y dirprwy abad, '... yn ogystal â thâl o ddeg swllt ymlaen llaw am weld y llawysgrif dan sylw.'

'Ond mae hynny'n grocbris!' cwynais, gan ryfeddu ar yr un pryd at ddawn yr abad newydd i greu cymaint o ffynonellau ariannol ar gyfer yr abaty.

'Mae'r abad yn llygad ei le unwaith eto,' meddai Madog Benfras. 'Wedi'r cyfan, allwch chi ddim gadael i unrhyw ynfytyn fyseddu trysorau o'r fath.'

'Clywch, clywch!' cytunodd Iolo Goch.

'Yn hollol. Mae'n bwysig diogelu llawysgrifau gwerthfawr fel rhain,' meddai Morfudd.

'Peidiwch â phoeni. Mae'r llawysgrifau'n ddigon diogel. Fel y dywedais, dim ond y llyfrgellydd, yr abad a minnau sydd ag allwedd i'r sgriptoriwm,' meddai Adda ap Rhys ap Madog. 'Ta beth, fyddai neb yn mentro torri i mewn i'r sgriptoriwm yn ystod y nos am fod y Mynach Du yn gwarchod y llyfrau,' ychwanegodd.

'Y Mynach Du? Pwy yw'r Mynach Du?' gofynnodd y Bwa Bach.

'Bu tân dychrynllyd yn yr abaty ym 1284 pan losgwyd y clochdy, y to a'r sgriptoriwm. Yn wyrthiol, dim ond un mynach a fu farw. Daethpwyd o hyd iddo fore trannoeth yn dal un o lyfrau'r sgriptoriwm. A'r llyfr hwnnw oedd yr unig gopi o waith y Gogynfeirdd. Roedd ei wisg wen wedi troi'n ddu oherwydd y tân... ond nid oedd ei gorff wedi'i losgi o gwbl.'

Ochneidiodd pob un ohonom mewn dychryn ac ofn, ar wahân i Wil. Chwerthin wnaeth hwnnw.

Anwybyddodd Adda ymateb sarhaus fy macwy. 'Bu farw'r brawd yn ceisio achub ein llawysgrifau. Maen nhw'n dweud bod ei ysbryd yn dal i droedio'r sgriptoriwm bob nos yn gwarchod llyfrau'r abaty,' gorffennodd.

IV

Yn fuan wedi hynny, ffarwelion ni ag Eynon 'Drewgi' Duy a dilyn Adda ap Rhys ap Madog draw i erddi'r abaty. Aethom drwy'r rhan-groes ddeheuol, côr y mynaich a'r rhan-groes ogleddol, cyn gadael prif adeilad yr abaty a cherdded allan i'r awyr agored. I'r chwith inni, safai dau adeilad a wnaeth imi grynu trwof. Carchardai'r abaty. Roedd un ohonynt ar gyfer gwŷr lleyg yr ardal oedd wedi torri'r gyfraith a'r llall ar gyfer mynachod oedd wedi camweddu. Roedd y carchardai hefyd yn cael eu defnyddio i gosbi disgyblion drwg oedd wedi camymddwyn.

'Treuliais sawl cyfnod hir a diflas yn y celloedd draw fan'co, Wil,' sibrydais wrth fy ngwas, gan adael i Morfudd, y Bwa Bach, Madog ac Iolo gerdded ymlaen yng nghwmni Adda ap Rhys ap Madog. 'Mae'r Brodyr Sistersaidd yn ei alw'n *détention*. Treuliais oriau di-ri'n copïo darnau o Lawysgrif y Gogynfeirdd fel penyd,' ychwanegais yn grynedig. 'Dwi ddim am gamu rhwng muriau'r celloedd yna byth eto, Wil,' gorffennais.

Oedodd Wil o dan frigau ywen. Edrychodd o'i amgylch, gan syllu ar y mynyddoedd a amgylchynai'r abaty. Caeodd ei lygaid ac anadlu'n ddwfn i arogli'r blodau persawrus yn yr ardd. 'Mi fyddai hwn yn lleoliad hyfryd i fod ynddo'n oes oesoedd,' meddai.

'Fan hyn?! O dan ywen ddi-nod mewn twll o le, lle fyddai neb yn dod i dalu teyrnged imi? Dim diolch,' meddwn innau, cyn camu ymlaen i ymuno â'r gweddill.

Roedd Madog ac Iolo'n dal i seboni Adda ap Rhys ap Madog. 'Rwy'n deall i'r dim y broblem o fod yn ddirprwy, Adda,' meddai Madog. 'Ers i ap Gwilym fy nisodli fel pencerdd ein bagad barddol mae wedi bod yn anodd iawn arna i. Mae rhywun yn dal i ysgwyddo cyfrifoldeb ond heb feddu ar unrhyw rym.'

'Clywch, clywch!' meddai Iolo.

'Cytuno'n llwyr, Madog,' ychwanegodd Adda ap Rhys ap Madog. 'Chi a fi sy'n gorfod gwneud y gwaith i gyd heb gael unrhyw ddiolch amdano.'

'Ac mae'n rhaid imi ymddiheuro dros ap Gwilym am iddo fod mor hy â cheisio cyflwyno'i lyfr i'r llyfrgell,' meddai Madog gan glosio at Adda. 'Efallai y byddai pethau'n wahanol petai beirdd mwy profiadol yn gwneud yr un cynnig.'

'Does bosib y byddai'n rhaid i feirdd o'r safon uchaf dalu?' gofynnodd Iolo Goch.

'Na. Mae'r rheol yn berthnasol i bawb. Mae'n rhaid i bawb dalu am gael rhoi llyfr yn y llyfrgell,' atebodd Adda ap Rhys ap Madog yn swrth.

Yn y pellter, roedd yr Abad Llywelyn Fychan a Dyddgu i'w gweld yn cerdded ochr yn ochr. Wrth iddynt nesáu sylwais fod Dyddgu'n edrych yn welw iawn.

Awgrymodd yr abad ein bod yn cael ein tywys i'n hystafelloedd gwely. Roeddwn yn edrych ymlaen at gael gorffwys am ychydig yn dilyn ein taith hir o Lanbadarn Fawr. Dilynon ni'r abad a'r dirprwy abad tuag at adeilad carreg isel ym mhen pella'r ardd. Wrth inni gerdded bu Madog ac Iolo yn canmol y croeso a gawsant yn ystod eu hymweliad diwethaf ag Abaty Ystrad Fflur. Roedd gan y Sistersiaid enw da am eu lletygarwch, ac roedd y cyfan am ddim hefyd, am nad oedd y Brodyr Gwynion yn cael hawlio tâl amdano.

'Rwy'n cofio bod ein hystafelloedd gwely'n foethus iawn pan oedd Clement ap Richard yn abad. Roedd hyd yn oed blodyn ar y cwrlid a photel fach o win wrth erchwyn y gwely,' meddai Madog.

'Moethus iawn. Dyddiau da,' cytunodd Iolo. 'Dwi ddim yn cofio bod yr ystafelloedd yn y rhan hon o'r abaty chwaith,' ychwanegodd.

Wrth inni gerdded sylwais fod nifer o foch yn pori gerllaw. Yna, wrth inni ei gyrraedd, gwelais fod yr adeilad wedi'i rannu'n saith cuddygl. Roedd moch yn y tri ar y chwith ond roedd y pedwar ar yr ochr dde yn wag.

'Dyma ni. Dyma'ch ystafelloedd chi. Dim ond pedair sydd ar gael ar hyn o bryd,' meddai'r abad, gan bwyntio at y tylcau gydag ychydig o wellt ynddynt. Ro'n i'n siŵr imi weld llygoden ffyrnig yn sgrialu o dan y gwellt yn un o'r tylcau.

'Does bosib eich bod chi'n disgwyl inni gysgu mewn twlc mochyn!' ebychodd Morfudd.

'Mae'n wir fod yr ystafell braidd yn Sbartaidd ac yn edrych ychydig yn debyg i dwlc mochyn ar yr olwg gyntaf, ond mae gennych chi lawer mwy o wellt yn eich cuddyglau chi, sy'n cael ei newid yn ddyddiol... yn ddyddiol, cofiwch... ac mae gennych chi domen i chi'ch hunain yn y cefn. Dyw'r moch ddim yn gwneud mwy o sŵn yn y nos nag y maen nhw yn ystod y dydd,' meddai'r dirprwy abad.

'Wrth gwrs, mi allwn ni gynnig lle ichi yn ein hystafelloedd *de luxe* yn y clasty ger celloedd y brodyr,' meddai'r abad.

'Mi fyddai hynny'n llawer gwell, wrth reswm,' meddai Morfudd.

'Gwych. Fel y gwyddoch, does gennym ni 'mo'r hawl i godi tâl ar deithwyr i aros yn yr abaty...' dechreuodd yr abad.

'Eitha reit hefyd,' cytunodd Iolo Goch.

'... ond am fod cymaint o bobl yn manteisio ar ein lletygarwch erbyn hyn mae'n rhaid i'r abaty ofyn am rodd... *rhodd*, nid tâl, wrth gwrs... ni fyddai tâl yn gwneud y tro. Na, rhodd... o oddeutu swllt. Wedyn, rwy'n siŵr y gallwn ni drefnu eich bod yn symud i ystafelloedd eraill,' gorffennodd yr abad.

'Swllt am ystafell!' ebychodd Madog Benfras.

'... am ddwy noson!' ebychodd Iolo Goch.

'Na. Swllt y noson,' cywirodd yr abad ef.

Gwelais Morfudd yn rhoi cic go egr i figwrn y Bwa Bach. 'Dweda rywbeth, nawr, a dybla bris ein perfformiad,' sgyrnygodd yng nghlust ei gŵr.

'Hmmm... efallai ei bod hi'n bryd inni drefnu telerau'r bagad barddol am eich diddanu nos yfory...' dechreuodd y Bwa Bach.

'Telerau? Pa delerau? Does dim telerau i'w trafod,' meddai'r abad. 'Mi wnes i'ch gwahodd i ddiddanu'r Brodyr Gwynion yn ystod f'ymweliad ag Aberteifi gan gymryd yn ganiataol y byddech chi'n gwneud hynny yn rhad ac am ddim, i foliannu'r Arglwydd,' ychwanegodd, gan godi'i freichiau ac edrych i fyny i'r nef. ' "Oherwydd gwraidd pob math o ddrwg yw cariad at arian, ac wrth geisio cael gafael ynddo crwydrodd rhai oddi wrth y ffydd, a'u trywanu eu hunain ag arteithiau lawer..." Llythyr Cyntaf Paul at Timotheus, chwech: deg, os dwi'n cofio'n iawn,' meddai'r hen ragrithiwr, cyn gwenu arnom, dweud y fendith, a cherddded gydag Adda ap Rhys ap Madog draw at y clasty.

Doedd dim dewis gennym ond ei ddilyn, a'n pen yn ein plu.

Roedd ein hystafelloedd yn y clasty yn weddol foethus, er nad oeddynt yn werth y pris. Ymgasglodd y bagad barddol yn ystafell Morfudd a'r Bwa Bach ar gyfer cyfarfod brys. Penderfynwyd derbyn telerau'r abad ac addunedu i beidio â dod ar gyfyl Abaty Ystrad Fflur byth eto. Cyn inni wahanu rhoddodd Dyddgu wybod inni beth oedd canlyniad ei chyfarfod â'r abad.

'Mae hi ar ben arna i, mae gen i ofn. Mi fydd yn rhaid imi werthu'r holl jin dwi'n gorfod ei brynu gan yr abad erbyn y flwyddyn newydd er mwyn gallu fforddio talu'r rhent. Ugain casgen mewn llai na thri mis. Sut alla i werthu jin am ddwy geiniog y peint o'i gymharu â'r grot y peint dwi'n ei godi am gwrw? Taeogion a beirdd tlawd yw fy mhrif gwsmeriaid i. Sut yn y byd alla i wneud hynny?'

'A sut yn y byd ydyn ni'n mynd i ddychwelyd i Aberteifi os bydd dy gert di'n llawn casgenni jin?' gofynnodd Morfudd.

'Mi fydd yn rhaid ichi logi cert gan yr abaty. Maen nhw'n eu llogi am swllt y diwrnod,' atebodd Dyddgu.

'Ond mae hynny'n grocbris arall,' ebychodd Madog.

'Mae'r diawl yn ein blingo ni'n biws,' cytunodd Iolo, cyn inni wahanu a dychwelyd i'n hystafelloedd i ystyried ein sefyllfa druenus.

V

Penderfynais glwydo'n gynnar yn dilyn swper tila o fara a chaws roeddwn wedi'i brynu yn Llanbadarn Fawr ar gyfer y siwrne i'r abaty. Doedd gen i ddim awydd talu'r pris roedd yr abad barus, Llywelyn Fychan, yn ei godi am swper *de luxe* yn yr abaty y noson honno.

Ond toc wedi *Nones*, fel yr oedd Wil yn paratoi i fy matryd, clywais gnoc dawel ar fy nrws a llais rhywun yn sibrwd.

'Smwts! Fi, Drewgi sydd yma.' Agorodd Wil y drws a gwahodd fy hen gyfaill, y llyfrgellydd, i ymuno â ni. Gwelais ei fod yn cuddio rhywbeth o dan ei fantell wen. Cododd fy nghalon am ennyd – efallai ei fod wedi dod â photelaid o win, neu ddwy neu dair, yn anrheg imi. Cefais siom, felly, pan dynnodd ddwy lawysgrif allan.

'Rwy'n cofio faint roeddet ti'n ei feddwl o Lawysgrif y Gogynfeirdd cyn iti orfod gadael yr abaty bymtheng mlynedd yn ôl,' meddai'n dawel, gan roi'r llawysgrif yn fy llaw. 'Meddyliais y byddet ti'n hoffi treulio'r noson yn pori trwy'r tudalennau unwaith eto. Ond mi fydd yn rhaid iddi gael ei dychwelyd i'r sgriptoriwm cyn imi ddechrau ar fy nhaith i Cîteaux. Bydd angen imi adael yn syth ar ôl eich perfformiad nos yfory.'

Daeth deigryn i'm llygad wrth imi dderbyn y llawysgrif a oedd wedi fy rhoi ar ben ffordd fel bardd.

'Meddyliais hefyd y byddet ti am gael cipolwg ar y llyfr rhyddiaith rwyf newydd ei gwblhau ar gyfer Rhydderch. Am fod y llawysgrif wedi'i chreu yma dwi wedi ei galw'n Llyfr Gwyn Rhydderch er moliant i'r Brodyr Gwynion,' ychwanegodd Drewgi, gan roi'r llawysgrif honno imi hefyd. 'Dwi o'r farn y dylai pawb, yn enwedig beirdd uchel eu parch fel tydi, Dafydd, gael gweld gweithiau o'r fath heb orfod talu am yr anrhydedd.'

'Ond beth os bydd yr abad yn ddod i wybod dy fod ti wedi mynd â'r llawysgrifau o'r sgriptoriwm?'

'Fe? Byth! Mae e'n feddw dwll y rhan fwyaf o'r amser. Does dim byd duwiol am Llywelyn Fychan er ei fod yn abad. Ond chaiff e byth ei ddisodli fel abad Ystrad Fflur am fod y Tywysog Du ei hun yn ei gefnogi, hyd yn oed ar ôl yr holl gamweddau mae e a'i berthynas, Adda ap Rhys ap Madog, wedi'u cyflawni,' esboniodd Drewgi.

'Ydych chi'n sôn am y digwyddiad gyda'r ddafad?' gofynnodd Wil.

'Yn hollol,' atebodd Drewgi gan grychu'i wyneb.

'Pa ddigwyddiad? Pa ddafad?' gofynnais, gan edrych o'r naill i'r llall.

'Dyw hynny ddim yn bwysig nawr,' meddai Drewgi gan gamu at y drws. 'Gobeithio y gwnei di fwynhau Llyfr Gwyn Rhydderch. Rwy'n gobeithio bod fy ymdrech bitw i greu'r llawysgrif hon yn dangos nad yw fy ngwaith yn yr abaty dros y pymtheng mlynedd diwethaf wedi bod yn hollol ofer,' gorffennodd cyn ffarwelio â ni. Gwelais ddagrau'n cronni yn ei lygaid wrth iddo droi a'n gadael yn ddistaw.

Treuliais yr oriau nesaf yn darllen Llyfr Gwyn Rhydderch. Rhyfeddais ar waith cain Drewgi. Roedd ei geinlythrennu'n wych. 'Roedd llawysgrifen Drewgi wastad yn llawer gwell nag un unrhyw un arall,' meddwn wrth Wil, oedd yn gorwedd ar ei wely'n pori drwy gerddi Llawysgrif y Gogynfeirdd.

Serch hynny chefais i 'mo f'argyhoeddi gan y straeon o gwbl. 'Alla i ddim gwneud pen na chynffon o'r Mabinogi 'ma, Wil,' meddwn. 'Merch wedi'i chreu o flodau? Dyn yn cerdded ar draws y môr? A pham fod yn rhaid i bopeth ddigwydd fesul tri? Hollol anghredadwy. Mae'n edrych i mi fel petai rhywun wedi mynd ati i'w sgwennu ar ôl yfed pum neu chwe photel o win. Na. Mae'n llawer gwell gen i ddarllen rhywbeth credadwy fel y Beibl,' ychwanegais.

Rhaid imi gyfaddef na chefais flas ar y llyfr o gwbl. Yn waeth na hynny, roedd Wil wedi codi fy ngwrychyn braidd am fod ganddo arferiad anffodus o symud ei fys ar draws y dudalen a symud ei wefusau wrth ddarllen.

Er mi wneud fy ngorau glas i ddarllen mwy, dechreuais feddwl am Drewgi druan, yn gorfod treulio'r holl flynyddoedd ynysig, diflas, unig yn copïo llawysgrifau tra oeddwn i, Dafydd ap Gwilym, wrthi'n mercheta, diota, clera a chreu cerddi gwych. Meddyliais pa mor ffodus y bûm i yn cael fy niarddel o'r abaty. Yn fuan wedi hynny syrthiais i gysgu.

Pan ddihunais, roedd Wil yn dal i symud ei fys ar draws tudalennau Llawysgrif y Gogynfeirdd.

'Dwi'n gweld dy fod ti'n dal i ddarllen gwaith mawrion ein cenedl, Wil,' dywedais gan ddylyfu fy ngên a chodi o'r gwely. Cododd Wil ei aeliau. 'Mae un neu ddwy o'r cerddi'n dderbyniol, syr,' meddai. Doedd dim dwywaith fod Wil yn fardd o'r iawn ryw; roedd mor gyndyn i roi clod i unrhyw fardd arall.

Edrychais allan drwy ffenest ein hystafell yn y clasty a gweld ei bod hi'n bwrw glaw'n drwm.

'Cer i weld a oes unrhyw beth ar gael i frecwast nad yw'n costio ffortiwn,' meddwn wrth Wil. Roedd fy stumog yn cwyno am na chefais ond swper tila o fara a chaws y noson cynt. Cerddais ar draws yr ystafell a chymryd Llawysgrif y Gogynfeirdd o ddwylo Wil. 'Nawr!' meddwn. Cododd Wil yn anfodlon a dechrau gwisgo'i ddillad yn gyflym.

'A ddest ti i ben â darllen Llyfr Gwyn Rhydderch?' gofynnodd gan giledrych arna i.

'Do. Pob gair. O glawr i glawr, Wil,' atebais yn gelwyddog.

'Ro'n i'n meddwl dy fod di wedi mynd i gysgu ar ôl darllen tudalen neu ddwy.'

'O, na. Efallai fy mod i wedi cau fy llygaid i feddwl am y cynnwys o bryd i'w gilydd. Serch hynny, mae'n rhaid imi gyfaddef fod yn llawer gwell gen i ddarllen barddoniaeth,' meddwn, cyn dychwelyd i'm gwely gyda Llawysgrif y Gogynfeirdd o dan fy nghesail.

Ymhen hir a hwyr dychwelodd Wil gyda dwy botel o win o dan ei geseiliau yntau.

'Sut gest ti afael ar y gwin? Wedi dweud hynny, efallai ei bod hi'n well nad ydw i'n gwybod, Wil,' meddwn, gan rwbio fy nwylo yn erbyn ei gilydd yn eiddgar. 'Gwych! Brecwast cyflawn Cymreig. Agor y botel,' meddwn. Daliais ati i ddarllen barddoniaeth wych Beirdd y Tywysogion a sylwodd Wil fy mod wedi tynnu ysgrifbin ac inc allan o'm hysgrepan.

'Wyt ti wedi cael syniad am gerdd, syr?' gofynnodd gan godi'i aeliau.

'Ydy hynny mor anghredadwy? Os oes rhaid iti wybod, mi gefais i syniad ond yn anffodus, mi ddiflannodd yr awen mor gyflym ag y daeth. Rwyt ti'n gwybod fel mae hi,' esboniais, gan anesmwytho rhywfaint yn fy ngwely.

'Nac ydw,' atebodd Wil, gan geisio edrych dros fy ysgwydd i ddarllen y dudalen. Ochneidiodd wrth imi geisio cuddio'r llawysgrif o'i olwg.

'Rwyt ti wedi bod yn ysgrifennu cerddi yn Llawysgrif y Gogynfeirdd!' bloeddiodd yn sydyn.

'Bydd dawel! Wyt ti am i'r abad glywed?' meddwn, wrth iddo gipio'r llawysgrif o'm dwylo.

'Eglynyon a gant dauid llwyd uab gwilim gam yr groc o gaer,' darllenodd yn uchel. 'Ac yn waeth, rwyt ti wedi dechrau ysgrifennu fy ngherdd i yn y llawysgrif hefyd.'

'... ein cerdd *ni*, Wil... ein cerdd ni.'

'Ond pam fyddet ti'n gwneud y fath ffwlbri?' gofynnodd Wil.

Codais o'r gwely a sefyll o'i flaen gyda'm dwylo ar fy nghluniau. 'Oherwydd bod yr abaty'n gwrthod derbyn casgliad o fy... ein cerddi ni. Felly, penderfynais ysgrifennu cerdd neu ddwy...'

'Mae mwy nag un?'

'... cerdd neu ddwy... gan gynnwys dy ffug-farwnad i Angharad, i sicrhau bod ein gwaith ar gof a chadw yn sgriptoriwm Abaty Ystrad Fflur am byth,' meddwn.

'Os bydd unrhyw un yn gallu deall y gwaith. Mae dy lawysgrifen di'n uffernol,' cwynodd Wil. Rhoddodd y llawysgrif yn ôl imi, codi Llyfr Gwyn Rhydderch o'r llawr a cherdded ar draws yr ystafell.

'Ble wyt ti'n mynd, Wil?'

'Rwy'n mynd yn ôl i'r gwely i edrych a wyt ti wedi ysgrifennu rhywbeth yn y llawysgrif hon hefyd,' atebodd yn chwyrn.

Yno y bu'r ddau ohonom yn darllen a sipian gwin trwy'r dydd, nes i gloch yr abaty daro *Terce*. Toc wedi hynny clywais gnoc dawel ar fy nrws a llais rhywun yn sibrwd.

'Smwts. Fi, Drewgi, sydd yma.' Agorodd Wil y drws gan wahodd fy hen gyfaill i ymuno â ni.

'Wel, beth oeddech chi'n feddwl o fy llyfr... Llyfr Gwyn Rhydderch?' gofynnodd Drewgi'n eiddgar.

'Methu â'i roi i lawr. Dwi wedi ei ddarllen o glawr i glawr... ddwywaith,' atebais yn gelwyddog eto i osgoi siomi Drewgi.

'Ddwywaith? Ond mae'n llyfr hir iawn,' meddai Drewgi.

'Ond roedd e mor rhwydd i'w ddarllen am fod dy lawysgrifen di mor glir,' meddwn.

'Ac mi lwyddais innau i ddarllen pedair cainc o'r Mabinogi... da iawn,' ychwanegodd Wil. Penderfynais beidio â sôn mai dim ond pedair cainc o'r Mabinogi roeddwn innau wedi llwyddo i'w darllen hefyd.

'Gwych iawn. Gwych iawn. Mae'n golygu cymaint imi dy fod ti Smw... Dafydd yn ei hoffi.'

'Heb os nac oni bai. Campwaith,' meddwn, gan ddal yn dynn yn y llawysgrif a chymryd Llawysgrif y Gogynfeirdd o ddwylo Wil yn gyflym. 'Maen nhw mor werthfawr dwi am ddal fy ngafael arnyn nhw'n llythrennol nes inni eu dychwelyd i'r sgriptoriwm,' ychwanegais, gan wybod y byddai hi ar ben arnaf petai Drewgi'n gweld fy mod wedi ysgrifennu cerddi yn Llawysgrif y Gogynfeirdd.

Mi lwyddon ni i ddychwelyd y llawysgrifau i'r llyfrgell heb i unrhyw un ein gweld. Roeddwn yn llawn rhyddhad wrth i'r tri ohonom gerdded i lawr y grisiau o'r sgriptoriwm y prynhawn hwnnw.

'Mae'n gysur gwybod y bydd Llawysgrif y Gogynfeirdd yn aros yn ddiogel yn y sgriptoriwm am byth, fel bod cenedlaethau'r dyfodol yn gallu darllen gwaith beirdd gorau ein cenedl,' meddwn wrth Drewgi, gan edrych yn heriol ar Wil.

'Ond fydd Llawysgrif y Gogynfeirdd ddim yn aros yn y sgriptoriwm am lawer hirach, mae gen i ofn,' meddai Drewgi a'i ben yn ei blu. 'Mi ddywedodd yr abad wrtha i y bore 'ma ei fod wedi dod i gytundeb â Rhydderch, a bod hwnnw am brynu'r llawysgrif yn ogystal â Llyfr Gwyn Rhydderch.'

'Ond... ond... mae hynny'n golygu...' dechreuais.

'... na fydd y llawysgrif yno er mwyn i genedlaethau'r dyfodol allu darllen gwaith beirdd gorau ein cenedl,' meddai Wil, gan edrych yn heriol arnaf.

'Mae'r holl beth yn warthus. Dyna pam dwi mor falch fy mod i'n gadael yn syth ar ôl imi wrando arnat ti a dy fagad barddol yn clera heno. Mi fydda i'n teithio i Abaty Cwm-hir yn gyntaf, cyn cyrraedd Abaty Coombe yn Swydd Warwick ganol y bore,' meddai Drewgi.

Siglais fy mhen yn anghrediniol.

'Beth sy'n bod?'

'Os caf i fod mor hy, Drewgi, rwy'n anghytuno'n llwyr. Mi ddylet ti deithio i Strata Marcella yn gyntaf, siwrnai ychydig yn hirach, efallai, ond mi fyddet ti'n osgoi wynebu'r gwylliaid ar y ffin cyn cyrraedd Abaty Coombe,' atebais.

Pesychodd Wil.

'Gyda phob parch, syr, dwi'n anghytuno'n llwyr. 'Sen i'n dilyn y ffordd i Abaty Cwm-hir ond wedyn yn anelu am Stoneleigh ar hyd y tir gwastad. Ugain milltir yr awr os nad mwy ar geffyl gwerth ei halen,' meddai.

'Mmmm...' meddai Drewgi cyn i Wil daro'i ben â'i ddwrn.

'Na, na, na. Erbyn meddwl, y ffordd orau yw'r ffordd deithiais i gyda'r gatrawd Gymreig ar y ffordd i Ffrainc bum mlyedd yn ôl. Anelwch am Abaty Dore yn Swydd Henffordd. Dim ond rhyw ddeng milltir a thrigain yw e drwy Lanelwedd a Thalgarth.'

'Wrth gwrs. Rwyt ti'n llygad dy le, Wil,' ategais, '... neu wrth gwrs mi allet ti fynd...'

'I'r dim. Diolch, gyfeillion,' meddai Drewgi, â golwg ddryslyd ar ei wyneb, cyn ffarwelio â ni.

'Rwy'n siomedig iawn fod yr abad am werthu Llawysgrif y Gogynfeirdd. Mae hynny'n golygu na fydd unrhyw enghraifft o'n gwaith ni ar gof a chadw yma ar gyfer Cymry y dyfodol,' dywedais yn benisel wrth Wil wrth inni gerdded ar hyd yr ael ddeheuol i ymuno â Dyddgu ac aelodau eraill ein bagad barddol i baratoi ar gyfer ein perfformiad yn y cabidyldy y noson honno.

'Ie, dyna beth yw siom, syr.'

'Oes gen ti syniad i achub y sefyllfa?' gofynnais yn obeithiol.

'Ddim ar hyn o bryd. Ond mi wnaf i fy ngorau,' atebodd Wil heb lawer o arddeliad.

VI

Does dim llawer gennyf i'w ddweud am berfformiad ein bagad barddol gerbron Brodyr Gwynion Abaty Ystrad Fflur y noson honno, heblaw ei fod yn llwyddiant ysgubol. A doedd hynny ddim yn syndod oherwydd roedd y rhan fwyaf o'r brodyr yn feddw dwll cyn inni ddechrau adrodd ein cerddi. Efallai fod cynhwysion y swper wedi cyfrannu at hynny, sef madarch mewn saws jin i ddechrau, eog mewn saws jin i ddilyn, a phwdin o eirin pêr mewn jin i orffen.

Un o gyfrinachau barddoni llwyddiannus yw deall eich cynulleidfa. Gwyddwn y byddai'r Brodyr Gwynion yn hoffi fy ngherddi dychan, sef 'Cyngor gan Frawd Bregethwr', ac yn enwedig 'Rhybudd y Brawd Du'.

Pan adroddais 'Duw a ŵyr, synnwyr â sôn, Deall y brodyr duon. A'r rhain y sydd, ffydd ffalsddull, Ar hyd yr hollfyd yn rhull,' cefais fonllef o gymeradwyaeth a oedd bron â chodi'r belffri oddi ar yr abaty. Wrth reswm, myfi, Dafydd ap Gwilym, a gafodd ganmoliaeth fwyaf y noson, gan beri siom, unwaith eto, i Madog Benfras, a chadarnhau fy safle fel prif fardd ein bagad.

Bu Dyddgu'n dawel drwy'r nos, yn poeni am ei chytundeb i werthu jin yr abaty. Penderfynodd glwydo'n gynnar am ei bod am godi'n blygeiniol i ddechrau ar ei thaith hir yn ôl i'r Hen Lew Du yn Aberteifi gyda'r ugain casgen o jin.

Daliodd pawb arall ati i yfed fel ych yn dilyn ein perfformiad.

Erbyn *Vigil*, roedd hyd yn oed yr abad, Llywelyn Fychan, a'r dirprwy abad, Adda ap Rhys ap Madog, wedi'i dal hi.

Eisteddai Llywelyn gyferbyn â mi, rhwng Morfudd a'r Bwa Bach. Sylwais nad oedd y gŵr a'r wraig yn yfed llawer ond eu bod yn arllwys gwydraid ar ôl gwydraid i'r abad wrth i hwnnw gwyno am ei gyfrifoldebau yn abad abaty pwysicaf Cymru.

'Mae'r baich arnaf yn annioddefol ar adegau,' meddai, a'i dafod yn dew. 'Mae cant a mil o benderfyniadau i'w gwneud yn ddyddiol.'

'Rwy'n deall i'r dim,' meddai Morfudd, gan arllwys gwydraid arall o jin i'r abad.

'Ry'n ni yn yr un cwch. Does neb yn sylweddoli faint o bwysau sydd ar ysgwyddau pobl fel ni,' meddai'r Bwa Bach.

Amneidiodd yr abad i gytuno. 'Weithiau dwi'n meddwl y bydden i'n fwy dedwydd yn byw bywyd syml y taeog,' meddai, cyn gorffen ei wydraid o jin mewn un llwnc. Tywalltodd y Bwa Bach wydraid arall iddo.

'… a gorfod dioddef tlodi, newyn ac anghyfiawnder,' sibrydodd Wil yn fy nghlust. 'Un dydd, cyn bo hir, mi fydd y taeogion yn codi fel un ac yn gwrthryfela yn erbyn yr uchelwyr a'r Eglwys.'

Ceryddais fy ngwas am siarad drwy'i het. 'Nyni'r uchelwyr a phwysigion cymdeithas sy'n talu cyflogau pobl fel ti. Felly dyw hi ddim yn talu i ladd ar bobl o'r fath. Cadwa wleidyddiaeth allan o farddoniaeth, Wil, ac mi fyddwn ni'n iawn!' A dyna oedd, ac a fydd, fy ngair olaf ar y mater.

Yn y cyfamser roedd y dirprwy abad, Adda ap Rhys ap Madog, yn sgwrsio gyda Madog Benfras ac Iolo Goch. Roedd hwnnw hefyd yn feddw dwll ac yn ceisio amddiffyn y cyhuddiadau a wnaed yn ei erbyn yn y gorffennol.

'Rwy'n dweud wrthoch chi. Roeddwn i'n teimlo'n boeth, felly tynnais fy nillad ac roeddwn ar fin mynd am drochiad yn afon Rheidol,' meddai, wrth i Iolo lenwi ei wydr i'r ymylon â jin. 'Roeddwn ar fy mhengliniau yn gweddïo i'r Arglwydd ac yn gofyn iddo fy ngwarchod rhag boddi yn yr afon pan ddaeth dafad ataf. Gredwch chi byth ond camodd y ddafad am yn ôl a hwpo'i phen-ôl tuag ataf. A dyna pryd y gwelodd rhywun fi,' gorffennodd, cyn yfed ei wydraid o jin mewn un llwnc.

'Mi allai hynny fod wedi digwydd i unrhyw un,' meddai Madog yn llawn tosturi ffug.

Erbyn hyn roeddwn i wedi ymuno â Drewgi, a oedd wedi bod yn dawel iawn drwy'r nos, yn sipian ei jin yn achlysurol.

'Beth sy'n bod, Drewgi?' gofynnais. 'Wyt ti'n poeni am y daith i Ffrainc?'

'Na, hen ffrind,' atebodd, cyn llyncu gweddill ei jin. 'Mae angen i mi ddweud rhywbeth wrthot ti sydd wedi bod yn cnoi fy nghydwybod... am bymtheng mlynedd. A nawr mae'n hen bryd iti wybod y gwir,' meddai'n dawel, cyn arllwys gwydraid arall o jin iddo'i hun. Sylwais fod Wil, oedd yn eistedd yr ochr arall i Drewgi, yn gwrando'n astud ar ein sgwrs.

'*In jino veritas*,' meddai Drewgi a chlosio ataf.

Cefais ysgytwad go iawn pan gyfaddefodd Drewgi mai ef oedd yn gyfrifol am drefnu bod y bwced o flawd yn cwympo am ben yr abad, Anian Sais.

'Roeddwn yn dy edmygu gymaint, Smwts. Roeddwn am dy efelychu drwy gyflawni gweithred hollol anghyfrifol am unwaith yn fy mywyd. Ac mae'n rhaid imi gyfaddef fod y profiad yn un arbennig iawn,' meddai Drewgi. 'Ond ar ôl y digwyddiad, roedd gen i gywilydd mawr. Gwyddwn y byddwn i'n cael fy niarddel o'r abaty petai'r gwir yn dod i'r amlwg,' ychwanegodd yn benisel. 'Methais â chyfaddef mai fi oedd yn gyfrifol, hyd yn oed pan gefaist ti dy gyhuddo ar gam. Alli di byth faddau imi? Sut alla i dalu penyd am hyn, Smwts?'

'Os wnei di roi'r gorau i fy ngalw i'n Smwts, mi wna i ystyried y mater,' atebais, gan roi fy llaw ar ysgwydd fy hen ffrind. Efallai fod y bardd Dafydd ap Gwilym ychydig yn goegfalch ar adegau, efallai ei fod yn rhwysgfawr, hunanol a difeddwl ar brydiau. Ond dialgar? Na.

'Gwranda, Drewgi. Mi wnest ti gymwynas â mi'r diwrnod hwnnw. Rwy'n llawer hapusach fel bardd nag y bydden i'n byw bywyd ynysig, mynachaidd mewn abaty oer, anghysurus fel hwn, a gorfod codi am dri o'r gloch bob bore a threulio'r dydd yn gweddïo a gweithio yn y caeau fel taeog. Bardd cysgu'n hwyr yw Dafydd ap Gwilym. Bardd diogi a diota? Ie. Bardd crefyddol? Na. Anghofia am y peth,' atebais.

Pesychodd Wil. Roedd hi'n amlwg ei fod wedi clywed pob gair o'r sgwrs.

'Beth mae'r meistr yn ceisio'i esbonio yw efallai y gallech chi dalu penyd drwy ei anfarwoli, a hynny drwy sicrhau fod cyfrol o'i waith yn cael ei gosod yn y sgriptoriwm,' awgrymodd.

'Ai dyna beth oedd ar fy meddwl, Wil?' gofynnais.

'Yn ddiau, syr. Heb os nac oni bai.'

'Wrth gwrs, gyda phleser,' meddai Drewgi. Tynnodd allwedd drws y sgriptoriwm o'i wregys a'i rhoi yn fy llaw yn llechwraidd.

'Ewch yno heno pan na fydd neb arall o gwmpas,' meddai.

'Ond beth os bydd y Brawd Du yn crwydro'r sgriptoriwm?' gofynnais yn bryderus.

Chwarddodd Drewgi'n dawel. 'Dim ond stori ysbryd yw honno i gadw pobl ofergoelus draw o'r sgriptoriwm yn ystod y nos,' esboniodd. 'Dychwelwch yr allwedd i fy nghell ar ôl ichi orffen a fydd neb ddim callach. Dwi wedi oedi'n ormodol yn barod. Mae'n rhaid imi'ch gadael. Ffarwél, hen ffrind. Ac os byddi di mewn trafferth unrhyw dro, cofia ddod i chwilio amdanaf,' ychwanegodd, cyn codi a'n gadael i gychwyn ar ei daith i Ffrainc.

'Dere 'mla'n, Wil. Cer i nôl ein barddoniaeth o'n hystafell ac mi gwrdda i â thi ymhen chwinciad,' meddwn.

Brysiodd Wil allan o'r ystafell a cherddais innau draw at weddill y criw i ddweud wrthynt fy mod am glwydo. Roedd Adda ap Rhys ap Madog bron yn anymwybodol erbyn hyn a doedd cyflwr Llywelyn Fychan fawr gwell.

VII

Roedd Wil eisoes yn sefyll yn eiddgar gyda'r llawysgrif yn ei law erbyn imi gyrraedd y drws ar waelod y grisiau i'r sgriptoriwm. Roedd y festri'n dawel am fod pob un o'r brodyr yn gloddesta yn y cabidyldy. Roedd Drewgi yn llygad ei le. Hwn oedd y cyfle delfrydol i roi ein cynllun ar waith.

Cymerodd Wil ffagl oedd ynghyn ger y drws a'i dal o'i flaen wrth imi osod yr allwedd yn y clo a'i throi'n araf. Agorais y drws, a chamodd y ddau ohonom trwyddo a'i gloi ar ein holau. Llyncais fy mhoer cyn dilyn Wil i fyny'r grisiau serth.

'Gobeithio fod Drewgi'n dweud y gwir mai celwydd yw'r straeon am ysbryd y Brawd Du yn cerdded yn y sgriptoriwm gyda'r nos,' meddwn mewn llais crynedig wrth inni gyrraedd y sgriptoriwm, a edrychai'n anferth yng ngolau'r ffagl.

Edrychais ar y llyfr yn fy nwylo. Darllenais y geiriau 'Cerddi Cyflawn Dafydd ap Gwilym' ar y dudalen flaen a mwytho'r llyfr am y tro olaf cyn ei osod yn y sgriptoriwm fel bod cenedlaethau'r dyfodol yn gallu gwerthfawrogi fy ngwaith.

Ond ble ddylwn i roi'r llyfr? Lle ddylai ffrwyth fy nychymyg orwedd am byth bythoedd? A ddylai'r llyfr gyd-fyw ag arwyr megis Ofydd a Homer, neu a ddylwn ei guddio gydag ysgrifenwyr mwy sych fel Beda Ddoeth a Tomos o Acwin? Efallai y dylai fy ngwaith orwedd gyda llyfrau mawr y cyfnod fel y *Chanson de Roland* a'r *chansons de geste* eraill, meddyliais. Neu a ddylwn i ei osod yn nhrefn yr wyddor, i gymryd ei le yn bowld rhwng Bleddyn Fardd a Dafydd Benfras?

O'r diwedd, penderfynais mai'r man delfrydol fyddai ymysg fy nghyd-feirdd o Gymru. Felly camais i ben pella'r sgriptoriwm. Dilynodd Wil fi gyda'r ffagl wrth imi geisio dod o hyd i'r rhan o'r llyfrgell oedd wedi'i neilltuo ar gyfer barddoniaeth Cymru.

Yna, clywodd y ddau ohonom sŵn traed yn cerdded yn dawel i fyny'r grisiau i'r sgriptoriwm.

'Diffodd y golau, Wil. Mae'r Brawd Du yn troedio'r sgriptoriwm,' sibrydais yn ofnus.

Ufuddhaodd Wil ar unwaith, gan daflu cornel ei fantell dros y ffagl. Cuddiodd y ddau ohonom y tu ôl i fwrdd a gweld golau'n nesáu o gyfeiriad y grisiau. Yna, yn y pellter gwelsom ffigwr yn gwisgo cwcwll, gyda ffagl yn ei law chwith a llawysgrif yn ei law dde.

'Y Brawd Du, Wil...' sibrydais. 'Beth wnawn ni? Mae hi ar ben arnom.'

'Hmmm. Dwi ddim mor siŵr,' atebodd Wil.

Yna clywsom lais cyfarwydd. 'Dere 'mla'n, Iolo. Does dim drwy'r nos gyda ni. Mae'r adran farddoniaeth draw fan'co,' meddai Madog Benfras, cyn i'r ddau gamu'n araf at y fan lle'r oeddwn i a Wil yn swatio. Arhosodd y ddau ohonom ynghudd nes roedd y ddau hyd braich i ffwrdd, cyn neidio allan o'n cuddfan.

'Aha!' gwaeddodd y ddau ohonom ar yr un pryd. Neidiodd Madog ac Iolo i'r awyr mewn ofn, a gollyngodd Iolo y llawysgrif o'i ddwylo. Codais y llyfr a gweld y teitl: 'Cerddi'r Cywyddwyr' gan Madog Benfras ac Iolo Goch. Gwenais gan sylweddoli fod Madog ac Iolo wedi cael yr un syniad â Wil a minnau.

'Henffych, Madog Benfras ac Iolo Goch. Chwilio am rywbeth i'w ddarllen cyn clwydo?' gofynnais, gan gamu allan o'r cysgodion.

'O! Ti, ap Gwilym, sydd yna,' meddai Madog gyda rhyddhad amlwg.

'Efe a'i was ffyddlon, Gwilym ap Dafydd,' meddai Wil, gan gymryd y ffagl oedd yn llaw Iolo er mwyn ailgynnau ei un ef.

'Mae'n amlwg eich bod wedi penderfynu sicrhau eich anfarwoldeb drwy guddio copi o'ch gwaith yn y sgriptoriwm heb orfod talu am y fraint,' meddwn yn fuddugoliaethus, gan chwifio cyfrol Madog ac Iolo o dan eu trwynau.

'A beth yw hwn?' sgyrnygodd Iolo, gan gipio fy llawysgrif i o'm dwylo a darllen y teitl, cyn dangos y llyfr i Madog.

'Mi gawson nhw'r un syniad, Madog. Y ffrwcsyn llwynogod â nhw.'

'Ond mi gefais i ganiatâd y llyfrgellydd, Eynon Duy, cyn iddo ddechrau ar ei daith i Cîteaux, i osod fy llyfr i yma,' dywedais. 'Oes gennych *chi* ganiatâd i fod yn y sgriptoriwm?'

'Wel... oes a nag oes,' meddai Madog yn amddiffynnol.

'Man a man inni gyfaddef, Madog. Mi wnaethon ni feddwi'r dirprwy abad, Adda ap Rhys ap Madog, yn rhacs a dwyn ei allwedd i'r sgriptoriwm, gyda'r bwriad o adael ein llawysgrif yma, cyn dychwelyd yr allwedd i'r cabidyldy a'i gadael ar y llawr. Mi fyddai'n meddwl ei bod wedi cwympo o'i wisg pan ddeuai o hyd iddi bore fory,' esboniodd Iolo.

'A dwi ddim yn gweld beth sydd o'i le ar hynny,' meddai Madog yn ei ffordd hunangyfiawn arferol. 'Mae ganddon ni gymaint o hawl â thi, ap Gwilym, i adael ein gwaith yma ar gyfer cenedlaethau'r dyfodol.'

Ond cyn inni gael cyfle i drafod y mater ymhellach clywsom sŵn traed unwaith eto yn cerdded yn dawel i fyny'r grisiau at y sgriptoriwm.

'Diffodd y golau, Iolo. Mae'r Brawd Du yn troedio'r sgriptoriwm,' sibrydodd Madog yn ofnus. Ufuddhaodd Iolo ar unwaith, gan roi cornel ei fantell dros y ffagl. Gwnaeth Wil yr un fath. Cuddiodd y pedwar ohonom y tu ôl i'r un bwrdd a gweld golau'n nesáu o gyfeiriad y grisiau.

'Rwy'n siŵr imi gloi'r drws ar fy ôl,' sibrydodd Iolo. Yn y pellter, gwelsom ffigwr yn gwisgo cwcwll, gyda ffagl yn ei law chwith a llawysgrif yn ei law dde.

'Y Brawd Du, Iolo...' sibrydodd Madog. 'Beth wnawn ni nawr? Mae hi ar ben arnom.'

'Hmmm. Dwi ddim mor siŵr,' atebais innau.

Yna clywsom lais cyfarwydd. 'Dere 'mla'n, Bwa Bach. Does dim drwy'r nos gyda ni. Ble mae'r adran hunangofiannau?' meddai Morfudd cyn i'r ddau gamu'n araf at y fan lle'r oeddwn i, Madog, Iolo a Wil yn swatio. Arhosodd y pedwar ohonom nes roedd y ddau hyd braich i ffwrdd cyn neidio allan o'n cuddfan.

'Aha!' gwaeddodd y pedwar ohonom ar yr un pryd. Neidiodd Morfudd a'r Bwa Bach i'r awyr mewn ofn, a gollyngodd y Bwa Bach y llawysgrif o'i law. Codais y llyfr a gweld y teitl: 'Y Maen i'r Wal. Atgofion Bildar' gan y Bwa Bach. Gwenais gan sylweddoli fod Morfudd a'r Bwa Bach wedi cael yr un syniad â'r gweddill ohonom.

'Henffych, Morfudd a'r Bwa Bach. Chwilio am rywbeth i'w ddarllen cyn clwydo?' gofynnais, gan gamu allan o'r cysgodion.

'O! Ti, Dafydd, sydd yna,' meddai Morfudd gyda rhyddhad amlwg.

'Efe a'i was ffyddlon, Gwilym ap Dafydd,' meddai Wil gan gymryd y ffagl oedd yn llaw Morfudd ac ailgynnau ei un ef.

'A'r beirdd Madog Benfras ac Iolo Goch,' meddai Madog, wrth i Iolo gymryd y ffagl o law Wil a chynnau ei ffagl yntau.

'Mae'n amlwg dy fod ti'r Bwa Bach wedi cael y syniad y byddet ti'n sicrhau dy anfarwoldeb drwy adael copi o dy hunangofiant yn y sgriptoriwm heb orfod talu am y fraint,' dywedais yn fuddugoliaethus.

'Oes gennych chi ganiatâd i fod yn y sgriptoriwm?' gofynnodd Madog yn ffroenuchel.

'Wel... oes a nag oes,' meddai Morfudd yn amddiffynnol.

'Man a man inni gyfaddef, Morfudd. Mi wnaethon ni feddwi'r abad, Llywelyn Fychan, a dwyn ei allwedd i'r sgriptoriwm gyda'r bwriad o adael fy hunangofiant yma, cyn dychwelyd yr allwedd i'r cabidyldy a'i gadael ar y llawr. Mi fyddai'n meddwl ei bod wedi cwympo o'r wisg pan ddeuai o hyd iddi bore fory,' esboniodd y Bwa Bach.

'A dwi ddim yn gweld beth sydd o'i le ar hynny,' meddai Morfudd. 'Mae gan y Bwa Bach gymaint o hawl â chi'r beirdd i adael ei atgofion ar gyfer cenedlaethau'r dyfodol.'

Ond cyn inni gael cyfle i drafod y mater ymhellach clywsom sŵn traed yn cerdded yn dawel i fyny'r grisiau i'r sgriptoriwm.

'Diffoddwch y golau. Mae'r Brawd Du yn troedio'r sgriptoriwm,' sibrydodd Morfudd yn ofnus. Ufuddhaodd Iolo, Wil a'r Bwa Bach ar unwaith a rhoddodd y tri ohonynt gornel eu mantell dros eu ffagl. Cuddiodd pawb y tu ôl i'r un bwrdd a gweld golau'n nesáu o gyfeiriad y grisiau. Yna, yn y pellter gwelsom ffigwr yn gwisgo cwcwll, gyda ffagl yn ei law chwith a llawysgrif yn ei law dde.

'Y Brawd Du, Morfudd...' sibrydodd y Bwa Bach. 'Beth wnawn ni nawr? Mae hi ar ben arnom.'

'Hmmm. Dwi ddim mor siŵr,' atebais innau.

Y tro hwn dim ond un ffigwr â'i wyneb o'r golwg dan gwcwll du a gerddodd tuag atom. Oedd y stori'n wir wedi'r cyfan? Oerodd fy ngwaed a chlywais sŵn pengliniau'n taro yn erbyn ei gilydd wrth fy ochr. Gwyliais y ffigwr yn camu'n araf at y fan lle'r oeddem yn swatio. Erbyn hyn roedd y Brawd Du hyd braich i ffwrdd. Ond ni neidiodd unrhyw un allan y tro hwn wrth inni wylio'r ddrychiolaeth yn nesáu... a nesáu... a nesáu, cyn iddo godi'r ffagl o'i flaen a thaflu golau ar y chwech ohonom yn crynu y tu ôl i'r bwrdd.

'Ahaaa! Fanna y'ch chi'r cachgwn,' meddai llais cyfarwydd wrth i'r ysbryd dynnu ei gwcwll oddi ar ei ben.

Neidiodd pawb i'r awyr mewn ofn. Gollyngodd y Bwa Bach, Iolo a Wil eu ffaglau a gollyngodd Madog, Morfudd a minnau'r llyfrau oedd yn ein dwylo.

Tynnodd yr ysbryd y cwcwll oddi ar ei ben.

'Dyddgu!' gwaeddais, pan welais wyneb cyfarwydd landledi'r Hen Lew Du. 'Beth wyt ti'n ei wneud yma?'

'Ro'n i'n methu cysgu am fy mod i'n poeni cymaint am orfod gwerthu'r holl jin 'na,' meddai Dyddgu. 'Felly mi es i am dro o amgylch yr abaty. Mi welais i Morfudd a'r Bwa Bach yn sleifio i fyny'r grisiau a phenderfynu eu dilyn i weld beth oedd yn digwydd.'

'Mi ddwedais i wrthot ti am gloi'r drws ar dy ôl,' sgyrnygodd Morfudd.

'Naddo. Ddwedest ti ddim byd o'r fath,' atebodd y Bwa Bach cyn sylweddoli ei gamgymeriad pan welodd wyneb gwgus ei wraig. 'Ti'n iawn, f'anwylyd. Mae'n flin gen i.'

Gyda hynny, sylwodd pawb ar arogl llosgi. Edrychais y tu ôl imi a gweld bod fflamau'n ymestyn erbyn hyn o'r tair ffagl roedd Wil, Iolo a'r Bwa Bach wedi'u gollwng ar y llawr a'u bod yn dechrau llosgi llyfrau'r Bwa Bach, Madog ac Iolo, ac yn bwysicach na hynny, fy llyfr i.

'Mae'r proflenni ynghyn!' gwaeddais, gan ddechrau damsgen ar y fflamau. Ond roeddent wedi dechrau cydio yn nhudalennau sych llawysgrifau eraill. Cyn pen dim roedd y tân allan o reolaeth.

'Beth allwn ni ei wneud?' gwaeddodd Dyddgu.

'Rhedeg am ein bywydau!' gwaeddais innau, cyn rhedeg tuag at risiau'r sgriptoriwm. Wrth imi gyrraedd y grisiau, cofiais fod Drewgi wedi rhoi Llawysgrif y Gogynfeirdd ar silff gyfagos y prynhawn hwnnw. Cymerais y llyfr cyn rhuthro i lawr y grisiau gyda gweddill y bagad barddol yn gweiddi 'Tân! Mae tân yn y sgriptoriwm!'

Llwyddodd pawb i gyrraedd diogelwch y clas a'r awyr agored. Wrth i nifer o'r brodyr ruthro at ddrws y sgriptoriwm yn cario pwcedi o ddŵr, sleifiais innau i'r cysgodion a gadael Llawysgrif y Gogynfeirdd yn y cabidyldy, cyn ymuno â gweddill y bagad barddol yn y clasty.

VIII

Fore trannoeth codais i a gweddill y bagad barddol yn blygeiniol i weld maint y difrod a wnaethpwyd i'r sgriptoriwm. Roedd y Brodyr Gwynion wedi llwyddo i achub yr adeilad ei hun rhag llosgi'n ulw, ond yn ôl y brodyr roedd nifer o'r llyfrau wedi'u llosgi neu'u difrodi'n ddifrifol gan y tân.

Penderfynon ni adael yr abaty cyn gynted â phosib i osgoi unrhyw holi ynghylch sut y dechreuodd y tân. Ar ôl i Morfudd a Madog ddychwelyd yr allweddi wnaethon nhw eu dwyn i'r cabidyldy, ymgasglodd pawb wrth borth yr abaty. Roeddwn i hefyd wedi gadael allwedd Drewgi yn ei gell cyn ymuno â'r gweddill. Eisteddai Dyddgu yn ei chert, oedd wedi'i llwytho â chasgenni jin ers y noson cynt.

Ymhen hir a hwyr daeth yr abad a'i ddirprwy allan o'r abaty, yn edrych yn welw iawn ar ôl eu noson o yfed a gloddesta.

'Mae'n flin gen i orfod ffarwelio â chi dan amgylchiadau mor drist,' meddai'r abad, wedi iddo'n cyfarch fesul un a'n bendithio. 'Er ein bod wedi achub muriau'r sgriptoriwm rydym wedi colli nifer o drysorau llenyddol.'

'Ydych chi'n gwybod sut ddechreuodd y tân?' mentrais ofyn.

'Nac ydyn. Ond mae nifer o bethau sy'n amhosib eu hesbonio wedi dod i'r amlwg,' atebodd yr abad.

'O! Fel beth?' gofynnodd y Bwa Bach.

'Daethpwyd o hyd i'r allweddi rwyf i ac Adda'n eu cadw yn ein gwregys bob amser ar lawr y cabidyldy y bore 'ma.'

'... yn agos iawn at y fan lle'r oedd Llawysgrif y Gogynfeirdd yn gorwedd,' ychwanegodd y dirprwy abad.

'Efallai mai'r Brawd Du a achubodd y llawysgrif neithiwr,' awgrymodd Iolo.

'Efallai'n wir,' meddai'r abad. 'Ond ni lwyddodd y Brawd Du i achub y rhan fwyaf o'r llyfrau. Yn anffodus, cafodd Llyfr Gwyn Rhydderch ei losgi'n ulw, a hynny wythnos yn unig cyn i Rhydderch ddod yma i'w gasglu. Serch hynny, mae cloriau rhai o'r llyfrau heb eu llosgi...' ychwanegodd. Tynnodd y dirprwy abad nifer o dudalennau wedi'u hanner llosgi allan o'i fantell wen, a'u rhoi i'r abad fesul un. '... gan gynnwys "Cerddi Cyflawn Dafydd ap Gwilym",' meddai'r abad gan edrych arna i. '... "Cerddi'r Cywyddwyr" gan Madog Benfras ac Iolo Goch,' ychwanegodd gan edrych ar Madog ac Iolo, '... "Y Maen i'r Wal. Atgofion Bildar" gan y Bwa Bach,' meddai, gan edrych ar Morfudd a'r Bwa Bach, '... a "Trafferth mewn Tafarn. Atgofion Landledi" gan Dyddgu ferch Ieuan,' gorffennodd, gan edrych ar Dyddgu.

Edrychais ar wyneb Dyddgu, oedd wedi dechrau cochi. Sylweddolais nad ar hap yr oedd hi yn y sgriptoriwm neithiwr. Roedd hithau hefyd wedi penderfynu rhoi ei hymdrechion llenyddol ar gof a chadw, ac wedi eu gollwng ar y llawr wrth iddi ddianc rhag y tân.

'Hoffwn esboniad am bresenoldeb yr holl lawysgrifau hyn yn y sgriptoriwm,' meddai'r abad yn chwyrn.

Aeth pawb yn fud, gan sylweddoli'n sydyn pa mor ddiddorol oedd eu hesgidiau.

'Efallai y bydd cyfnod yn y carchar yn llacio'ch tafodau!' taranodd yr abad.

Gwingais wrth feddwl y byddwn i'n gorfod dioddef *détention* unwaith eto. Ond wrth i'r abad alw ar rai o'r Brodyr Gwynion i'n tywys i'r carchar, pesychodd Wil a gofyn am ganiatâd i siarad.

'Efallai fod modd creu copi arall o Lyfr Gwyn Rhydderch,' awgrymodd.

'Amhosib! Mae'r rhan fwyaf o'r deunydd crai ar gyfer Llyfr Gwyn Rhydderch wedi'i losgi'n ulw neithiwr. Ac mae Eynon Duy, ein llyfrgellydd, a gyflawnodd y gwaith ar ei ben ei hun, wedi cychwyn ar ei daith i Ffrainc,' meddai'r abad.

'Ond cyn iddo adael, mi dreuliodd Eynon Duy'r diwrnod yng nghwmni fy meistr, yn pori trwy Lyfr Gwyn Rhydderch... yn y sgriptoriwm... yn gofyn ei farn am ei fod yn fardd mor uchel ei fri,' meddai Wil yn gelwyddog. 'Mae gan fy meistr, fel pob bardd, gof anhygoel. Efallai y gallai ef, gyda chymorth y gweddill ohonom, gyflawni'r gwaith mewn pryd.'

'Alla i?' gofynnais yn ansicr, cyn gweld yr olwg ar wyneb Wil. 'Gallaf... gallaf wir,' meddwn yn gyflym.

'Hmmm. Efallai y byddai hynny'n golygu na fyddai angen imi ymholi'n bellach am achos y tân,' meddai'r abad, gan grafu ei ên. 'Ac efallai y gallaf feddwl am esgus i atal Rhydderch rhag casglu'r Llyfr Gwyn nes ichi greu copi newydd.'

'Un peth arall... a fyddech chi'n fodlon codi llai ar Dyddgu am y jin...?' dechreuodd Wil, cyn i'r abad dorri ar ei draws.

'Paid â gofyn gormod, daeog was. Rwyt ti'n ffodus fy mod i mor hael.'

Edrychodd Wil ar Dyddgu a chodi'i ysgwyddau. Roedd wedi gwneud ei orau drosti ac edrychodd hithau'n ôl arno'n ddiolchgar.

IX

Eisteddai Madog Benfras, Iolo Goch, y Bwa Bach, Morfudd a minnau o gwmpas bwrdd yn y cabidyldy toc wedi *Terce* y bore hwnnw.

Roedd Wil wedi bachu ar y cyfle i dderbyn cynnig Dyddgu i deithio ar flaen y gert gyda hi yn ôl i'r Hen Lew Du yn Aberteifi. Cafodd y cynnig yn sgil ei brofiad fel milwr, rhag ofn i wylliaid, neu hyd yn oed fynachod Ystrad Fflur, geisio dwyn y jin.

'Reit 'te, Dafydd, gorau po gyntaf inni ddechrau er mwyn inni gael gorffen,' meddai'r Bwa Bach, a eisteddai'n barod i gopïo popeth roeddwn i'n ei gofio ar ôl darllen Llyfr Gwyn Rhydderch y diwrnod cynt.

'Ie. Ble wyt ti am ddechrau? Y chwedlau Ffrengig?' awgrymodd Morfudd, gan ddal ei hysgrifbin yn barod.

'Neu beth am Drioedd Ynys Prydain?' gofynnodd Madog Benfras, gan bwyso ymlaen yn eiddgar yn ei gadair yn dal ei ysgrifbin yntau.

'... neu'r Tair Rhamant?' awgrymodd Iolo Goch, gan gnoi blaen pluen ei ysgrifbin yntau.

'Na. Dwi'n credu y dechreuaf i gyda'r Mabinogi,' atebais, gan geisio cofio dechrau'r campwaith hynod hwnnw.

'Sawl cainc sydd yna?' gofynnodd Morfudd.

'Mae deugain o geinciau i gyd, ond a dweud y gwir dim ond pedair cainc ddarllenais i... yn rhannol. Ond fydd neb ddim callach bod deugain i fod, ac mi fydd yn rhaid iddyn nhw wneud y tro gyda phedair cainc yn unig,' meddwn. 'Reit 'te. Y Mabinogi. Pwyll Pendefig Dyfed... roedd y boi 'ma... ac roedd e'n dipyn o foi... na... gadewch imi ddechrau 'to...'

* * * *

Llyfr Gwyn Rhydderch yw un o'r llawysgrifau enwocaf a phwysicaf yn y Llyfrgell Genedlaethol. Dyma'r compendiwm cynharaf o destunau rhyddiaith yn Gymraeg, ond eto'n cynnwys rhai enghreifftiau o farddoniaeth gynnar...

Copïwyd y Llyfr Gwyn tua chanol y bedwaredd ganrif ar ddeg, fwy na thebyg ar gyfer Rhydderch ab Ieuan Llwyd (c. 1325–1400) o Barcrhydderch, plwyf Llangeitho, Ceredigion, aelod o deulu â thraddodiad hir o noddi llenyddiaeth... Credir heddiw mai pump o gopïwyr a luniodd y llawysgrif, a hynny fwy na thebyg ym mynachlog Ystrad Fflur, nid nepell o gartref Rhydderch.

Credir bod y llawysgrif yn cynnwys darn o waith gan Dafydd ap Gwilym. Ysgrifennwyd 'Englynion y Cusan' mewn gofod gwag mewn sgript rhedol yn ystod ail hanner y bedwaredd ganrif ar ddeg. Hwn yw'r unig gopi o'r gerdd.

Gwefan Llyfrgell Genedlaethol Cymru

I

Roeddwn mewn cyfyng-gyngor wrth imi gerdded gyda fy mhen i lawr, yn wynebu fy esgidiau fermiliwn ysblennydd, wrth i'r gwynt a'r eira chwyrlïo o'm cwmpas y bore hwnnw o Dachwedd yn 1347 pan gyrhaeddais bentref Llechryd, ryw dair milltir o Aberteifi.

Ond nid y gwynt a'r eira'n unig oedd yn achosi i'r meistr ifanc fod yn benisel. Nid oedd yn un o'r diwrnodau hynny pan fyddai'n canu *chanson de geste* nerth ei ben, gyda'i het groen afanc Ffleminaidd wedi'i gosod ar ongl chwareus ar ei ben.

Roedd Cymdeithas y Cywyddwyr, Rhigymwyr, Awdlwyr a Phrydyddion newydd orffen taith fer o amgylch Sir Gâr, gan gynnwys nosweithiau o glera yn llysoedd uchelwyr Abergwili, Cynwyl Elfed a Phencader. Rhaid dweud na fu hwyliau'r bagad barddol yn dda trwy gydol yr wythnos, a myfi, y bardd Dafydd ap Gwilym, oedd y rheswm am hynny. Roedd beirdd CRAP Cymru yn fy meio i am eu bod wedi gorfod treulio pedair wythnos mewn cell ddrewllyd yn Abaty Ystrad Fflur yn rhoi'r hyn roeddwn i'n ei gofio o Lyfr Gwyn Rhydderch ar gof a chadw.

'Mi allwn i ac Iolo fod yn yfed jin o flaen tân cynnes yn yr Hen Lew Du ac yn cyfansoddi cerddi newydd, gwych ar gyfer ein taith nesaf nawr, oni bai amdanat ti,' taranodd Madog Benfras. Roedd wrthi'n cofnodi'r hyn roeddwn i'n ei gofio o gainc gyntaf y Mabinogi, 'Pwyll Pendefig Dyfed', ar y pryd yng nghell yr abaty.

'Eitha reit, Madog. Rwyt ti wedi taro'r hoelen ar ei phen,' cytunodd Iolo, oedd wrthi'n ceisio ymhelaethu ar fy mraslun o'r ail gainc, 'Branwen ferch Llŷr'.

'Mae dy weithredoedd gorffwyll yn golygu fy mod i a'r Bwa Bach wedi gorfod anfon llatai at nifer o uchelwyr Sir Benfro yn eu hysbysu bod y daith yno wedi'i chanslo,' meddai Morfudd rai diwrnodau'n ddiweddarach, wrth iddi hithau gofnodi'r darnau pitw roeddwn yn eu cofio o'r drydedd gainc, 'Manawydan fab Llŷr'.

'Mae dy ymddygiad cwbl hunanol di wedi costio ffortiwn i'r bagad barddol. Ry'n ni wedi gorfod canslo taith arall ym Maldwyn,' cwynodd y Bwa Bach yn ddiweddarach, wrth iddo gofnodi fy atgofion prin o'r bedwaredd gainc, 'Math fab Mathonwy', yn ystod y drydedd wythnos.

Erbyn y bedwaredd wythnos roeddwn i'n diolch i'r Iôr nad oeddwn wedi darllen yr un ar bymtheg ar hugain o geinciau eraill y Mabinogi. Serch hynny, parhaodd y cwyno ar ôl inni gwblhau'r gwaith o ailysgrifennu Llyfr Gwyn Rhydderch a theithio i'r Hen Lew Du yn Aberteifi i ymarfer ar gyfer y daith o amgylch Sir Gâr.

Wrth gwrs, rhoddodd y cyfnod hwnnw gyfle i Dyddgu ymuno yn yr wylofain a'r rhincian dannedd.

'Does gen i ddim syniad sut dwi'n mynd i werthu'r holl jin 'ma erbyn diwedd y flwyddyn,' meddai. 'Petaet ti heb gael y syniad am y Crair Sanctaidd fyddai Llywelyn Fychan byth wedi tywyllu drws yr Hen Lew Du. Rwyt ti wedi fy siomi, Dafydd, wyt wir.'

Doedd dim diben imi geisio rhesymu gyda Dyddgu, Morfudd, y Bwa Bach, Madog nac Iolo, a thynnu eu sylw at y ffaith eu bod hwythau hefyd wedi sleifio i'r sgriptoriwm ar yr un noson gyda'r un bwriad, sef gadael eu gweithiau llenyddol ansafonol yno. Roedd pawb wedi darbwyllo'u hunain nad oedd unrhyw fai arnyn nhw. Dim ond un ohonom oedd yn gyfrifol am yr holl drallod. A myfi, Dafydd ap Gwilym, oedd hwnnw.

Parhaodd y cwyno'n ddi-baid yn ystod y daith. Ac mae'n rhaid imi gyfaddef fy mod i'n teimlo braidd yn hunandosturiol erbyn iddi ddod i ben. Ond mae gan y meistr ifanc air o gyngor i unrhyw un sydd â'i ben yn ei blu, yn isel ei ysbryd, ac yn drwm ei galon. Yr ateb yw prynu rhywbeth moethus i chi'ch hun. Os ydy pethau'n edrych yn ddu rwyf bob amser yn codi fy nghalon drwy brynu het ysblennydd, esgidiau moethus neu sanau llachar. A'r tro hwn, daeth yr ateb pan gerddais heibio i stondin ym marchnad Caerfyrddin, a oedd yn berchen i'r tri thincer teithiol o Loegr y soniais amdanynt yng nghyfrol gyntaf fy hunangofiant, sef Hicin, Siencyn a Siac.

'What Ho!' meddai Siencyn.

'Pip Pip!' meddai Hicin.

'Ding Dong!' meddai Siac.

'What Ho! Pip Pip! a Ding Dong! i chithau, gyfeillion,' meddwn innau, gan edmygu'r trowsus mwyaf ysblennydd imi ei weld erioed. Yn ôl y tri thincer, yr enw ar drowsus o'r fath oedd 'Pans Harem', ac roeddynt yn boblogaidd iawn yn Arabia a Granada yn ne Iberia, lle'r oeddent yn cael eu creu. Roedd y Saeson wedi'u mewnforio yn sgil eu cysylltiad â'r rhan honno o'r byd.

Heb oedi, mi brynais y trowsus gwych, oedd yn dynn o amgylch y canol a'r gwaelod ond yn chwyddo allan o amgylch y cluniau.

Serch eu hysblander, nid oeddwn yn ddigon hyderus i wisgo'r Pans Harem ar gyfer perfformiad olaf ein taith yn Abergwili y noson honno. Yn hytrach, penderfynais eu cyflwyno i'r bagad barddol am y tro cyntaf drannoeth, cyn inni ddechrau ar ein taith o Gaerfyrddin i Aberteifi.

Cefais fy siomi'n aruthrol gan ymateb Wil pan ddangosais y Pans Harem iddo am y tro cyntaf, wrth iddo fy helpu i wisgo'r bore hwnnw.

'Mae'n flin gen i, ond dwi ddim yn mynd i gerdded pum milltir ar hugain gyda rhywun sy'n gwisgo beth bynnag yw'r rheina,' meddai'n ddigywilydd.

'Enw'r "rheina" yw Pans Harem. Weli di ddim clos mwy cain rhwng fan hyn a Chastilia. Ta beth, rwy'n credu dy fod di'n anghofio pwy yw'r meistr a phwy yw'r gwas, Wil.'

'Ac rwy'n credu dy fod di'n anghofio ein cytundeb ysgrifenedig,' meddai Wil. Tynnodd y ddogfen o'i ysgrepan. 'Mae'r cytundeb yn sôn am gydysgrifennu cerddi ond does dim sôn am gydgerdded â thi os wyt ti'n mynnu gwisgo dillad chwerthinllyd.'

Gwae fi! Cefais yr un ymateb gan aelodau eraill ein bagad barddol.

'Pam fod dy bengliniau di wedi chwyddo dros nos?' ebychodd y Bwa Bach.

'Dyw'r trowsus newydd 'na'n gwneud dim byd iti, Dafydd. Mae'n rhoi o leia deg pwys arnat ti,' meddai Morfudd gan grychu'i hwyneb.

'Beth wyt ti'n mynd i'w wneud 'da'r trowsus 'na? Dechrau gyrfa newydd fel megin ddynol?' gofynnodd Madog Benfras yn wawdlyd.

'Ie, megin ddynol. Da iawn, Madog,' cytunodd Iolo Goch.

Gwrthododd pawb gydgerdded â'r meistr ifanc. Felly dechreuais ar y daith i Aberteifi ar fy mhen fy hun. Roeddwn yn teimlo'n benisel oherwydd ymddygiad gwrthun fy ffrindiau – neu fy nghydnabod yn unig erbyn hyn, efallai. Ond yna teimlais hyd yn oed yn waeth pan sylweddolais mai'r dyddiad oedd yr unfed ar ddeg o Dachwedd, sef diwrnod Gŵyl Mabsant Sant Martin o Tours, dechrau 'deugain niwrnod St Martin' sef y deugain niwrnod cyn i ŵyl y Nadolig ddechrau ar yr unfed ar hugain o Ragfyr.

Wn i ddim a ydych chi'n cytuno, ddarllenwr ffyddlon, ond dwi'n teimlo fod dathliadau'r ŵyl yn dechrau'n llawer rhy gynnar.

Yn fy marn i, y Nadolig yw cyfnod gwaetha'r flwyddyn, ac roeddwn yn rhagweld y byddai pethau'n waeth y flwyddyn honno am fod fy ffrindiau a'm gwas mor gas tuag ata i. Roeddwn wedi bwriadu treulio rhan gyntaf yr ŵyl gyda'r bagad barddol yn yr Hen Lew Du, yn gloddesta'n helaeth, cyn teithio gyda Wil i ogledd Ceredigion i dreulio diwrnod y Nadolig gyda fy rhieni annwyl.

Ond nawr, sylweddolwn y byddai'n rhaid imi fynd adref a threulio'r Nadolig cyfan gyda'm rhieni. Mi fyddwn i'n gorfod codi cyn *Laudes* a cherdded y pedair milltir i Eglwys Llanbadarn i ganu carolau plygain am bedair awr bob bore, cyn cerdded adref a bwyta pwdin pys trwy'r dydd. Yn waeth na hynny, byddai'n rhaid imi wneud hynny'n ddyddiol am ddeuddeg diwrnod!

Does dim rhyfedd felly fy mod i'n teimlo'n isel fy ysbryd erbyn imi gyrraedd pont Llechryd i groesi afon Teifi, cyn cerdded y tair milltir olaf i Aberteifi, i gael fy ngwawdio ymhellach gan bawb.

Serch ysblander y trowsus mae'n rhaid imi gyfaddef nad oedden nhw'n ymarferol iawn mewn tywydd o'r fath. Oherwydd eu siâp roeddent yn tueddu i ddal y gwynt cryf a chwyddo'n ddychrynllyd. Oedais am ychydig hanner ffordd ar draws y bont i syllu ar yr afon oddi tanaf, a oedd wedi codi'n uchel ac yn llifo'n wyllt tuag at y môr yn Aberteifi. Yn sydyn, daeth cwthwm cryf o wynt. Teimlais yr aer yn chwyddo'r Pans Harem, a'r funud nesaf roeddwn wedi codi i'r awyr, ac ar ôl hofran yn y gwynt uwchben y bont am ennyd, syrthiais i ddyfroedd oerion gaeafol afon Teifi islaw.

II

Does gen i fawr o gof o'r amser a dreuliais yn yr afon y bore hwnnw. Dim ond ambell fflach o atgof o gael fy hyrddio gan yr afon a cheisio cadw fy mhen uwchlaw'r dŵr. Roedd fy ysgrepan, a oedd wedi'i chlymu ar fy nghefn, yn fy nhynnu i bob cyfeiriad. Meddyliais ei bod hi ar ben arnaf wrth imi aros i gael fy nhynnu o dan y don am y trydydd tro. Ond yna, yn wyrthiol, dechreuais arnofio ar wyneb y dŵr. A hynny oherwydd y Pans Harem. Er mai'r trowsus ysblennydd a achosodd imi syrthio i'r afon, y trowsus hefyd a achubodd fy mywyd, am fod yr aer oedd wedi'i ddal ynddo yn fy atal rhag suddo. Gwaeddais mewn gorfoledd a cheisio cyrraedd y lan. Ac yn wir, roeddwn bron â llwyddo pan welais garreg enfawr o fy mlaen yn yr afon. A dyna pryd yr aeth popeth yn ddu.

Pan ddihunais roeddwn yn gorwedd yn y tywyllwch mewn adeilad heb ffenest. Clywn y gwynt yn chwyrlïo y tu allan, a theimlwn bob asgwrn yn fy nghorff yn brifo, cyn i bopeth fynd yn ddu eto.

Pan ddihunais am yr eildro, gwelais fenyw a dyn yn edrych yn bryderus arnaf. Roedd y fenyw wedi hen gyrraedd oed yr addewid, a thybiwn fod y dyn mor hen â Methwsela.

'Ble ydw i? Beth ddigwyddodd?' gofynnais yn wan.

'Mae e'n siarad Cymraeg,' meddai'r fenyw.

'Pam na fyddwn i'n siarad Cymraeg?' sibrydais, gan wingo wrth geisio symud.

'Y trowsus anhygoel 'na roeddech chi'n ei wisgo. Welais i erioed ddim byd tebyg yn fy mywyd. Roedden ni'n grediniol eich bod chi'n deithiwr o wlad bell,' esboniodd y dyn, gan redeg ei fysedd trwy ei wallt gwyn.

'I'r gwrthwyneb, ddyn o'r taeog-frid. Myfi yw'r bardd enwog Dafydd ap Gwilym,' meddwn, gan ddisgwyl cael yr un ymateb ag arfer gan yr *hoi polloi* sef 'pwy?' neu 'erioed wedi clywed amdanoch'.

'Nid *y* Dafydd ap Gwilym?' gofynnodd y fenyw gan glapio'i dwylo. 'Edryd, efe yw e, y bardd, Dafydd ap Gwilym!'

'Myn diain i, Begw. Nid y bardd uchel ei barch a gyfansoddodd y cerddi "Mis Mai a Mis Tachwedd", heb sôn am "Yr Haf"?'

'... heb sôn am "Yr Ehedydd", "Yr Wylan" ac "Yr Iwrch",' adleisiodd Begw.

'... a mwy, llawer mwy,' meddwn i, gan ddechrau chwifio fy mraich, nes i boen dychrynllyd ymledu trwyddi. 'Ond sut ydych chi'n gwybod cymaint am fy marddoniaeth?' gofynnais, gan wybod na fyddai taeog yn cael ei wahodd i wledda gydag uchelwyr yr ardal.

'Mae eich gwaith wedi'i ledaenu gan y Datgeiniaid. Ry'n ni wedi bod yn gwrando arnyn nhw droeon yn nhafarn Cilgerran,' meddai Edryd.

'Cilgerran? Ond mi gwympais i oddi ar bont Llechryd!' ebychais, gan sylweddoli fy mod wedi teithio dros ddwy filltir yn yr afon, nes cyrraedd o fewn milltir i Aberteifi.

'Peidiwch â cheisio gwneud gormod, nawr. Ry'ch chi wedi dioddef anafiadau cas,' meddai Begw.

'Ry'ch chi'n lwcus eich bod chi'n fyw,' meddai Edryd. Esboniodd ei fod wedi dod o hyd imi ar lan afon Teifi gerllaw ei fan gwaith yn y felin ddŵr.

'Mae Edryd yn felinwr. Mae'n ffodus ei fod wedi'ch gweld o'r felin neu mi fyddech wedi marw,' meddai Begw.

'Mi lwyddon ni i'ch llusgo chi yma i'r felin. Rwy'n credu eich bod chi wedi torri'ch coes. Mi fydd yn rhaid ichi aros yma am fis o leiaf,' ychwanegodd Edryd.

'Ond mae'n rhaid ichi anfon neges i'r Hen Lew Du yn Aberteifi,' meddwn, gan wingo wrth geisio troi ar fy ochr, a methu oherwydd y boen. 'Mi fydd fy ffrindiau'n gofidio amdanaf... efallai,' ychwanegais, gan gofio am agwedd y gweddill tuag ataf dros yr wythnosau cynt.

Cerddodd Edryd at ddrws y felin a'i agor. Gwelais blu eira'n disgyn yn dawel a thrwch o hanner troedfedd o eira ger y drws.

'Rwy'n ofni na fyddwn ni'n gallu mynd i unman am nifer o ddyddiau os nad wythnos neu ddwy,' meddai, cyn cau'r drws yn glep.

'Eira mân, eira mawr,' cytunodd Begw.

'Ac rwy'n ofni na fyddwch chi'n gallu symud am wythnos neu ddwy chwaith,' meddai Edryd. 'Yr unig beth allwch chi ei wneud yw cadw'ch coes yn syth a gorwedd yn dawel. Dyna'r unig ffordd o wella coes sydd wedi'i thorri.'

Edrychais ar fy nghoes chwith, a oedd wedi chwyddo ac yn boenus iawn. Yna sylwais nad oeddwn yn gwisgo fy nhrowsus newydd ysblennydd.

'Fy Mhans Harem! Ble mae fy nhrowsus?' ebychais.

'O, rheina? Bu'n rhaid inni newid eich dillad am eich bod yn wlyb stecs. Mi ddefnyddion ni'r dillad sbâr oedd yn eich ysgrepan,' meddai Edryd.

'Roedd y trowsus 'na'n yfflon ac wedi ei sarnu'n llwyr. Mi daflais i e i'r afon. A dweud y gwir doedd e ddim yn eich siwtio chi o gwbl beth bynnag,' meddai Begw. 'Rwy'n siŵr eich bod yn awchu am fwyd,' ychwanegodd. 'Dof i â basned o gawl ichi yn y man.'

'Ond sut alla i ddiolch ichi am eich caredigrwydd?' gofynnais.

'Mi allwch chi adrodd eich barddoniaeth inni bob nos. Mi fydd yr wythnosau nesaf yn gwibio heibio,' meddai Begw, cyn iddi hi a'i gŵr adael yr ystafell.

Treuliais yr wythnosau nesaf yn mynd trwy'r ddefod ddyddiol o gael fy mwydo deirgwaith y dydd gan Edryd a Begw, cyn adrodd detholiad o'm cerddi yng ngolau cannwyll bob nos. Yn ôl Edryd, roedd hi wedi bwrw eira'n ddi-baid yn ystod wythnos gyntaf fy nghystudd, ac felly doedd dim gobaith iddynt anfon neges at fy nghyfeillion yn yr Hen Lew Du.

Er fy mod i'n ddiolchgar dros ben am garedigrwydd yr hen bâr priod, mae'n rhaid imi gyfaddef fy mod i'n teimlo'n eiddigeddus wrth feddwl am weddill y criw'n gloddesta'n hael o flaen y tân yn yr Hen Lew Du ac yn paratoi am yr ŵyl.

Oedden nhw'n meddwl fy mod i wedi marw? Oedden nhw'n poeni fy mod i wedi marw? Rhannais fy mhryderon gydag Edryd a Begw un noson ar ôl imi adrodd detholiad o fy ngherddi natur yn arbennig i Begw, gan gynnwys 'Y Llwynog', 'Y Dylluan' ac 'Y Ceiliog Bronfraith'.

'Ond mae gennych chi fywyd gwych. Rydych chi'n dod â hapusrwydd i bobl drwy adrodd eich cerddi,' meddai Edryd.

'Mi ddylech chi ddiolch am y pethau da yn eich bywyd. Rwy'n ffyddiog bod eich ffrindiau yn poeni amdanoch ac mi fyddwn ni'n anfon neges atynt cyn gynted ag y bydd yr eira'n dechrau dadmer,' ategodd Begw.

'Ond rwy'n ofni efallai na fydd hynny'n digwydd cyn y Nadolig os bydd yr eira'n dal i ddisgyn,' meddai Edryd.

'Rwy'n cael cymaint o fwyd mi allai rhywun feddwl eich bod chi'n fy mhesgi i ar gyfer y bwrdd Nadolig,' chwarddais. Gwelais y ddau'n dal llygaid ei gilydd am ennyd cyn ymuno yn y chwerthin.

Roedd y ddau'n hollol gywir, wrth gwrs. Mi fyddai'n rhaid imi fod yn amyneddgar nes i fy nghoes wella a nes i'r eira ddadmer. Ond er fy mod i'n gallu symud fy nghoes ryw ychydig heb wingo mewn poen erbyn diwedd yr ail wythnos, roeddwn wedi dechrau mwynhau fy hun. Mae bywyd bardd yn un prysur iawn, nid yn unig oherwydd yr ymarfer a'r teithio diddiwedd ond hefyd oherwydd y gwaith anodd a llafurus o greu cerddi. Roedd hwn yn gyfle imi gymryd ysbaid o'm gorchwylion. Penderfynais fwynhau'r cyfnod o segura, felly. Roedd bwyd Begw'n wych. Er ei bod hi'n gyfnod y Dyfodiad, penderfynais y gallwn anwybyddu hwnnw eleni oherwydd yr amgylchiadau unigryw. Hefyd, nid yn aml y mae bardd yn cael cyfle i adrodd ei waith i gynulleidfa mor werthfawrogol bob nos.

Treuliais y pythefnos nesaf yn parhau i fynd trwy'r un ddefod ddyddiol o gael fy mwydo'n dda a pherfformio fy ngherddi bob nos, gan fachu ar y cyfle i arbrofi gyda fy nhechneg ynganu o flaen fy nghynulleidfa gaeth, fel petai.

Yna, un bore yn dilyn fy mrecwast arferol o fara ceirch a chaws, penderfynais geisio codi ar fy nhraed. Erbyn hyn nid oeddwn wedi cael unrhyw boen yn fy nghoes chwith ers dyddiau. Ac er imi simsanu unwaith neu ddwy wrth geisio codi, llwyddais o'r diwedd i sefyll ar fy nhraed am gyfnod byr.

Penderfynais beidio â dweud gair wrth Edryd a Begw. Roeddwn am eu synnu drwy godi ar fy nhraed i adrodd fy ngherddi ar fy noson olaf gyda nhw, cyn imi adael i ymuno â'r bagad barddol yn yr Hen Lew Du.

Serch hynny, ni wyddwn pryd y byddai hynny, am fod Edryd yn fy hysbysu'n ddyddiol bod trwch o eira ar y llawr o hyd.

Ymhen tridiau roeddwn yn gallu cerdded o gwmpas yr ystafell am gyfnod byr heb orfod pwyso yn erbyn y wal. Roeddwn wedi cyffroi'n llwyr a phenderfynais geisio dringo'r grisiau ar ochr yr ystafell i'r ail lawr, lle'r oedd Edryd wedi dweud wrthyf ei fod yn cadw'r blawd yn y felin.

Camais yn araf i fyny'r grisiau fesul un nes imi gyrraedd yr ail lawr, lle'r oedd twll yn y wal. Edrychais trwyddo, gan ddisgwyl gweld mantell drwchus o eira dros lannau afon Teifi. Ond dechreuodd fy mhen droi pan welais nad oedd fawr o eira i'w weld yn unman. O'm blaen gwelwn yr afon yn ymlwybro'n araf heibio i gaeau rhannol las, gyda dim ond ychydig o olion eira arnynt.

Clywais sŵn drws yn agor. Troais a gweld Edryd a Begw yn edrych i fyny arna i.

'Dwi ddim yn deall. Mi ddwedoch chi fod y wlad dan drwch o eira. Ond mae'r eira wedi dechrau dadmer... a hynny ers diwrnodau, mae'n amlwg. Pam fod y ddau ohonoch chi'n fy nghadw i fan hyn heb fod angen? Pam yr holl dwyll?' gofynnais yn nerfus.

'Mae'n flin gennym, Dafydd. Ond roedd hi'n hanfodol dy fod ti'n aros yma tan noswyl Nadolig,' meddai Edryd.

'Ac mae hi'n fore noswyl Nadolig heddiw,' meddai Begw. 'Felly rwyt ti'n rhydd i fynd ac rydyn ni wedi talu penyd am ein...' Ond cyn iddi ddweud gair arall teimlais fy mhen yn troi a chwympais i lawr y grisiau. Teimlais boen arteithiol yn fy migwrn ac aeth popeth yn ddu.

III

Dihunais ar waelod y grisiau. Nid oedd Edryd a Begw i'w gweld yn unman. Ceisiais godi ond aeth poen dychrynllyd drwy fy migwrn ac i fyny fy nghoes. Serch hynny, roeddwn yn weddol ffyddiog nad oeddwn wedi torri fy migwrn wrth imi hercio'n araf at y drws a'i agor.

Syrthiodd fy nghalon pan welais ei bod hi wedi bwrw eira'n drwm unwaith eto tra oeddwn i'n anymwybodol. Ar ben hynny, roedd y gwynt yn chwyrlïo fel yr oedd ar y diwrnod y cwympais i mewn i afon Teifi. Gwyddwn y byddai'n rhaid imi lochesu am un noson arall ac aros i'r storm basio, gan obeithio na fyddai'r eira'n lluwchio a'm hatal rhag hercio'r filltir oedd rhyngdda i a'r Hen Lew Du yn Aberteifi fore trannoeth, sef diwrnod Nadolig.

Diolchais i'r Iôr fod gennyf loches dros nos wrth imi edrych allan trwy'r drws. Cyneuais ffagl roeddwn wedi'i defnyddio droeon i oleuo'r ystafell pan oeddwn yn adrodd fy ngherddi gerbron Edryd a Begw. Yna, yn y pellter gwelais ffigwr yn nesáu, yn cerdded a'i ben i lawr. Nid Edryd oedd e – roedd hwn yn fyrrach o lawer. Cododd y dyn ei ben am ennyd, ac yna anelu tuag ataf. Roedd wedi gweld golau'r ffagl yn y pellter, mae'n amlwg.

Maes o law llwyddodd i gyrraedd y drws, ar ôl brwydro yn erbyn y gwynt a'r eira. Pan gododd y dyn ei ben cefais fy syfrdanu. Pwy oedd yno ond naill ai'r lleidr unllaw unllygeidiog, Owain ab Owen, neu ei gefnder, y siopwr unllaw unllygeidiog, Owen ab Owain.

'Owain ab Owen! Neu Owen ab Owain!' ebychais.

'Mae'n dibynnu pwy sy'n gofyn,' meddai'r dyn, gan wthio heibio imi i loches y felin.

Roedd e'n crynu trwyddo a bu tawelwch rhyngom am gyfnod wrth iddo geisio dadebru. Yna, ymhen dipyn, tynnodd ysgrepan anferth oddi ar ei gefn a'i gosod ar y llawr cyn dweud, 'Do'n i ddim yn disgwyl gweld golau'n dod o'r hen felin.'

'Pam?' gofynnais.

'Am fod y lle wedi bod yn wag ers deng mlynedd ar hugain. Mae'n amlwg nad ydych chi'n byw yn lleol neu mi fyddech chi'n gwybod yr hanes.'

'Mae'n wir fy mod i'n hanu o ogledd y sir ond dwi'n mynychu'r Hen Lew Du yn Aberteifi yn selog. Ydych chi ddim yn fy adnabod i, Owain ab Owen, neu Owen ab Owain? Myfi, y bardd Dafydd ap Gwilym sy'n sefyll o'ch blaen.'

'Dafydd ap Gwilym? Nid y boi wnes i ddwyn... werthu'r Crair Sanctaidd iddo rai misoedd yn ôl?' gofynnodd y dyn. Gwyddwn bryd hynny mai'r siopwr cybyddlyd Owen ab Owain oedd yn sefyll o'm blaen ac nid ei gefnder, y lleidr Owain ab Owen. Daeth yn nes ataf ac astudio fy wyneb am ychydig.

'Myn diain i. Ti yw e 'fyd. Ond fydden i byth wedi dy adnabod di gyda'r farf drwchus 'na, ac rwyt ti wedi colli tipyn o bwysau.'

'I'r gwrthwyneb. Rwyf wedi magu pwysau am fy mod wedi bwyta'n dda yn ystod fy nghystudd dros y deugain niwrnod diwethaf,' meddwn, cyn adrodd fy hanes yn cwympo oddi ar bont Llechryd.

'Ond mi glywais i dy fod ti wedi boddi wythnosau'n ôl. Daeth rhywun o hyd i dy drowsus ar lan afon Teifi yn Llandudoch a chymryd yn ganiataol bod dy gorff wedi mynd i'r môr,' meddai Owen ab Owain.

Syllodd arna i'n gegagored wrth imi adrodd hanes caredigrwydd Edryd a Begw. Soniais hefyd am fy nryswch ynghylch y celwydd roeddent wedi'i ddweud wrthyf am yr eira'n dadmer am eu bod am imi aros gyda nhw tan noswyl Nadolig.

'Dyna'r stori ryfeddaf imi ei chlywed erioed,' meddai, gan eistedd i lawr a chrafu ei ên.

'Beth sydd mor rhyfedd am y stori?'

Cododd Owen ei ben yn araf. 'Y ffaith fod Edryd y melinwr a'i wraig, Begw, wedi marw ddeng mlynedd ar hugain yn ôl!' atebodd Owen ab Owain cyn mynd ati i adrodd y stori, wrth i'r gwynt ruo y tu allan.

'Bryd hynny bu newyn mawr yng Nghymru yn dilyn nifer o gynaeafau gwael. Yn ôl yr hanes daeth cardotyn at ddrws y felin i fegera. Erbyn hynny roedd Edryd a Begw bron â llwgu ac mi laddon nhw'r cardotyn ar ddiwrnod Sant Martin 1317... meddylia am y cardotyn druan... yr holl sgrechen wrth iddo gael ei ladd,' meddai'n ddramatig, wrth i'r golau daflu cysgodion ar draws ei wyneb.

'Ond dyna'r union ddiwrnod y cefais i fy achub ganddyn nhw,' meddwn, cyn i Owen ab Owain fynd ymlaen â'i stori.

'Ond yn waeth na hynny, mi wnaethon nhw hongian y truan i fyny a'i halltu fel mochyn a dechrau'i fwyta... yn yr union fan lle rwyt ti'n eistedd nawr. Ond mae'n debyg bod y weithred ddieflig yn ormod i'r ddau. Roedden nhw'n dal i glywed sgrechfeydd y cardotyn yn eu pennau trwy'r dydd bob dydd. O'r diwedd mi wnaethon nhw gyfaddef eu camweddau i'r bedel a chael eu dienyddio ar noswyl Nadolig y flwyddyn honno...'

'... sef heddiw,' meddwn, gan geisio llyncu fy mhoer a methu'n llwyr.

'Yn union, Dafydd. A does neb wedi dod yn agos i'r hen felin ers hynny.'

'Pam hynny?' gofynnais yn betrusgar.

'Maen nhw'n dweud bod ysbryd y ddau yn dal i gerdded tir y byw yng nghyffiniau'r hen felin, yn aros am gyfle i wneud iawn am eu trosedd, drwy warchod rhywun rhag niwed am ddeugain niwrnod, fel bod eu heneidiau'n gallu gorffwys yn dawel o'r diwedd.'

'Mae'n amlwg felly mai ysbryd Edryd a Begw sydd wedi fy ngwarchod dros y deugain niwrnod diwethaf, ac wedi fy nghadw yn y felin tan heddiw,' meddwn yn grynedig.

Cododd Owen ab Owain ar ei draed a chwerthin. 'Go brin, gyfaill,' meddai, cyn codi'r ffagl ac edrych o amgylch yr ystafell.

'Dyma'r gwir iti. Mi lwyddaist ti i lusgo dy hun allan o'r dŵr, ar ôl colli dy bantalŵns. Mae'n bosib dy fod wedi taro dy ben cyn cropian yr ychydig lathenni i'r felin. Mi wnest ti syrthio'n anymwybodol ar ôl tynnu dy drowsus a dy gôt sbâr o dy ysgrepan a'u gwisgo nhw. Dwi'n tybio dy fod wedi dioddef o'r dwymyn a dyna pam yr oeddet ti'n meddwl dy fod wedi cael dy achub gan Edryd a Begw.'

'Ond doeddwn i erioed wedi clywed am y ddau yn fy mywyd. Sut oeddwn i'n gwybod eu henwau?' gofynnais.

'Efallai dy fod ti wedi hanner clywed rhywun yn adrodd y stori ryw dro yn yr Hen Lew Du yn Aberteifi ac wedi'i hanghofio hi, ond ei bod hi wedi aros yn y pen yn rhywle,' cynigiodd Owen ab Owain. 'Roeddet ti wedi bwrw dy ben wrth gwympo i'r afon, a bron â llwgu, mae'n siŵr, am nad oeddet ti'n gallu symud ar ôl torri dy goes, ac felly'n gweld rhithiau.'

'Ond sut wnes i lwyddo i oroesi am ddeugain niwrnod? Dim ond ychydig o ddŵr a thorth o fara oedd yn fy ysgrepan.'

'Drwy lyfu'r lleithder oddi ar y wal a bwyta'r eira oedd yn dod drwy'r to?' cynigiodd Owen ab Owain, gan ddal y ffagl o'i flaen ac edrych o amgylch yr ystafell. Dyna pryd y gwelais bentwr o esgyrn adar a llygod ffyrnig yng nghornel yr ystafell. Bu bron i mi â chyfogi pan sylweddolais mai dyna fu fy mhrydau bwyd blasus dychmygol.

Ond sut yn y byd oeddwn i'n llwyddo i ddal adar a llygod ffyrnig os nad oeddwn i'n gallu symud? meddyliais.

Ar hynny, gwthiodd cath ei hunan o dan y drws, yn dal aderyn yn ei cheg. Cerddodd tuag ataf a gollwng yr aderyn wrth fy nhraed. Yn sydyn, gwthiodd anifail arall ei hun o dan y drws. Y tro hwn ci bach oedd yno, yn dal llygoden ffyrnig yn ei geg. Cerddodd yntau tuag ataf a gosod y llygoden ffyrnig wrth fy nhraed, cyn eistedd yn ufudd wrth fy ymyl a snwffian ddwywaith.

'Mae'n siŵr mai'r rhain yw dy Begw ac Edryd di. Mae'n amlwg eu bod nhw hefyd wedi bod yn llochesu yma yn ystod y tywydd garw, a nhw sydd wedi dy gadw'n fyw,' chwarddodd Owen ab Owain. Plygodd, a thynnu torth o fara a chosyn o gaws o'i ysgrepan fawr. Wrth iddo dynnu'r bwyd allan, sylwais ar rywbeth yn sgleinio yn yr ysgrepan.

'Well iti fwyta rhywbeth cyn gorffwys. Gydag unrhyw lwc mi fydd y storm wedi pasio erbyn y bore ac mi alli di ymuno â dy ffrindiau yn yr Hen Lew Du ar ddiwrnod Nadolig,' meddai. Syllodd ar y gath a'r ci am ennyd. 'Mae ganddon ni broblem gyda llygod ffyrnig yn y siop. Efallai y byddai'n syniad imi roi cartref i Begw ac Edryd fan hyn. Wedi'r cyfan, maen nhw'n amlwg yn anifeiliaid triw os ydyn nhw wedi dy gadw di'n fyw cyhyd,' ychwanegodd, gan chwerthin yn uchel, a dal darn o gaws o'i flaen. Brysiodd y ci tuag ato a chymryd y caws o'i law cyn ei fwyta'n awchus a snwffian unwaith eto.

'Da iawn. Snwffia di, fy machgen i. Snwff fydd dy enw di o hyn ymlaen,' meddai, gan gofleidio'r ci.

'Gyda llaw, Owen ab Owain, pam oeddet ti'n cerdded i'r cyfeiriad hwn os ydy pawb yn osgoi adfail yr hen felin?' gofynnais, gan syllu ar ei ysgrepan.

'Ro'n i'n digwydd bod yng Nghilgerran yn ymweld â ffrindiau pan gefais fy nal yn nannedd y storm,' atebodd yn anghyfforddus, gan gau ei ysgrepan yn gyflym pan welodd fy mod i'n syllu arni. 'Collais fy ffordd a cheisio dilyn yr afon, cyn imi weld golau'n dod o adfeilion y felin. Mae unrhyw loches yn gwneud y tro mewn storm, hyd yn oed un sy'n llawn ysbrydion,' chwarddodd.

'Felly ffrwyth fy nychymyg i oedd Edryd a Begw wedi'r cyfan,' meddwn. Amneidiodd Owen ab Owain â'i ben yn gadarnhaol.

'Mi ddylwn i fod wedi sylweddoli hynny pan ddywedon nhw eu bod wrth eu boddau gyda fy ngwaith,' ychwanegais. Wrth imi ddechrau bwyta'r bara a'r caws meddyliais mai'r unig rai oedd wedi gwerthfawrogi fy ngwaith erioed oedd cath fach ddu a chi bach o'r enw Snwff.

IV

Dihunais fore trannoeth a sylwi ar unwaith fod y gwynt wedi gostegu. Nid oedd Owen ab Owain yno. Roedd wedi penderfynu mynd adref, mae'n amlwg, ac wedi mynd â'r gath a'r ci gydag e. Codais ar fy nhraed a hercian at y drws. Er bod fy migwrn yn dal yn boenus roeddwn yn gallu rhoi pwysau ar fy nhroed heb wingo'n ormodol. Agorais y drws a gweld mantell o eira oddeutu troedfedd o ddyfnder. Serch hynny roedd hi'n fore clir a thawel. Gwyddwn y byddai'n rhaid imi achub ar y cyfle hwn i gerdded i Aberteifi, rhag ofn iddi ddechrau bwrw eira eto. Troais a hercian yn ôl i'r ystafell i nôl fy ysgrepan.

Ond doedd y sach gyda'm heiddo ynddi ddim yno. Griddfanais, gan sylweddoli bod y siopwr cybyddlyd, Owen ab Owain, wedi dwyn fy ysgrepan. Rhoddais fy llaw ar fy ngwregys a chanfod bod fy mhwrs hefyd wedi'i ddwyn oddi arno yn ystod y nos. Griddfanais eto, gan sylweddoli nad y siopwr cybyddlyd, Owen ab Owain, a fu'n cadw cwmni imi y noson cynt, ond ei gefnder, y lleidr, Owain ab Owen. Ysbail diwrnod o ladrata yn ardal Cilgerran a welais yn ei ysgrepan. Er ei bod hi'n ŵyl y Nadolig ni allai'r lleidr atal ei hun rhag dwyn fy ysgrepan a'm harian. Wedi dweud hynny, roedd y lleidr digywilydd wedi dangos caredigrwydd drwy rannu ei fara a'i gaws gyda'r meistr ifanc y noson cynt. Byddai'n rhaid imi ddweud wrth y siopwr Owen ab Owain fod ei gefnder yn mynd tu ôl i'w gefn fel hyn.

Yna daeth syniad i fy mhen. Tybed ai'r un dyn oedd Owain ab Owen ac Owen ab Owain? Chwarddais a siglo fy mhen. Na. Amhosib. Fyddai neb mor hy' â cheisio cyflawni'r fath dwyll. Ac ni fyddai bardd mor graff â Dafydd ap Gwilym byth yn coelio'r fath ystryw.

Tynnais fy esgid chwith a rhoi fy llaw ynddi. Ochneidiais mewn rhyddhad pan sylweddolais fod darn swllt ym mlaen yr esgid. Roeddwn wedi dechrau rhoi swllt yn fy esgid ar ôl i Owain ab Owen fy mlingo y tro cyntaf ddwy flynedd ynghynt, yn ystod un o'r anturiaethau a ddisgrifiais yn rhan gyntaf fy hunangofiant.

Felly, gyda swllt yn fy mhoced, cerdd yn fy nghalon a changen o goeden gyfagos yn ffon, dechreuais ar fy nhaith i gwrdd â'm ffrindiau yn Aberteifi. Ar ôl cerdded rhyw ganllath edrychais yn ôl ar adfeilion yr hen felin. Pwy a ŵyr beth yn union a ddigwyddodd yno.

Am fod yr eira'n drwchus a'i bod hi'n llithrig dan draed mi gymerodd hi amser hir i'r meistr ifanc ddilyn afon Teifi i'r dref. Felly roedd hi toc wedi i'r haul gyrraedd ei anterth pan gyrhaeddais yr Hen Lew Du.

Erbyn hyn roedd bron i ddau swllt yn fy mhoced, oherwydd pan gyrhaeddais Aberteifi roedd nifer o bobl o gwmpas canol y dref. Roeddent newydd fynychu un o'r gwasanaethau niferus a gynhelid yn y priordy ar ddiwrnod y Nadolig. Pan welson nhw'r meudwy gyda'r gwallt a'r farf hir mewn dillad carpiog yn hercian gyda ffon trwy'r dref, roedden nhw'n droëdig o dosturiol a hunangyfiawn, fel mae pobl yn aml yr adeg hon o'r flwyddyn. Taflodd nifer ohonynt arian mân ataf a gweiddi 'Nadolig Llawen!'. Codais innau'r arian yn gyflym a hercian yn fy mlaen.

Ymhen hir a hwyr cyrhaeddais ddrws yr Hen Lew Du. Gwenais wrth feddwl am y gorfoleddu pan fydden nhw'n sylweddoli fod y bardd uchel ei barch, Dafydd ap Gwilym, yn dal yn fyw. Ond nid y tawelwch parchus roeddwn i'n disgwyl ei glywed oedd yn dod o'r dafarn. I'r gwrthwyneb, gyfeillion. Clywais sŵn chwerthin a siarad uchel. Rhwbiais y rhew oddi ar ran o'r ffenest ger y drws ac edrych i mewn.

Roedd y lle yn llawn gwesteion yn dathlu'r ŵyl. Gwelais Dyddgu'n rhuthro yn ôl ac ymlaen y tu ôl i'r bar. Yna daeth pen Wil i'r golwg wrth iddo esgyn o'r seler yn cario casgen o gwrw ar ei ysgwydd. Pwysais fy nhrwyn yn agosach at y ffenest a gweld Morfudd, y Bwa Bach, Madog ac Iolo'n eistedd o gwmpas bwrdd, yn chwerthin yn iach. Cefais siom aruthrol o sylweddoli bod unrhyw gyfnod o alaru amdana i, y bardd Dafydd ap Gwilym, wedi hen ddod i ben. A fu unrhyw gyfnod o alaru? Wedi'r cyfan, roedd pawb yn ddilornus iawn ohonof yn yr wythnosau cyn imi syrthio oddi ar bont Llechryd. Yna clywais sŵn y tu ôl imi. Gwelais dri o selogion y dafarn roeddwn wedi diota gyda nhw'n aml yn nesáu, sef Brith, Ednyfed a Rhun.

'Henffych, ddynion o'r taeog-frid,' meddwn, gan eu cyfarch yn fy modd arferol. Ond nid atebodd yr un ohonynt, dim ond edrych yn syn arna i.

'Cer o 'ma'r cardotyn drewllyd,' meddai Brith.

'Ond myfi...' dechreuais, cyn i Ednyfed ymyrryd.

'Cau dy ben, y meudwy drycsawrus.'

'Ond... ond... Ydych chi ddim yn fy adnabod i?' erfyniais.

'Rydym yn adnabod dy fath di'n iawn, y clipan. Does ganddon ni ddim arian ar dy gyfer, Nadolig ai peidio,' meddai Rhun, cyn cerdded i mewn i'r dafarn.

Sylweddolais nad oedden nhw'n fy adnabod oherwydd y gwallt, y farf a'r dillad carpiog. Yna, cefais syniad. Os nad oedd y taeogion yn fy adnabod efallai na fyddai aelodau'r bagad barddol yn fy adnabod ychwaith.

Roedd hwn yn gyfle prin imi gael gwybod beth yn union roedd pobl yn ei feddwl ohona i, ac a oedd fy ffrindiau yn gweld fy ngholli ai peidio.

V

Arhosais nes i nifer o bobl eraill gyrraedd y dafarn cyn eu dilyn i mewn, i osgoi tynnu gormod o sylw ataf fy hun. Cerddais at y bar ac aros fy nhro nes i Dyddgu gerdded draw ataf i weini arnaf.

'Dim cardota yn y dafarn hon, mae'n ddrwg gen i, dim hyd yn oed ar ddiwrnod Dolig,' meddai.

'Gallaf dalu am ddiod a llety. Dwi ond yn edrych fel hyn am fy mod wedi teithio'n bell drwy'r eira. Oes gennych chi ystafell am y nos?' gofynnais, gan agor fy llaw dde a dangos y swllt iddi.

'Mae'n flin gen i, syr, ond mae'r dafarn yn llawn ers wythnosau. Mae'r eira trwm dros y mis diwethaf wedi gorfodi nifer o bobl i aros yma am gyfnod hir. Efallai y bydd lle gyda fi erbyn nos yfory. Mae'r bedel yn dweud y dylai'r ffordd i Nanhyfer fod yn glir erbyn y bore, felly rwy'n disgwyl i nifer o bobl adael bryd hynny.'

'Nag oes gennych chi unrhyw le o gwbl?' erfyniais.

'Wel... mae'r ddau ddyn sy'n eistedd ar eu pennau'u hunain wrth y bwrdd yn y cefn wedi llogi ystafell gyda thri gwely. Mi allech chi ofyn iddyn nhw a ydyn nhw'n fodlon rhannu gyda chi,' atebodd Dyddgu. 'Ond dyna'r unig le sydd gen i.'

'Diolch o galon ichi, Dyddgu,' meddwn heb feddwl.

'Sut y'ch chi'n gwybod fy enw i? Dwi ddim yn cofio'ch gweld chi o'r blaen,' meddai Dyddgu, gan grychu ei hwyneb am ennyd.

'Mae croeso landledi'r Hen Lew Du yn enwog ar draws Cymru benbaladr,' meddwn, cyn ychwanegu'n gyflym, 'Beth am wydraid o jin? Rwy'n clywed fod gennych chi ddigon o'r ddiod gadarn wych honno wrth gefn.'

Chwarddodd Dyddgu. 'Na. Does dim jin ar ôl, diolch byth. Daeth yr eira trwm ar yr adeg iawn. Gan fod cymaint o bobl yn gaeth i'r dafarn am gyhyd, yfwyd yr holl jin. Dyna'r unig ffordd y gallai pobl ddioddef perfformiadau nosweithiol Cymdeithas y Cywyddwyr, Rhigymwyr, Awdlwyr a Phrydyddion. Felly, cwrw neu win?'

Gofynnais am dancard o gwrw a phwyso'n nes at Dyddgu.

'Rwyf wedi clywed llawer am y beirdd hyn, yn enwedig y bardd enwog a thalentog, Dafydd ap Gwilym,' meddwn.

Gwelais ddagrau'n cronni yn ei llygaid wrth iddi wthio'r cwrw tuag ataf.

'Mae'n stori drist iawn. Mae'n debyg bod Dafydd wedi boddi ar ôl cwympo i afon Teifi wrth iddo gerdded i'r dafarn hon yn ystod y storm ffyrnig honno ym mis Tachwedd,' meddai, gan sychu ei llygaid.

'Ond sut wyddoch chi ei fod wedi marw? Efallai ei fod wedi goroesi.'

'Na. Doeddech chi ddim yn adnabod Dafydd. Roedd e'n ddyn ifanc eiddil ei gorff. Doedd e ddim yn gyhyrog, druan... ac roedd e hefyd, a dweud y gwir, yn eithaf lletchwith ac anneallus, yn enwedig mewn perthynas â theimladau merched.' Ochneidiodd Dyddgu a sychu deigryn arall o'i llygad. 'Ta waeth. Ar ben hynny, doedd ganddo ddim chwaeth o ran dillad,' chwarddodd. 'Roedd newydd brynu pâr o bantalŵns echrydus o ddi-chwaeth, sef Pans Harem, cyn iddo ddiflannu... a daethpwyd o hyd i'r rheiny ar lan yr afon rai dyddiau ar ôl iddo ddiflannu. Roedden nhw wedi rhewi'n grimp, ond mi benderfynais i eu cadw nhw i gofio amdano.'

'Ble maen nhw nawr?' gofynnais, gan ddiolch i'r Iôr fod fy nhrowsus ysblennydd, yn ogystal â'i berchennog, wedi goroesi.

'Draw fan'co wrth y tân,' atebodd Dyddgu. Troais a gweld fod rhywun yn defnyddio fy Mhans Harem fel megin i geisio cadw'r tân i fynd.

Gwgais a thalu i Dyddgu am y ddiod heb ddweud gair arall wrthi. 'Eithaf lletchwith', 'anneallus' ac 'eiddil', wir! meddyliais wrth imi gerdded tuag at y ddau ddyn a eisteddai yng nghefn y dafarn. Cyflwynais fy hun a gofyn a fydden nhw'n fodlon rhannu eu hystafell gyda fi'r noson honno.

'Wrth gwrs. Pleser llwyr. Dyna'r peth Cristnogol i'w wneud,' meddai'r dyn cyntaf.

'... yn enwedig gan ei bod hi'n ddiwrnod pen blwydd ar ein gwaredwr,' meddai'r ail ddyn.

Cynigiais dalu am ddiod yr un iddynt fel diolch am eu haelioni.

'Na. Dim diolch. Rydym yn llwyrymwrthodwyr,' meddai'r dyn cyntaf, cyn cyflwyno'i hun. Reginald de Breyene oedd ei enw ac roedd ar bererindod i Dyddewi pan ddaeth yr eira a'i orfodi i aros yn Aberteifi am ychydig wythnosau.

'Oni fyddech chi wedi bod yn fwy dedwydd yn aros yn y priordy? Wedi'r cyfan, mae tafarndai'n tueddu i fod yn llefydd eithaf anghristnogol,' awgrymais.

'Mae hynny'n wir,' atebodd yr ail ddyn, a gyflwynodd ei hun fel Thomas Fastolf. 'Ond roedden ni am weld sut mae'r werin bannas yn ymddwyn yn y rhan hon o Gymru.'

Dyna pryd y sylwais ar y darn o femrwn a'r ysgrifbin ar y bwrdd o flaen y ddau bererin. Cymerais yn ganiataol eu bod yn gwneud nodiadau am ymddygiad y werin ac roeddwn ar fin eu holi am y peth, ond gyda hynny clywais floedd uchel yn dod o gyfeiriad y bwrdd lle eisteddai beirdd CRAP Cymru. Roedd y Bwa Bach ar ei draed.

'Gyfeillion!' meddai'n uchel. 'Ddeugain niwrnod yn ôl mi gollodd Cymdeithas y Cywyddwyr, Rhigymwyr, Awdlwyr a Phrydyddion aelod gweithgar a chydwybodol, sef Dafydd ap Gwilym...'

Gweithgar? Cydwybodol? Does bosib na fyddai'r geiriau talentog ac arloesol yn fwy addas. Ta beth, pwysais ymlaen yn fy sedd i glywed mwy.

'... ac felly mae ei ffrindiau mynwesol, Madog Benfras ac Iolo Goch, am gyflwyno eu marwnadau i gofio Dafydd.'

Cododd Madog Benfras ar ei draed.

Ffrindiau mynwesol? Go brin, meddyliais, wrth i Madog ddechrau adrodd ei gerdd.

Fel arfer mae marwnadau yn gyfle i feirdd raffu celwyddau am yr ymadawedig a'i ganmol i'r cymylau. Ond y tro hwn roedd Madog yn llygad ei le, ac adroddodd yr holl wir a dim ond y gwir amdanaf: 'Pennaeth penceirddiaeth, paun cerdd' ac 'Och na bai hir, goetir ged, Oes Dafydd, eos Dyfed'.

Mae'n rhaid imi gyfaddef fod dagrau wedi cronni yn fy llygaid erbyn i Madog orffen ei farwnad. Cronnodd mwy o ddagrau wrth i Iolo Goch adrodd ei farwnad yntau, oedd yn cyfeirio ataf fel 'Hebog merched deheubarth' ac yn cynnwys y cwpled 'Ethyw pensaer y ieithoedd, Eithr pei byw athro pawb oedd'.

Digon gwir, Iolo, meddyliais. Digon gwir. Cododd fy nghalon wrth imi sylweddoli faint o feddwl oedd gan fy nghydfeirdd ohonof. Felly, ar ôl i Iolo orffen ei deyrnged, cerddais draw at y bagad barddol i'w cyfarch a'u llongyfarch ar eu cerddi moliant.

'Llongyfarchiadau, gyfeillion,' meddwn. Gwelais fod Morfudd, y Bwa Bach, Madog ac Iolo'n syllu'n syn ar y cardotyn a safai o'u blaenau. 'Felly mae'r hyn rwyf wedi'i glywed am y bardd Dafydd ap Gwilym yn wir, heddwch i'w lwch, sef ei fod yn fardd heb ei ail, ac yn un o feirdd gorau Cymru os nad y gorau erioed,' ychwanegais.

Gwenodd Madog. 'Nod marwnad, wrth gwrs, yw clodfori'r ymadawedig, ond mae ymestyn rhywfaint ar y gwir yn rhan annatod o gerdd o'r fath,' meddai Madog yn hunanfodlon.

'Ti yn llygad dy le, Madog. Malu cachu llwyr,' cytunodd Iolo Goch.

'Ond mi glywais i mai Dafydd ap Gwilym oedd yn bennaf gyfrifol am lwyddiant Cymru yn y talwrn rhyngwladol yn erbyn beirdd gorau Lloegr, Ffrainc a'r Eidal yn gynharach eleni,' meddwn, gan edrych yn graff arnyn nhw.

'Mae'n wir dweud ei fod yn un o'r triawd a enillodd y gystadleuaeth,' atebodd Madog. 'Ond dwi'n credu bod pawb yn gytûn mai Iolo a minnau a seliodd y fuddugoliaeth.'

'Clywch, clywch!' cytunodd Iolo'n gelwyddog, oherwydd gwyddai'r ddau mai pitw iawn oedd eu cynigion yn y rownd derfynol.

'Rwy'n credu y bydd Dafydd ap Gwilym yn cael ei gofio fel bardd o'r ail reng. Efallai y bydd un neu ddwy o'i gerddi'n goroesi, ond doedd e ddim yn fardd rheng flaen,' ychwanegodd Madog.

'Ti'n hollol gywir, Madog,' meddai Iolo.

'Ond ydych chi ddim yn ei golli o gwbl?' gofynnais â chalon drom.

'Wrth gwrs, mi fydda i'n colli ei ymdrechion i'm disodli fel pencerdd ein bagad barddol. Mae angen cystadleuaeth ar fardd i wella, ond fydd neb yn colli ei ymddygiad hunangyfiawn, rhwysgfawr,' meddai'r bardd mwyaf hunangyfiawn a rhwysgfawr a gerddodd y ddaear hon erioed.

'Na, Madog. Am unwaith mae'n rhaid imi anghytuno â ti,' meddai Iolo. Cododd fy nghalon am ennyd. 'Beth fydda i'n ei golli yw benthyg arian iddo. Roedd y twpsyn bob amser yn fodlon benthyg arian oddi wrtha i am log echrydus o uchel,' chwarddodd.

'Cytuno'n llwyr, Iolo,' meddai Madog.

'Mae'n rhaid imi ddweud, mi fyddaf i'n ei golli,' meddai Morfudd.

O Morfudd, yr unig fenyw imi ei charu erioed. Cododd fy nghalon eto, oherwydd gwyddwn y byddai hi, o leiaf, yn clodfori fy ngwaith.

'Mi ysgrifennodd e gymaint o gerddi amdanaf i. Mi fydda i'n colli'r rheiny,' meddai, gan afael yn llaw ei gŵr. 'Roedd e'n fachgen mor naïf a diniwed. Rwy'n credu ei fod e ychydig bach mewn cariad â fi... ond dim ond lle i un dyn sydd yn fy nghalon i,' ychwanegodd yn gelwyddog, gan edrych yn ddiniwed ar y Bwa Bach.

Sgyrnygais dan fy ngwynt.

'Ac mi fyddaf innau'n ei golli, f'anwylyd,' cytunodd y Bwa Bach. 'Yn bennaf am ein bod ni wedi talu llawer llai iddo fe nag i Madog, Iolo a Gruffudd Gryg,' chwarddodd.

Roeddwn bron â rhegi'n uchel pan glywais hyn, ond cefais fy ngwthio o'r neilltu wrth i Wil gyrraedd y bwrdd gyda dwy botel o win yn ei law.

'Mae'r cyfaill hwn yn gofyn beth oedden ni'n ei feddwl o Dafydd,' meddai'r Bwa Bach. 'Roeddet ti'n ei adnabod yn well na neb, Wil. Dweda wrtho beth oeddet ti'n ei feddwl ohono.'

Rhoddodd Wil y poteli ar y bwrdd a throi i'm hwynebu.

Syllodd arna i am ennyd cyn closio ataf. Daliodd i syllu a'i lygaid wedi hanner cau am ychydig. 'Na. Dyw hi ddim yn bosib,' sibrydodd cyn troi at y gweddill. 'Y bardd Dafydd ap Gwilym oedd y meistr gorau y gallai unrhyw un ei gael, heb os nac oni bai,' meddai. 'Y dyn mwyaf caredig imi ei adnabod erioed.'

'Ond nid dyna ddywedaist ti wrthyf i yr wythnos diwethaf,' meddai Madog. 'Mi ddywedaist ti ei fod e'n feistr beichus ac awdurdodol.'

'Poen yn y pen-ôl yw'r union eiriau a ddefnyddiodd Wil, dwi'n credu, Madog,' meddai Iolo Goch.

'Na. Na... rydych chi'n fy nghamddyfynnu,' meddai Wil gan giledrych arnaf.

'Mi ddywedaist ti ei fod yn falch fel paun...' meddai Madog.

'... ffrwmpyn a hanner,' cytunodd Iolo.

Parhaodd y ddau i restru fy ngwendidau ond roeddwn i wedi clywed digon. Camais yn ôl at y bwrdd lle eisteddai'r ddau bererin. Roeddwn wedi sylweddoli erbyn hyn cyn lleied yr oedd pawb yn ei feddwl ohonof. Penderfynais yn y fan a'r lle y byddwn yn rhoi'r gorau i farddoni a mynd yn ôl i fy nghartref ym Mro Gynin yng ngogledd Ceredigion cyn gynted â phosib, a threulio gweddill fy nyddiau yn gorweddian yn y caeau ymysg y defaid a'r buchod gyda glaswelltyn yn fy ngheg, ar ystad fy rhieni.

VI

Eisteddais yn y dafarn gyda fy mhen yn fy mhlu am ychydig, nes imi glywed bloedd uchel arall yn dod o gyfeiriad y bwrdd lle eisteddai'r bagad barddol. Roedd y Bwa Bach ar ei draed unwaith eto.

'Gyfeillion! Serch y tristwch mawr o golli'n cyfaill, y bardd Dafydd ap Gwilym, mae'r hen fyd 'ma'n dal i droi. Felly, mae'n bleser gennym eich diddanu gyda nifer o gerddi newydd gan ein pencerdd, Madog Benfras, a'i ddiprwy Iolo Goch.'

Cododd Madog Benfras ar ei draed a pharatois innau i wrando ar un o'i gerddi diflas.

Ond nid un o gerddi diflas Madog Benfras a glywais. Pan glywais y geiriau 'Lle digrif y bûm heddiw Dan fentyll y gwyrddgyll gwiw, Yn gwarando ddechrau dydd Y ceiliog bronfraith celfydd Yn canu ynglyn alathr, Arwyddion a llithion llathar,' rhegais dan fy ngwynt oherwydd roedd yn adrodd un o fy ngherddi gorau i, sef 'Offeren y Llwyn'.

Rhythais ar y twyllfardd wrth iddo barhau i adrodd y gerdd. Hon oedd un o'r cerddi olaf i Wil a minnau ei chydysgrifennu cyn imi syrthio oddi ar bont Llechryd. Doeddwn i ddim wedi cael cyfle i'w hadrodd yn gyhoeddus. Felly, sut yn y byd oedd Madog Benfras yn gallu esgus mai ei gerdd ef oedd hi? Sylweddolais ar unwaith fod Wil, nawr bod ei feistr wedi marw, wedi bachu ar y cyfle i werthu'r cerddi i Madog. Mae'n siŵr ei fod yn cael ei dalu'n hael am wneud hynny, ac am beidio â datgelu mai myfi (a Wil) oedd wedi'u hysgrifennu.

Sylwais, hefyd, fod y ddau bererin wedi dechrau ysgrifennu'n gyflym ar eu darnau o femrwn. Mae'n siŵr eu bod wedi penderfynu copïo'r gerdd am ei bod mor wych. A doeddwn i ddim yn eu beio am wneud hynny. Mae'n gerdd heb ei hail.

Roeddwn wedi ceisio dygymod ag agwedd sarhaus pawb tuag ataf. Ond roedd yr achos hwn o lên-ladrad yn ormod i'w dderbyn. Pa fath o ddyn sy'n honni mai ef sydd wedi ysgrifennu cerdd, gan wybod nad ffrwyth ei ddychymyg ef yw hi? Roedd Madog wedi syrthio'n is nag y byddwn i, hyd yn oed, wedi'i ddisgwyl.

Daliodd y ddau bererin ati i ysgrifennu'n frwd wrth i Madog orffen y gerdd.

Yna cododd Iolo Goch ar ei draed. Pan glywais e'n adrodd y geiriau 'Gwae fi na ŵyr y forwyn Glodfrys, a'i llys yn y llwyn, Ymddiddan y brawd llygliw Amdanai y dydd heddiw,' gwyddwn ei fod yntau hefyd wedi prynu'r gerdd 'Y Bardd a'r Brawd Llwyd' gan Wil.

Erbyn hyn roeddwn i'n benwan. Troais at y ddau bererin. 'Mae hyn yn warthus,' meddwn. 'Nid nhw a ysgrifennodd y cerddi hyn, ond myfi.'

'A phwy ydych chi?' gofynnodd Reginald de Breyne.

'Y bardd enwog, Dafydd ap Gwilym,' atebais.

'Erioed wedi clywed amdanoch,' meddai Thomas Fastolf. 'Sut ydych chi'n sillafu'r enw?'

Dwi bob amser yn hapus i roi fy llofnod i edmygwyr o'm gwaith. Felly cymerais yr ysgrifbin o'i law a rhoi fy llofnod ar y darn o femrwn, cyn codi ar fy nhraed a gweiddi, 'Mae'n rhaid i'r dwli hwn ddod i ben ar unwaith! Nid nhw a greodd y cerddi hyn, ond myfi, y bardd Dafydd ap Gwilym!'

VII

Bu tawelwch llethol yn y dafarn am ychydig wrth i bawb syllu'n syn ar y cardotyn yn ei ddillad carpiog yn pwyntio'i fys at Iolo Goch.

Yna gwaeddais, 'Ble mae fy ngwas, Wil ap Dafydd?'

Ymhen dim roedd Wil yn fy ymyl. 'Roeddwn i'n meddwl mai ti oedd e, syr, ond doeddwn i ddim yn siŵr. O orfoleddus ddydd!' sibrydodd.

'O orfoleddus ddydd, yn wir! Mi gawn ni air am dy ymddygiad di yn y man, fy macwy anffyddlon. Ond yn gyntaf, cer i nôl rasel fel bod pawb yn gallu gweld fy wyneb hardd unwaith eto.'

Ufuddhaodd Wil, gan ruthro i nôl rasel wrth imi gamu tuag at y bwrdd lle eisteddai Morfudd, y Bwa Bach, Madog ac Iolo.

Syllodd pawb yn gegagored arnaf am amser hir cyn i Madog, o'r diwedd, fentro gofyn mewn llais croch,

'Ai ti yw e, Dafydd? Ai ti yw e, fy hen ffrind mynwesol?'

'Ond roedden ni'n meddwl dy fod ti wedi marw!' ebychodd Iolo.

'Haleliwia! Diolch i'r Iôr!' gwaeddodd Morfudd a'r Bwa Bach ar yr un pryd.

'Haleliwia'n wir! Myfi, y bardd gweithgar a chydwybodol Dafydd ap Gwilym, sy'n sefyll o'ch blaenau,' meddwn, gan daflu geiriau'r Bwa Bach yn ôl ato. 'Fel y gwelwch, gyfeillion mynwesol, rwy'n fyw ac yn iach, ac mi fyddaf yn mynnu cytundeb newydd hefyd,' ychwanegais, gan edrych yn ddig ar y Bwa Bach a Morfudd. 'Heb sôn am hawlio perchnogaeth fy ngherddi "Offeren y Llwyn" ac "Y Bardd a'r Brawd Llwyd"!' gwaeddais.

'Syniad Madog oedd e,' meddai Iolo'n gyflym.

'Cau dy geg, Iolo,' sgyrnygodd Madog, ond palodd Iolo ymlaen â'i gyfaddefiad.

'... Pan oedd pawb yn meddwl dy fod ti wedi boddi yn afon Teifi, meddyliodd Madog efallai fod gen ti ambell gerdd ar ei hanner y gallen ni ei chwblhau...' meddai. 'Felly mi ofynnon ni i Wil ac mi ddywedodd hwnnw dy fod ti'n ei ddefnyddio e fel cynulleidfa brawf ar gyfer pob cerdd. Mi ddywedodd ei fod yn cofio nifer o gerddi nad oeddet ti wedi'u perfformio eto. Penderfynodd Madog a minnau ei dalu'n hael iawn am gofnodi'r gwaith, ac yna esgus mai ein cerddi ni oedden nhw.'

Er gwaethaf cyfaddefiad Iolo, gwnaeth Madog ei orau glas i'w gael ei hun allan o'r twll anferthol yr oedd ynddo.

'Wrth gwrs, mi wnaethon ni dy adnabod ar unwaith pan gyflwynaist ti dy hun heno, Dafydd. Wnaeth y farf a'r gwallt hir 'na ddim twyllo rhywun mor graff â Madog Benfras.'

'Ti yn llygad dy le, Madog. Roeddwn i ar fin dweud wrth bawb mai'r cardotyn oedd yn eistedd yn y gornel, sef Dafydd ap Gwilym, oedd awdur y cerddi pan ddifethaist ti'r cwbl drwy godi ar dy draed,' meddai Iolo, gan edrych yn obeithiol arna i.

'Ai dyna dy ymdrech orau, Iolo?' gofynnais.

'Ie. Roedd yn ymdrech anobeithiol, on'd oedd?' atebodd, a'i ben yn ei blu.

Erbyn hyn roedd Wil wedi dychwelyd gyda'r rasel. Wrth iddo eillio'r farf sibrydodd yn fy nghlust.

'Pa ddewis oedd gen i? Roedd e'n ffordd imi ennill cyflog heb fradychu dy enw da fel bardd. Ro'n i'n meddwl dy fod di wedi marw ac roedd Madog ac Iolo'n fodlon talu'n hael am y cerddi. Pam lai? meddyliais. Mi allen i barhau i greu cerddi gan esgus mai ti oedd wedi'u hysgrifennu nhw. Fel yna, mi fydden i'n dal i ennill cyflog fel bardd ac yn cadw'n cyfrinach ni'n dau.'

'Rwyt ti wedi bod yn ffyddlon... wel, yn *weddol* ffyddlon, Wil. Diolch,' sibrydais yn ôl.

Erbyn hyn, ddarllenwr ffyddlon, rydych chi'n gwybod bod gan y bardd, Dafydd ap Gwilym, nifer o wendidau. Ond nid yw'n fardd dialgar. Sylweddolais y byddai modd imi ddod i gytundeb newydd am fy ngwaith gyda'r Bwa Bach. Gwyddwn y byddai Madog ac Iolo yn gorfod fy seboni am hydoedd i wneud iawn am y camweddau roedden nhw wedi ceisio'u cyflawni yn fy erbyn. Ac o weld sut roedd Morfudd yn edrych arnaf, efallai y byddai hithau'n fodlon talu penyd imi am y ffordd roedd hi wedi fy nhrin yn y gorffennol.

Roedd y Ceiliog Dandi ar frig y domen unwaith eto.

'Dewch, gyfeillion. Bwytewch, yfwch a byddwch lawen. Dyma'r Nadolig gorau erioed!' bloeddiais gan ddechrau gloddesta'n hael gyda'm ffrindiau.

Treuliais weddill y diwrnod Nadolig bythgofiadwy hwnnw'n adrodd hanes fy anturiaethau rhyfedd yn y felin dros yr wythnosau cynt, ac yng nghlydwch a chynhesrwydd y dafarn roedd y cyfan yn teimlo'n afreal iawn ac yn ddirgelwch llwyr. Ond pan godais i gerdded at y bar i nôl mwy o ddiod yn hwyrach, yn llawer hwyrach y noson honno, gwelais ddau wyneb yn syllu arnaf drwy'r ffenest. Edryd a Begw. Cofiais eiriau Owain ab Owen:

'Byddant yn cerdded tir y byw nes iddynt wneud iawn am eu trosedd.'

Gwenodd y ddau arnaf. Ond wrth imi ddechrau cerdded at ddrws y dafarn, sylwais fod ffigwr mewn mantell ddu a chwfl yn cuddio'i wyneb yn sefyll y tu ôl iddynt. Yn sydyn, roedd Edryd a Begw wedi'u hamgylchynu gan y fantell, ac ymhen eiliad roedd y ddau wedi diflannu. Rhuthrais drwy ddrws y dafarn ond doedd neb yno. Gwenais, gan wybod y byddai eneidiau Edryd a Begw yn gallu gorffwys nawr hyd dragwyddoldeb.

VIII

Fore trannoeth roeddwn i, Morfudd, y Bwa Bach, Madog ac Iolo'n eistedd o amgylch bwrdd yng nghanol yr Hen Lew Du. Roedd y dafarn yn brysur y bore hwnnw am fod nifer o'r gwesteion yn gadael, yn dilyn cyhoeddiad y crïwr tref fod y ffordd i Nanhyfer yn glir o eira.

Roeddem newydd orffen brecwast traddodiadol yr Hen Lew Du – twlpyn mawr o gig oen, llond bola o fresych a maip, a thair potelaid o win yr un. Serch hynny, cefais bryd o dafod ychwanegol gan Dyddgu wrth imi godi o'r bwrdd ac ymuno â hi ger bar y dafarn.

'Paid ti byth â gwneud rhywbeth fel'na eto,' sgyrnygodd gyda dagrau yn ei llygaid, cyn fy nghofleidio a'm dal yn dynn am gyfnod hir.

'Ond pam, Dyddgu deg?' gofynnais, wedi iddi adael imi fynd. Gwelais hi'n dechrau cochi.

'Rwyt ti'n gwario ffortiwn yn y dafarn 'ma. Mi fyddai hi ar ben arna i petawn i'n colli dy arian,' meddai, cyn rhuthro i'r gegin.

Gyda hynny, gwelais y ddau gyfaill roeddwn wedi trefnu i rannu ystafell â nhw'r noson cynt yn dod i lawr y grisiau gydag dwy ysgrepan fawr ar eu cefnau. Yn y diwedd mi gysgais yn braf ger y tân yn dilyn noson hir o ddiota.

'Henffych, gyfeillion o'r pererin-frid,' meddwn wrth Reginald de Breyene a Thomas Fastolf. 'Rwy'n clywed bod y

ffordd yn glir erbyn hyn ar gyfer eich pererindod i Dyddewi.'
Sgyrnygodd Reginald de Breyene a thynnu darn hir o femrwn
o'i gôt. 'Rwy'n gweld eich bod wedi gorffen copïo fy ngherddi
ysblennydd. Rwy'n fwy na pharod i'w llofnodi,' meddwn, gan
wenu.

Sgyrnygodd Thomas Fastolf a thynnu darn hir o femrwn o'i
gôt yntau.

'Nid ydych chi'n cyfarch pererinion,' meddai Reginald de
Breyene. 'Ond barnwyr Llys yr Eglwys Apostolaidd Gatholig
Sanctaidd.'

'Roeddem ar ein ffordd i Dyddewi i gynnal achos o heresi
yno pan fu'n rhaid inni aros yn Aberteifi oherwydd yr eira
trwm,' esboniodd Thomas Fastolf.

'Rydym wedi treulio'r cyfnod yn arolygu ymddygiad pobl
Aberteifi,' ychwanegodd Reginald de Breyene.

'... ac rwy'n siŵr nad ydych chi wedi cwrdd â phobl fwy
Cristnogol o dan yr wybren. Gallaf addo ichi, gyfeillion, nad yw
Aberteifi wedi'i gefeillio â dinasoedd Sodom a Gomorra,'
meddwn, gan gymryd y cyfle i ganu clodydd trigolion y dref.

'Ar y cyfan roedd ymddygiad y trigolion yn dderbyniol... tan
neithiwr,' meddai Reginald de Breyene, gan edrych ar y darn o
femrwn oedd o'i flaen. 'Mae'r Eglwys Apostolaidd Gatholig
Sanctaidd yn eich cyhuddo chi, y bardd Dafydd ap Gwilym, o
heresi...' dechreuodd de Breyene.

'Heresi? Fi?' ebychais.

'... am ysgrifennu'r gerdd "Offeren y Llwyn", sy'n dweud
bod y ceiliog bronfraith yn offeiriad yn llafarganu'r offeren,'
ychwanegodd, cyn i Fastolf ymhelaethu.

'... ac yn waeth, rydych chi'n beirniadu offeiriaid am faglu
dros eu geiriau, heb sôn am gynnwys cableddus y gerdd,'
ychwanegodd Fastolf.

'Mae'r Eglwys Apostolaidd Gatholig Sanctaidd hefyd yn
eich cyhuddo, y bardd Dafydd ap Gwilym, o ail achos o heresi...'
dechreuodd de Breyene.

'Am beth?' ebychais.

'... am ysgrifennu'r gerdd "Y Bardd a'r Brawd Llwyd", gan gymharu'r brawd â llygoden,' ychwanegodd.

'... ac yn waeth, mae'r llinell "Yw llaswyr Dafydd Broffwyd" yn honni eich bod yn broffwyd,' ychwanegodd Fastolf.

Daeth chwerthiniad o gyfeiriad y bwrdd yng nghanol yr ystafell.

'Diolch byth bod ap Gwilym yn ei ôl neithiwr i frolio mai ef a ysgrifennodd y gerdd,' meddai Madog.

'Dianc gerfydd croen ein tinau, Madog,' cytunodd Iolo.

Ond roedd y ddau wedi siarad yn ddigon uchel i'r barnwyr eu clywed. Cerddodd y ddau farnwr draw at y bwrdd lle eisteddai Morfudd, y Bwa Bach, Madog ac Iolo.

'Mae'r Eglwys Apostolaidd Gatholig Sanctaidd yn eich cyhuddo chi, y bardd Madog Benfras, o heresi...' dechreuodd de Breyene.

'Heresi? Fi?'

'... am adrodd y gerdd "Offeren y Llwyn" yn gyhoeddus,' ychwanegodd Fastolf cyn i de Breyene droi at Iolo.

'Mae'r Eglwys Apostolaidd Gatholig Sanctaidd hefyd yn eich cyhuddo chi, y bardd Iolo Goch, o ail achos o heresi...' dechreuodd de Breyene.

'Am beth?' ebychodd Iolo.

'... am adrodd y gerdd "Y Bardd a'r Brawd Llwyd" yn gyhoeddus,' ychwanegodd Fastolf.

Ond nid dyna ddiwedd y gyflafan. Aeth de Breyene a Fastolf yn eu blaenau i gyhuddo'r Bwa Bach a Morfudd o gynnal bagad barddol hereticaidd, cyn cyhuddo Dyddgu o gynnal perfformiad hereticaidd yn ei thafarn.

'Mi fyddwn ni'n disgwyl i Dafydd ap Gwilym, Madog Benfras, Iolo Goch, Morfudd Llwyd, y Bwa Bach neu Cynwrig Cinnin, a Dyddgu ferch Ieuan ymddangos gerbron y Llys Heresi yn Nhyddewi a gynhelir ymhen pythefnos,' gorffennodd de Breyene, cyn gosod y memrwn gyda'r cyhuddiadau arno ar y bwrdd. Yna, camodd at y bar a thaflu'r arian oedd yn ddyledus am eu llety arno, cyn gadael y dafarn.

Eisteddodd pawb yn fud am gyfnod hir.

Yna trodd Morfudd ataf a gweiddi, 'Oedd yn rhaid iti gynnwys deunydd mor gableddus yn dy gerddi?'

'Eitha reit, Morfudd,' cytunodd y Bwa Bach. 'Dy fai di yw hyn i gyd, Dafydd.'

'Heb os nac oni bai,' cytunodd Madog Benfras.

'Yn hollol,' adleisiodd Iolo.

Ochneidiais yn hir. Ond cyn imi gael cyfle i ymateb, rhuthrodd y crïwr tref i mewn i'r dafarn.

'Clywch, clywch! Clywch, clywch! Mae Cwnstabl Castellnewydd Emlyn, Llywelyn ap Gwilym, wedi'i lofruddio gan ddynion anhysbys yn ei lys ei hun...' gwaeddodd.

'Wncwl Llywelyn! Ond pam?' sibrydais, gan afael yn dynn mewn cadair i'm hatal rhag llewygu.

Bu'r misoedd diwethaf yn gyfnod cythryblus yn ystod oes Eos Dyfed, ac mi fyddai'r misoedd nesaf yn cynnwys heriau di-rif wrth imi geisio dod o hyd i lofrudd f'ewythr Llywelyn. Ond stori arall yw honno, gyfeillion.

Ceiliog Dandi

"Dychanwr tan gamp â'r gallu i saernïo stori garlamus, lliwgar a chwbl ffarsaidd."

Eurig Salisbury

Arwyr

"Mae hon yn nofel ddoniol a hawdd ei darllen. Mae'n waith pryfoclyd a direidus sy'n llwyddo i godi nifer o gwestiynau diddorol am gwrs hanes Cymru."

Geraint Phillips

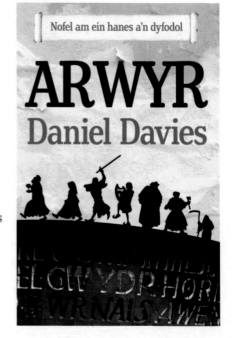

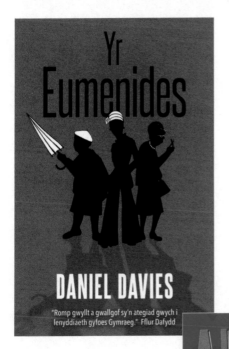

Yr Eumenides
"Digri dros ben, a chlyfar. Darllenwch hi!"

Bethan Gwanas

Allez Les Gallois!
"Dyma nofel grefftus, gwbl gyfoes, wedi ei chynllunio'n ofalus, un sy'n rhoi i ni olwg wahanol ar Ewro 2016 gan awdur deallus a chellweirus."

Lyn Ebenezer

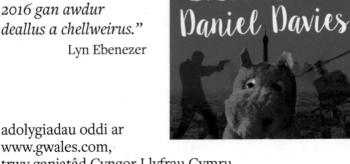

adolygiadau oddi ar
www.gwales.com,
trwy ganiatâd Cyngor Llyfrau Cymru